KB056636

BT
REPORT
미래자동차
산업분석보고서 2023개정판
저자 비피기술거래 비피제이기술거래
Z.E.

Contents

1. 서론

1. 서론

2030년이 되면 자동차 업계는 혁신적 변화가 일어날 것이라고 한다. 현재만 해도 전기자동차, 자율주행, 신소재의 급격한 변화가 이루어지고 있으니 당연한 말일 것이다. 특히 환경오염이 세계 각국의 중요한 문제로 대두되면서 친환경차인 수소차와 전기차에 대한 관심이 급증하고 있다. 이에 따라 각국 정부는 친환경차를 보급 개발하기 위해 각종 정책을 펼치고 있는 상황이다.

먼저 전기차와 수소차가 무엇인지, 어떤 특징을 지니고 있는지 간략하게 알아보겠다. 전기차(EV)는 배터리에 축적된 전기를 사용하여 모터를 작동시킨다. 전기차를 생산하는 가장 대표적 기업으로 테슬라가 있으며 주로 스타트업 기업들과 IT기업들이 전기차 생산에 적극적이다. 전기차는 기존 자동차와 비교해 소음과 진동이 적고 유지비가 저렴하며 위험한 유해물질을 배출하지 않아 매력적이다. 또한 엔진과 변속기가 필요하지 않기 때문에 구조가 간단해 내부 공간을 넓게 사용가능하다. 현재까지 설치된 인프라의 수도 수소차보다 훨씬 많아 편리하지만 충전시간이 비교적 길고 주행거리가 한정되어 있다는 아쉬운 점이 있다.

수소차(FCEV)는 기술력을 보유하고 있는 현대, 도요타, 혼다 등 기존 자동차 업계의 압도적 지지를 받고 있으며 기존 화석 연료 자동차보다 연비 면에서 훨씬 경제적이다. 충전시간이 짧고 한 번의 충전으로 장거리 주행이 가능하며 주행하면서 공기 정화가 가능해 가장 친환경적인 자동차로 주목받고 있다. 수소차는 전기를 생산하는 과정에서 순수한 물만 배출하며 초미세먼지를 제거하는 기능이 있기 때문이다. 하지만 충전소 설치비용이 비싸 인프라가 부족하고, 차량부품 생산단가가 높아 전기차보다 가격이 비싸다는 한계가 있다.[1)]

현재 전기차는 어느정도 양산화가 많이 진행되었으며 계속해서 기술발전이 이루어지고 있다. 글로벌에너지 정보분석기업 S&P 글로벌플래츠(S&P Global Platts)에 따르면, 지난해 경량차 기준으로 순수 전기차와 플러그인 하이브리드 차량을 포함한 전기차 판매량은 역대 최다인 629만대로, 전년대비 2배(102%), 2019년대비 3배 가량이 늘어, 전체 자동차 시장의 8.9%를 점유한 것으로 나타났다.

1) 수소차 전기차, 그린뉴딜의 중심이 된 친환경 모빌리티 / 문화뉴스

특히 한국만 보면 2021년 전기차 판매량이 전년대비 112% 신장, 전 세계서 가장 증가폭이 컸다. 반면, 전 세계 내연기관차 판매량은 전년대비 2.8% 소폭 늘었지만 코로나19 이전인 2019년 실적의 85% 정도에 그쳤다.

그리고 내연기관차는 2016년을 정점으로 하락세에 접어들었으며, 전기차의 급속 성장이 지속될 것이라고 밝혔다. 이에 따라 2030년 전기차 판매량은 2700만대로 전체 자동차시장에서 약 30% 비중을 차지하고, 2040년에는 5700만대로 확대, 점유율 약 54%로 내연기관차 판매량을 넘어설 것으로 예측했으며[2], 최근 한 보고서에서는 연간 전기차 판매량이 2025년 1400만대, 2030년 2100만대까지 늘어날 것으로 전망했다.[3]

우리나라 역시 전기차·수소차를 미래성장 동력분야로 정하고 전기차 상용화 시대의 기반을 조성하기 위해, 2022년을 '미래차 대중화의 원년'으로 삼고 2025년까지 전기차 113만대, 수소차 20만대를 보급하겠다고 밝힌 바 있다.

이에 따라 정부는 세제 및 구매 보조금, 충전인프라 구축 등의 적극적인 지원정책을 추진하고 있는 상황이다. 실제로 문재인 대통령은 2020년 10월, 현대차 울산공장을 방문해 2025년까지 전기차·수소차 등 그린 모빌리티에 20조원 이상 투자할 계획이라고 밝혔으며, 또한 2027년 세계 최초로 레벨4 수준의 자율주행차를 상용화하겠다고 했다.

이어 핸드폰처럼 수시로 편리하게 충전할 수 있도록 전기차 충전소는 2025년까지 아파트, 주택 등 국민들의 생활거점에 총 50만기, 고속도로 휴게소 등 이동 경로에 1만5000기를 공급하겠다면서 수소차 충전소는 수도권을 중심으로 내년 상반기까지 100곳을 완공하고, 2025년까지 총 450곳을 설치할 계획이라고 전했다.

앞서 정부는 2년 안으로 우리나라 전체 차량 판매의 10%를 전기차, 수소차로 채우겠다는 계획을 내놨으며, 지난 7월에는 한국판 뉴딜을 통해 2025년까지 전기차 113만대, 수소차 20만대를 누적 보급하겠다는 목표를 정한 바 있다.[4]

뿐만 아니라, 현재 정부는 전기·수소차를 구매하면 전기차는 최대 1,820만원, 수소차는 최대 4,250만원을 보조금으로 지원하고 있다. 보조금 지원시한을 최대 2025년까지 연장하며 지원물량을 대폭 확대하고 세제 혜택 연장도 함께할 예정이라고 밝혔다.[5]

---

2) 에너지신문 '2030년 세계 자동차시장 전기차 30% 차지할 것'
3) 전기차 인기 폭발…올해 판매 300만대 넘는다 / 중앙일보
4) 文대통령 "2025년까지 전기차·수소차에 20조원 이상 투자" / 파이낸셜뉴스
5) 수소차 전기차, 그린뉴딜의 중심이 된 친환경 모빌리티 / 문화뉴스

이처럼 친환경차인 전기차·수소차는 미세먼지, 대기 오염등 각종 환경문제의 해결책으로 떠오르면서 빠른 성장세와 막대한 지원이 주목받고 있는 상황이다. 현재 세계는 본격적인 전기차 시대가 개막됐다는 얘기다. 본 서에서는 미래 자동차 산업을 이끌 핵심분야로 친환경차인 전기차와 수소차의 시장 동향과 각 기업의 현황을 살펴볼 것이며, 개정판에서는 국내외 시장동향, 정책동향, 기업별 기술 현황에 대한 자료가 최신내용으로 추가되었으니 참고하기 바란다.

2. 수소차·전기차 개요

2. **수소차·전기차 개요**

가. 수소차?

1) 수소차란?

수소차는 크게 수소를 연료로 내연기관을 작동시키는 '수소연료차'와 수소와 화학반응을 통해 차량 내에서 자체 생산된 전기를 통해 모터를 구동하여 주행하는 '수소연료전지차'(FCEV: Fuel Cell Electric Vehicle)로 구분된다. 즉 전기차가 충전된 2차 전지에서 전기를 얻는 반면, FCEV는 자체적으로 전기를 생산하여 동력원을 얻는다.

구분	수소연료차 (Hydrogen Fueled Car)	수소연료전지차 (Hydrogen Fuel Cell Vehicle)
기본개념	-가솔린 자동차와 비슷한 내연기관 엔진 사용 -수소와 가솔린을 함께 사용하는 '하이브리드'형태가 대부분	-내연기관 엔진이 없음 -연료전지를 통해 생산된 전기를 동력원으로 사용
구동원리	-수소 또는 수소 및 가솔린이 함께 연소 -내연기관 내에서 연소를 통해 얻어진 에너지 활용	-연료전지 내에서 생산된 전기를 동력원으로 사용 -수소/산소의 역전기분해 화학작용
엔진유무	-수소연소에 필요한 개량형 엔진 필요	-엔진이 필요없음
장점	-내연기관 자동차와 유사, 빠른 보급 확대 가능	-내연기관 대비 높은 동력 효율 -생산되는 부산물은 전기+물+열, 무공해 운송수단
단점	-낮은 동력 효율	-높은 연료전지 가격
주요 업체 및 모델	-포드, 마즈다, BMW 등	-현대, 도요타, 혼다, BMW 등

표 1 수소차의 구분

6)

6) 출저 : IRS Global, SK증권

수소연료전지 방식은 가장 많은 자동차 회사에서 채택하고 있으며 발전기를 가지고 있는 전기 자동차의 일종으로 보는 견해도 있다. 연료전지는 물을 전기분해하여 산소와 수소로 분리하는 것과 완전히 반대의 원리이다.

연료전지의 구조는 전기를 전달할 수 있는 '전해질'이라는 물질을 사이에 두고 양극과 음극의 두 전극이 샌드위치 형태로 위치하게 된다. 연료전지의 음극(+)을 통해 수소가 공급되고 양극(-)을 통해 각각 산소가 공급된다. 음극을 통해 들어온 수소는 백금 등 촉매재(Catalyst)에 의해 수소이온(H+)와 전자(e-)로 분리된다. 분리된 수소이온과 전자는 박막으로 인해 서로 다른 경로를 통해 양극(+)에 도달하게 되는데, 수소이온은 연료전지의 중심에 있는 전해질을 통해 양극(+)으로 흘러가고, 전자는 외부회로를 통해 이동하면서 전류를 흐르게 하는 동시에 양극으로 흘러가 산소와 결합해 물이 된다.

수소 연료전지는 약 160년 전 1839년 영국 그로브(W.Grove)가 처음 발명했으며, 1960년대 아폴로 우주선 전원으로 개발되었다. 연료전지는 발전효율도 높고 배출물질도 물 이외에 배출하지 않아 친환경이다.

본격적인 연구개발이 진행된 것은 1990년대로 1997년 선진국의 온실효과 가스 삭감 목표를 기록한 '교토의정서'가 계기가 되었다. 일본은 2008~2012년에 온실효과 가스 배출량을 1990년 기준 6% 삭감해야 했는데, 목표를 달성하기 위해 획기적인 신기술이 필요했고 그 기술이 바로 '수소연료전지 기술'이었다.

자동차용 연료전지는 전해질과 공급되는 기체 종류 등에 따라 분류할 수 있으며, 고분자전해질연료전지(Proton Exchange Membrane Fuel), 인산형 연료전지(Phosphoric Acid Feel Cell), 알칼리형 연료전지(Alkaline Fuel Cell), 직접 메타놀 연료전지(Direct Methanol Fuel Cell), 고체고분자형 연료전지(Polymer Electrolyte Fuel Cell), 응용탄산염(Molten Carbonate Fuel Cell), 고체전해질연료전지(Solid Oxide Fuel Cell)등이 있다.

각 종류마다 장단점이 있으며 인산형 연료전지는 소형발전에 가장 먼저 상용화 되었고, 분자전해질연료전지는 자동차에 가장 널리 이용되고 있다. 연료전지를 이용한 발전을 위해 수소를 직접 공급할 수도 있고 개질(reforming)에 의해 수소로 전환할 수 있는 메타놀, 휘발유 등을 공급할 수도 있으나 개질 장치가 필요하다.

2) 구동원리

수소차의 전기생산 단계는 다음과 같다.
1단계: 수소탱크에 저장된 수소가 수소연료전지 스택으로 공급
2단계: 유입된 산소가 수소연료전지 스택으로 공급
3단계: 수소연료전지 안에서 산소와 수소가 화학반응을 통해 전기 생산
4단계 발생된 전기가 모터와 배터리로 공급&물을 외부로 배출

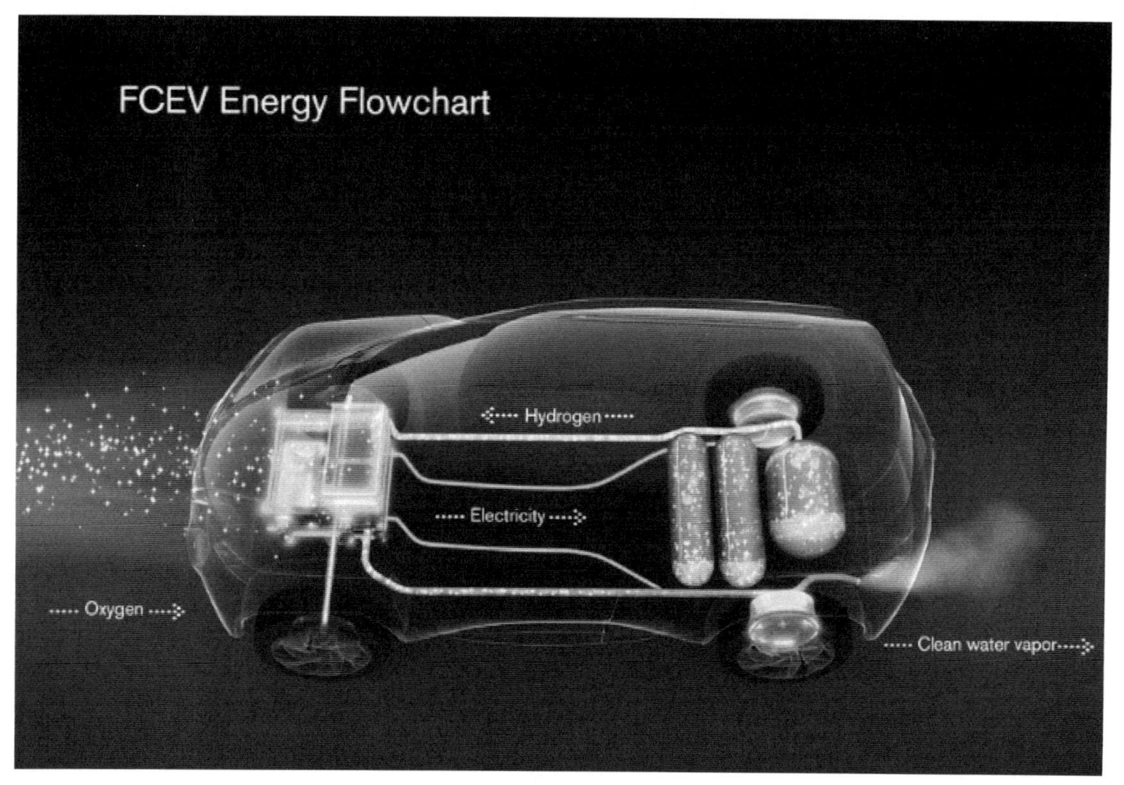

그림 3 수소연료전지 자동차 원리
7)

7) 출처: www.seriouswheels.com

나. 전기자동차

1) 전기자동차 개념

전기자동차는 배터리와 전기모터의 동력만으로 구동이 되는 차로, 구동에너지를 기존의 자동차와 같이 화석연료의 연소로부터가 아닌 전기에너지로부터 얻는 자동차를 말한다. 즉, 이름 그대로 전기를 동력으로 하여 움직이는 자동차인 것이다. 영어로는 Electric Vehicle의 약자인 EV로 통칭되는데, 업계에서는 전기 자동차의 기능을 부분적으로 차용하는 하이브리드(HEV), 플러그인 하이브리드 자동차(PHEV)도 전기자동차로 범위를 넓혀 말하기도 한다. 따라서 전기자동차는 크게 EV, HEV, PHEV의 3가지로 나누는데, 내연기관을 활용하는 엔진의 유무, 외부 배터리 충전단자의 유무가 기준이다.

지식경제부의 「환경친화적자동차 개발 및 보급 촉진에 관한 법률」('04.10제정)에 따르면 전기자동차는 에너지 소비효율이 높고 저공해 기준에 적합한 친환경차로서, '태양광자동차', '하이브리드자동차', '연료전지자동차'등과 함께 환경친화적 자동차 중 하나로 정의되어 있다.

구분		개념
전기기반차	전기자동차	배터리와 전기모터의 동력만으로 구동이 되는 차
	하이브리드 자동차	내연기관 구동 시 발생하는 전기나 외부로부터 전기의 충전 및 활용이 가능한 자동차
	플러그인하이브리드 자동차	전기모터와 내연기관 병행장착으로 외부로부터의 전기 충전이 가능한 차
엔진기반차	연료전지자동차	연료전지를 활용하여 수소와 산소반응으로 전기를 생산하여 구동되는 자동차
	클린디젤자동차	유로 5 이상의 저공해 수준을 만족하고 CO2규제에 대응 가능한 초고효율 디젤 자동차
	천연가스자동차	천연가스를 동력원으로 사용하는 자동차

표 2 그린카의 종류와 개념

8)

8) 자료: 한국산업기술평가관리원, 산업기술 R&D전략, 2014

전기자동차는 내연기관의 엔진을 대신하여 외부로부터 충전된 배터리의 에너지를 사용하는 전기모터만으로 구동되는 자동차로, 효율향상을 위해 전기모터와 엔진을 병행 사용하는 하이브리드 자동차와는 구분된다.

다음 장에서 좀 더 구체적으로 살펴보자.

2) 전기자동차 구분

	하이브리드 자동차(HEV)	플러그인 하이브리드 자동차(PHEV)	전기 자동차(EV)
구동원	엔진+모터(보조동력)	모터, 엔진(방전시)	모터
에너지원	전기, 화석연료	전기, 화석연료(방전시)	전기
구동형태	모터 발전기 엔진 배터리 연료탱크	전원 모터 발전기 엔진 배터리 연료탱크	전원 (엔진미장착) 모터 발전기 배터리
배터리	0.98~1.8kwh	4~16kwh	10~30kwh
특징	주행 조건별 엔진과 모터를 조합한 최적운행으로 연비 향상	단거리는 전기로만 주행, 장거리 주행 시 엔진사용, 하이브리드+전기차의 특성을 가짐	충전된 전기 에너지만으로 주행, 무공해 차량

표 3 전기자동차의 종류

가) 하이브리드 자동차(HEV)

하이브리드 자동차(Hybrid Electric Vehicle:HEV)는 화석연료 엔진과 전기모터를 함께 사용하는 것은 PHEV와 동일하지만, 배터리를 따로 충전하지 않는다는 차이가 있다. 기존 내연기관 자동차 대비 연비가 높고 공해물질 및 이산화탄소 배출량이 적은 것이 장점이다. 정상 주행할때에는 엔진을 주로 사용하고, 시동을 걸 때나 고속 주행 등 더 큰 출력이 필요할 때에는 전기모터를 보조로 사용하는 방식으로, 별도의 충전 인프라가 필요 없다. 대표적인 하이브리드 전기자동차로는 도요타의 '프리우스'를 들 수 있다. 일본 도요타 자동차는 1997년 '프리우스'를 출시하며 하이브리드 시대를 열었다.

그림 4 도요타 프리우스

하이브리드 자동차는 모터의 사용정도(전기화 정도)에 따라서 Micro(Mild) HEV, Soft(Power Assist) HEV, Hard(Full) HEV로 구분할 수 있다. Micro(Mild) HEV, Soft(Power Assist) HEV및 Hard(Full) HEV에 대해 구체적으로 설명하면 다음과 같다.

Micro HEV(마이크로 하이브리드 전기자동차)는 공회전시 시동이 자동으로 꺼지고, 출발 시 엑셀레이터를 밟으면 시동이 켜지는(idle stop & go system)방식의 차량으로 전기모터는 보조역할만 하는 차량을 의미한다. 기존의 내연기관에 부착하거나 제약조건이 많은 소형차량에 적합한 방식으로 이산화탄소(CO2) 감소율이 5~10% 정도의 하이브리드 전기자동차다.

그림 5 Citroen C2(Micro HEV)

Soft HEV(소프트 하이브리드 전기자동차)의 경우 Micro HEV 방식보다는 모터의 보조역할이 더 크다. 대부분 병렬방식의 Soft타입으로 현대자동차의 아반떼 LPI하이브리드 및 혼다자동차의 시빅 하이브리드와 같이 엔진+전기모터+변속기(CVT: Continuously Variable Transmission)로 구성되어 있다.

이 경우 엔진과 변속기 사이에 모터가 삽입되어 있으며, 모터가 엔진의 동력 보조역할을 수행하게 된다. 전기모터 단독으로 차를 움직일 수 있어 모터는 단지 추진의 보조역할을 하고, Soft HEV는 전기적인 비중이 적어 가격이 저렴한 장점이 있다. 반면, 순수 전기모드 구현이 불가능하여 배기가스 저감 및 연비개선에서 상대적으로 불리하게 된다. Soft HEV는 시동이나 가속 순간에만 전기모터가 엔진을 보조하고 정속 주행 시는 일반자동차와 동일한 엔진으로만 구동하는 타입으로 Hard HEV 대비 연비가 나쁘다.

그림 6 혼다 시빅(Soft HEV)

Hard HEV(하드 하이브리드 전기자동차)의 경우 전기모터가 출발과 가속 시에만 역할을 하는 것 이상으로 주행 시에도 전기모터가 사용되는 방식이다. 내연기관과 전기모터의 배치에 따라 직렬형, 또는 직·병렬형(혼합형)으로 구분되며, 도요타의 프리우스가 이 방식의 대표적인 전기자동차 모델이다. Hard HEV는 엔진이 전기모터 2개를 가지고 있으며, 변속기(CVT:Continuously Variable Transmission)로 구성된 하이브리드 시스템으로 엔진, 모터, 발전기의 동력을 분할/통합하는 기구인 유성기어를 채택하여 효율적으로 동력을 배분한다. 전기모터 2개가 유기적으로 작동하여 동력보조 역할도 수행하기 때문에 순수한 전기자동차로 구동 가능하다.

그림 7 도요타 프리우스(Hard HEV)

하이브리드 자동차(HEV)는 배터리 충전이 자체 동력에 의해 이루어지기 때문에 전기 충전소 등의 인프라가 필요치 않아 보급이 대단히 활발한 편이다. 그러나 미국은 2018년부터 미국의 ZEV(Zero Emission Vehicle)규제 계획에 HEV를 전기자동차 기준에서 제외했다. 무공해 차량 의무판매제인 ZEV Mandate(Zero Emission Vehicle)는 캘리포니아주의 Air Resource Board(CARB)가 관리하는 규제로, 제조사는 연간 판매량 대비 일정 비율만큼 전기자동차를 판매해야 한다는 내용이다.

HEV는 2018년부터 그 대상에서 제외된 것인데, 때문에 시장에서는 친환경 자동차의 대세가 HEV에서 PHEV, EV로 넘어갈 것으로 전망되고 있다. 따라서 현재 이 규제를 바탕으로 전체 판매되는 차량 중 플러그인 하이브리드(PHV), 배터리 전기차(BEV), 수소전지차(HFCV) 등 무공해 차량을 일정 비중만큼 의무로 판매하도록 규정하고 있으며, 캘리포니아주 외에도 뉴저지, 뉴욕, 오레곤, 로드아일랜드, 버몬트 등 미국의 10개 주에도 시행되고 있다.[9)]

나) 플러그인 하이브리드 자동차(PHEV)

플러그인 하이브리드 자동차(Plug-in Hybrid Electric Vehicle:PHEV)는 내연기관과 전기모터를 함께 사용하며, 배터리는 외부전원(Plug)으로 충전할 수 있도록 한 전기자동차 형태이다. 기존 하이브리드 자동차는 내연기관을 기반으로 전기모터가 보조하는 방식인 반면, 플러그인 하이브리드 자동차는 전기모터가 기반이며 내연기관이 보조하는 시스템이다. 충전상태를 감소시키는 방전 모드에서 주행할 수 있는 게 특징이다.

전기 콘센트에 플러그를 꽂아 전기로 주행하다가 충전한 전기가 모두 소모되면 화석연료 엔진으로 움직이는데, 통상 40~50km의 거리를 전기로 주행할 수 있다. 내연기관보다는 전기자동차에 더욱 가까운 형태로 배터리 에너지 밀도가 중요하다.

내연기관을 써야 한다는 점에서 탄소 제로의 대안은 아니지만, 화석연료 자동차에서 EV로 가는 중간단계로 인식된다. 아직 EV의 주행거리 한계가 있는 만큼, 그 단점을 보완하면서 연비를 늘릴 수 있다는 장점이 있다.

9) 미국 전기차 시장 - (2) 정책 동향 / kotra 해외시장뉴스

다) 전기자동차(EV)

순수 전기 자동차(EV)는 화석연료(가솔린·디젤)엔진 없이 배터리를 통한 전기에너지만을 동력원으로 사용하는 전기자동차이다. 충전된 전기에너지만으로 구동돼, 이산화탄소 등 배출가스가 전혀 발생하지 않는다. 또한 내연기관이 필요 없고 전기모터만 장착하면 되기 때문에 자동차 구조를 단순화할 수 있다. 자동차 앞쪽의 엔진룸이 없어도 되니 그 공간을 활용해 기존 상식과는 다른 다양한 디자인의 자동차가 등장하고 있다.

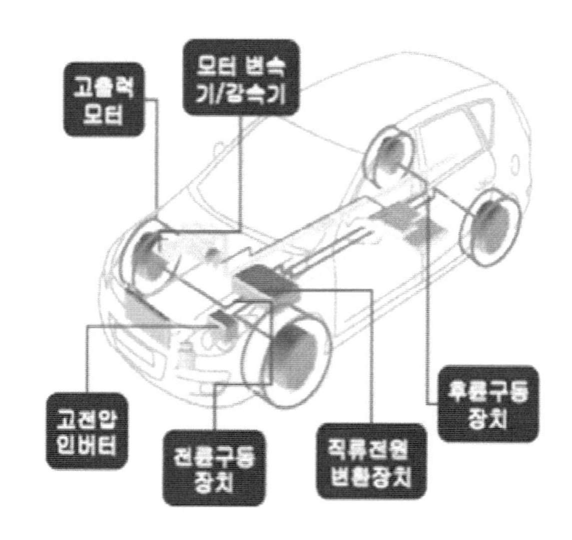

그림 8 EV구조-전기구동장치

그림 9 EV구조-에너지 저장장치 및 충전시스템

또 기존 자동차와 차별화되는 점은 바로 소리가 나지 않는 것이다. 전기자동차를 처음 운전해보면 '부릉부릉'하는 엔진소리가 없어서 시동이 걸렸는지, 차가 지나가고 있는지도 모를 수 있다. 이러한 이유로 전기자동차 제조사들은 일부러 엔진 소리가 나도로 효과음을 넣기도 한다.

EV는 배터리만으로 자동차를 구동하므로 배터리 성능이 가장 중요한 요소인데, 현재 기술력으로는 한 번 충전으로 최대 160km를 달릴 수 있는 수준이다.

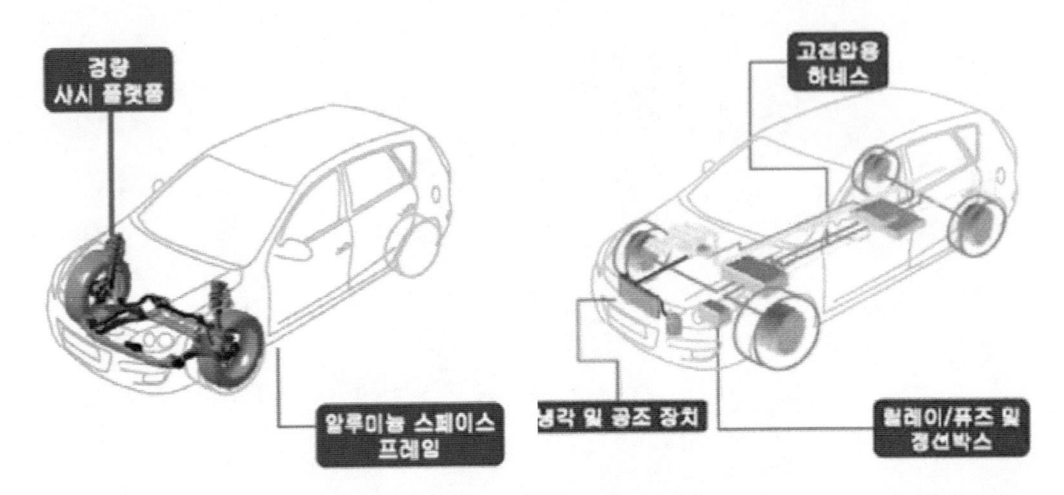

그림 10 EV구조-차체 및 샤시

그림 11 EV구조-공조장치 및 고전압 전장품

3) 전기차 특징

친환경차로 알려진 전기자동차는 주행 시 화석연료를 사용하지 않아 CO2나 NOx를 배출하지 배기가스가 전혀 없다. 또한 효율이 좋고 내구성이 뛰어나고 구조 또한 간단하다. 엔진소음이 적고 진동이 적은 것 또한 장점으로 꼽힌다. 전기모터로만 구동할 경우 운행비용이 가장 저렴하고, 심야전기를 이용하는 경우 비용을 더 낮출 수 있다. 차량 수명이 상대적으로 길어 경제적이다. 또한 사고 시 폭발의 위험성이 적어 매우 안전하다. 심야 전력으로 자택에서 충전이 가능하고, 기어를 바꿔줄 필요가 없어 운전 조작이 간편하다.

4) 전기차 역사[10]

가) 1단계(1828년~1900년대 초반) : 태동 및 활동기

전기자동차가 처음 세상에 소개되어, 다양한 종류의 전기자동차가 생산·판매되는 시기로, 헝가리인 Stephen Anyos Jedlik이 1828년에 최초로 전기자동차 모형인 전동기 실험용장치를 고안·제작했다.

사실 전기자동차는 디젤, 가솔린 자동차보다 먼저 고안됐다. 1833년경 스코틀랜드 Robert Anderson에 의해 실용적인 원유전기마차(a crude electric-powered carriage)가 발명되었고, 1865년 플아스의 Gaston Plante이 축전기를 발명하였으며, Camille Faure은 더 많은 전기를 저장할 수 있는 축전기를 개발함으로써 발전을 촉진시켰다. 1881년 프랑스의 Gustave Trouve이 파리 국제 전기박람회에서 삼륜전기자동차의 작동 가능성을 입증함으로서 전기자동차의 급속한 보급이 시작되었고, 미국에서 전기자동차에 대한 관심이 높아졌다.

1996년 전기택시 캡이 영국에서 출시되었고, 1888년에는 Brighton에서 3륜 전기자동차가 생산되었으며, 오토만제국의 황제용으로 1hp(마력) 전기모터와 24셀 배터리로 구동되는 4인승 전기자동차가 제작되었다. 1890년대 Morrison Electric vehicle를 비롯하여 Baker, Columbia, Detroit Electir 등 다양한 회사들이 미국에 설립되었고, 미국에서 전기자동차가 대중적으로 자리잡게 되었다.

1899~1900년, 세계적으로 전기자동차가 자동차(휘발유, 증기)보다 많이 팔린 시기로, 미국의 경우 1900년에 증기 1,681대, 전기 1,575대, 휘발유 936대 등을 각각 생산하였다. 1904년 미국 EV Company는 2,000대의 택시, 트럭 및 버스를 제작하고 뉴욕에서 시카고로 택시 및 자동차 렌탈 사업을 확장하였으며, 약 57개 중소기업에서 약 4,000대의 전기자동차를 생산하였다.

---

10) <국내 전기자동차 기술 경쟁력 분석>, 산업기술이슈

최초 모형 (Stephen Anyos Jedlik) (1828)	"La Jamais Contente" 최초 100km/h (1899)	Thomas Edison (1913)

그림 12 1단계 시기 전기자동차

나) 2단계(1900년대 초반~2008년): 암흑기

1900년대 초반 휘발유가격 하락과 내연기관자동차(ICEV : Internal Combustion Engine Vehicle)의 대량생산체제 구축으로 전기자동차가 시장에서 사라지기도 하였다.

1904년 헨리포드가 속도.주행거리.편의성을 갖춘 저가의 가솔린자동차 생산을 시작함에 따라 전기자동차에 대한 인기가 급격히 감소했다. 1913년에 미국 내 전기자동차의 판매량은 6천대 수준인 반면, 포드의 Model T자동차는 18만대 수준이었다. 특히, 대량생산체제와 함께 1920년대 텍사스 원유 발견으로 가솔린자동차의 대당 가격이 약 500~1,000달러로 낮아진데 반해, 전기자동차는 평균 3,000달러 이상으로 형성되어 주로 상류층들이 이용하였다.

1980년대에는 환경오염을 계기로 미국 캘리포니아주가 『배기가스 제로 법(Zero Emission Law)』을 제정한 것을 계기로 GM사는 전기자동차인 「EV1」을 개발하여 소량 생산하기도 하였다. GM은 1990년 LA오토쇼에서 시제품인 「EV1」 "IMPACT"를 선보이고 1996년 시장에 출시하여 1150대를 임대로 운영하였다.

「EV1」은 1회 충전(4시간 소요)에 160km의 거리를 달렸으며, 배기가스와 소음 등이 없이 시속130km로 운행이 가능한 성능을 보여 주었으나, 정유업계를 비롯한 자동차 부품 업계의 반발로 2003년 배기가스제로법이 철폐되고, GM은 2004년 8월까지 운영중인 「EV1」을 모두 회수하여 폐기했다.

EV1(시제품)	EV1(양산품)

그림 13 GM EV1 시제품 및 양산품

다) 3단계(2008년 이후~현재): 재조명기

GM이 개발한 전기자동차 「EV1」이 폐기된 후, 21세기에 테슬라가 공격적으로 사업을 확장하면서 가장 대표적인 EV 메이커로 떠올랐다. 이후 포드 레인저, 도요타 RAV4, 혼다 EV Plus등이 시판됐으나 실용성이 떨어졌다. 이에 충전용 보조 엔진을 달아 충전한 전기로 움직이는 하이브리드카와 연료전지차등이 개발되었으며, 하이브리드 자동차인 일본 도요타 「프리우스」로 전기자동차가 다시 조명 받게 된다.

또한 에너지 및 환경관리 규제와 유가의 급등, 세계 금융위기로 인한 경기 침체로 말미암아 전기자동차가 성장할 수 있는 환경이 형성되었으며, 선진국에서는 전기자동차의 조기 실용화를 위해 정부 차원의 대규모 투자와 아울러 강제 보급 정책을 추진하기도 했다.

특히, GM이 플러그인하이브리드 자동차인 '쉐보레볼트'를 2010년 말에 출시함에 따라 세계 유수 자동차업체의 전기자동차 개발 및 출시가 더욱 활발히 진행됐고, 이에 따라 세계 주요 모터쇼에서 전기자동차 신규 모델이나 컨셉트카(Concept Car)의 전시가 크게 확대되고 있는 추세이다.

2021년 독일 뮌헨에서 'IAA 모빌리티 2021'가 열렸다. 북미국제오토쇼(NAIAS), 제네바모터쇼, 파리모터쇼와 함께 '4대 모터쇼'로 꼽히는 IAA가 프랑크푸르트에서 뮌헨으로 무대를 옮긴 뒤 첫 행사다. 코로나19 이후 처음으로 열린 대면 행사기도 하다.

자동차업계에 따르면 개최 장소를 옮긴 만큼 IAA의 모습도 크게 변화했다. 내연기관차가 주인공이던 과거와 달리 700여개 자동차·모빌리티·부품 기업들이 나서 친환경 기술을 선보였다. IAA의 주제는 '탄소 중립 실현을 위한 모빌리티의 길'이다.

글로벌 자동차 기업들도 참석해 다양한 전동화 모델을 선보였다. 특히 지금까지 공개하지 않았던 전기차 모델들을 최초로 공개하며 친환경 모빌리티에 대한 비전을 제시했다.[11]

표 4 IAA 모빌리티 2021 전기차

11) 아주경제 '[IAA모빌리티2021] 대세는 전기차 글로벌 기업, 앞다퉈 미래차 공개'

5) 전기자동차 구성

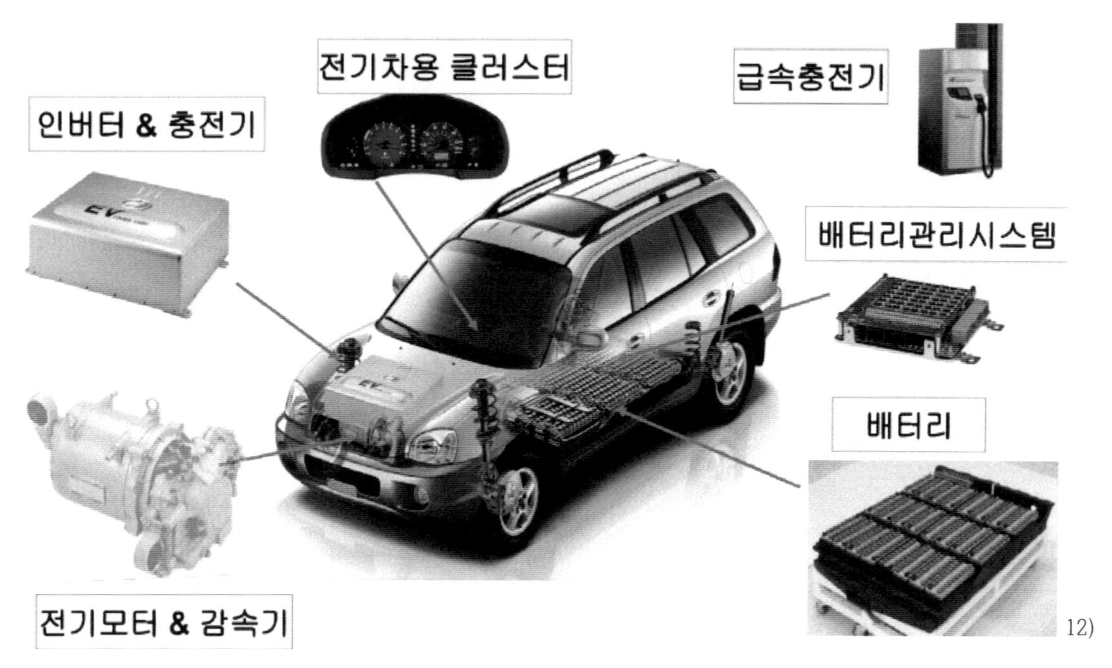

12)

그림 19 전기자동차 구성

주요부품	주요기능 및 특징
모터&감속기	배터리에서 발생된 전기를 토크로 변환하여 구동력 발생
배터리	전기에너지 저장 및 공급 장치로 전기차 성능 핵심부품
인버터	고전압 배터리 전원을 이용하여 모터 토크를 제어하는 장치
충전기	가정용 전원(완속충전, 220V, AC) 및 급속충전기(고전압, DC)를 이용한 배터리 에너지 저장장치
LDC	저전압직류변환기, 고전압 배터리로부터 12V차량 전원 공급 (DC-DC)
회생 제동장치	제동 및 차량 감속 시 잔여 구동력으로 전기를 발생 배터리에 충전하는 장치(에너지 효율 증대)
전동식 A/C	FATC(자동온도 조절장치) 및 전동식 압축기 이용 공조장치 최적 제어

표 5 전기자동차 구성

12) 자료: 현대자동차

6) 전기차 주행 및 작동원리

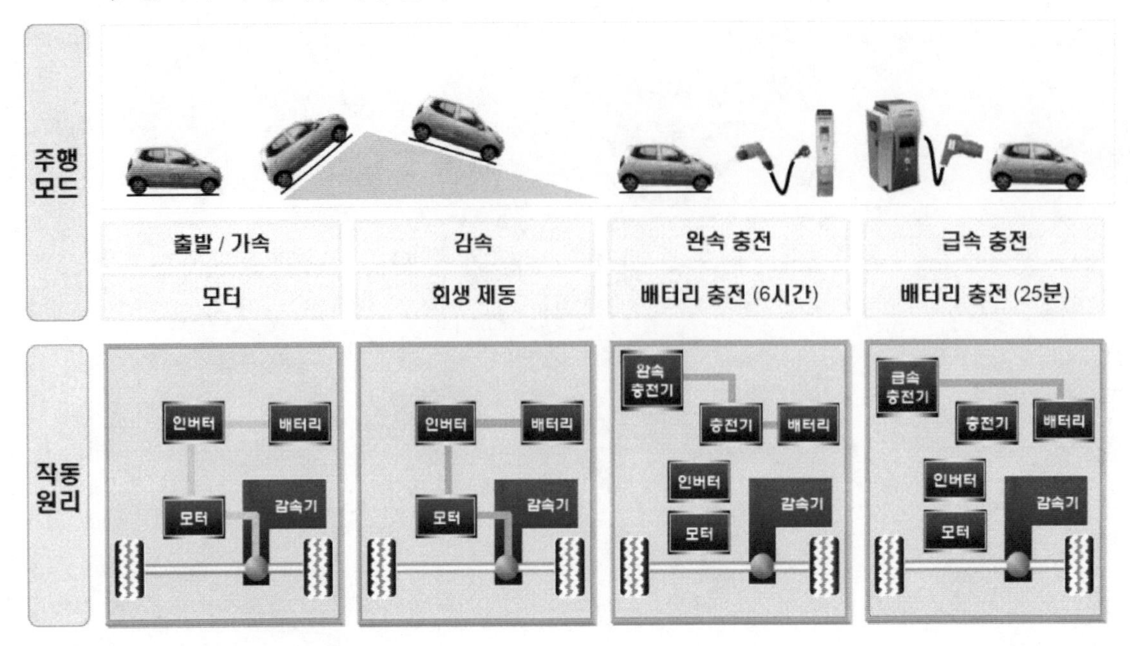

그림 20 전기차 주행모드 별 작동원리

출발이나 가속의 주행모드의 경우 전기모터 특유의 우수한 초기 발진 토크로 혼잡한 도심에서 가속력을 높여준다.

브레이크를 밟으면 모터가 발전기로 전환되어 반대로 배터리가 충전되는 기능으로 특히 제동횟수가 많은 도심에서 주행 효율성을 높여준다.

주행 중 배터리 잔량이 부족할 경우, 공공 충전소를 통해 24~33분 내외의 짧은 시간에 급속 충전이 가능하다.

충전기 플러그인 상태에서 공조장치를 미리 가동시키면 쾌적한 상태로 드라이빙이 가능하며, 출발 시 에너지 소비를 줄여 주행거리를 연장하는데 도움이 된다.

다. 수소차와 전기차 비교

전기차와 수소차의 공통점과 차이점, 그리고 장·단점을 살펴보면 다음과 같다.

먼저 전기차(EV)와 수소차 중 가장 많이 쓰이는 방식인 수소연료전지차는 모두 전기를 원동력으로 전기모터를 돌리는 것이 공통점이다.

차이점은 전기차의 경우 리튬이온전지(2차 전지)를 사용, 수소연료전지차는 연료전지(Fuel Cell)를 사용해 전기를 생산한다. 리튬이온전지는 외부에서 생성된 전기를 저장하는 역할을 하고, 연료전지는 수소를 투입하면 전기와 물을 생성해 전기를 생성하는 역할을 한다.

가격적인 측면에서는 전기차가 수소차 대비 우위에 있다. 이는 리튬이온 전지 가격 하락 때문인데, 전기차 원가에서 배터리가 차지하는 비중은 30~40%에 이른다. 그동안 꾸준히 낮아지던 배터리 가격은 셀과 팩 모두 2020년 이후 정체 상태다. 로이터 통신 보도에 따르면, 전기차용 리튬이온 배터리 셀의 kWh당 평균 가격은 2021년 105달러(약 13만4700원)에서 2022년 1분기 160달러(약 20만5300원)로 치솟았다.

또 CNBC가 시장조사업체 E 소스(E Source)의 자료를 바탕으로 보도한 기사에 따르면, 현재 kWh당 128달러(약 16만4200원)인 배터리 셀 가격은 2023년에 110달러(약 14만1200원) 선으로 떨어지지만, 2023년에서 2026년까지 22% 올라 kWh당 138달러(약 17만7000원)에 이를 것으로 전망했다.[13)]

제조에 필요한 주요 원자재 값이 급등하면서 전기차 가격도 덩달아 뛸 것이란 전망이 나오고 있다. 원자재 수급 문제로 가격이 뛰는 동시에 생산에도 차질을 빚으면서 당초 계획한 전기차 보급 목표 달성조차 어려울 것으로 보인다.

실제 테슬라는 지난달 국내에서 가장 저렴한 등급인 '모델3'의 최저 가격을 6469만원까지 올렸다. 출시 당시 보조금을 받으면 3000만원 후반에도 구매할 수 있던 모델3가 이제는 보조금을 받아도 6000만원 가까이 내야 할 정도로 가격이 급등했다.

전기차는 같은 등급의 내연기관 모델보다 1000만원가량 비싸도 충전료가 저렴한 장점이 있었지만, 현재는 2000만원가량 더 비싸져 상쇄 효과를 기대하기 어렵게 됐다. 일례로 현대차의 고급 브랜드 제네시스 GV70 내연기관차량은 기본 트림이 4904만원인 데 비해 전동화 모델의 경우 7332만원으로 가격차가 상당히 벌어졌다.

---

13) 모터트랜드 '전기차가 그토록 경제적인가요?'

이 추세대로라면 정부의 전기차 보급 목표 달성도 어려울 것으로 관측된다. 정부는 최근 국가온실가스감축목표(NDC)를 상향 조정하면서 오는 2030년 전기차 누적 보급 목표를 385만대에서 450만대로 올려 잡았다. 하지만 반도체 수급난에 원자재값까지 뛴 탓에 올해 목표(누적 43만대) 달성조차 불확실해졌다.[14)]

한편 주행성능에서 수소연료전지차가 전기차 대비 우위다. 충전시간, 최대주행거리, 최고 속도는 수소차가 전기차를 압도한다. 특히 전기차의 최대 단점인 긴 충전시간에 비해 수소차 충전속도는 3~5분에 불과하다는 장점이 있다.

아울러 최대 주행거리도 수소차가 전기차보다 높다. 다만 리튬이온전지의 연구개발에 따라 주행거리 차이는 줄어들 수 있다.

이밖에 인프라 역시 전기차가 현재 압도적으로 유리하다. 수소차는 최근들어 관심이 높아지고 있지만 전기차는 이에 앞서 이미 상용화되고 있기 때문이다. 누적보급대수에서도 수소차 대비 전기차가 크게 앞서있다. 수소차 보급이 느린 이유로는 30억 원 가량의 비용이 드는 수소 충전소가 꼽힌다.

14) 한경산업 '가격 미쳤다 머스크도 비명 이러다 전기차 못 만들판'

3. 수소차·전기차 기술 동향

3. 수소차·전기차 기술 동향

가. 수요연료전지차 핵심 기술

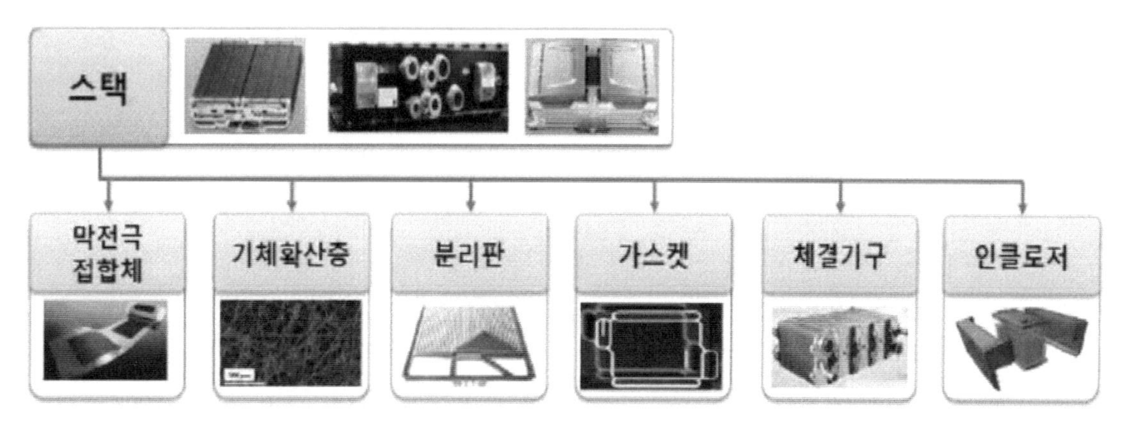

그림 22 수소연료전지차(FCEV) 스택 구성품

수소연료전지차(FCEV)는 전기차의 다른 형태로, 저장된 전기를 사용하는 것이 아닌 전기를 생성하여 구동하는 자동차이다. 전극을 구성하는 물질과 전해질을 용기 속에 넣어 화학 반응을 일으키는 화학전지와는 달리, 연료전지는 외부에서 수소와 산소를 공급하여 전기에너지를 생성한다. 수소연료전지차(FCEV)는 전기를 생성하기 위해 연료전지스택, 연료전지 주변장치, 수소저장 탱크가 필요하며, 전기가 생성된 후에는 차를 구동하기 위해 모터, 전력변환기 등의 전장장치를 사용한다.

이 중, 수소전기차의 가장 핵심 부품군은 연료전지 스택(Stack)인데, 수소차 연료전지는 요구되는 출력 수준을 충족하기 위해 단위 셀(Unit Cell)들을 적층하여 조립한 '스택(stack)' 형태로 사용한다. 이 스택은 수소차 원가 중, 재료비의 40%, 전체 수소차 원가의 25%를 차지하며, 스택의 단위 셀은 막전극접합체(Membrane-Electrode Assembly, MEA)와 분리막(Separate)으로 구성된다.

1) 막전극접합체(MEA: Membrane Electrode Assembly)

막전극접합체(MEA: Membrane Electrode Assembly)는 수소와 산소의 화학반응이 일어나 전기가 생성되는 곳으로, 고분자전해질막 연료전지(Proton Exchange Membrane Fule Cells)의 핵심 부품이다. FCEV의 원가를 결정하는 가장 큰 요인은 백금과 막전극접합체(MEA)로 꼽히는데, 스택 원가에서의 43%를 MEA가 차지하고 있기 때문이다. 일반적으로 FCEV의 원가에서 수소연료전지의 비중이 40%이며, MEA는 수소연료전지 원가의 43%를 차지하기 때문에, MEA는 FCEV 가격의 16% 가량을 차지하고 있다. 때문에 MEA의 가격을 낮출 수 있는 기술개발 속도가 FCEV의 보급 속도를 좌우할 수 있는데, 현재 MEA 관련 기술을 선도하고 있는 업체는 미국의 GORE社이며, 국내에서는 GORE社로부터 관련 기술을 도입한 코오롱인더와 동진세 미켐, 더불어 10여 년간 독자 기술개발을 해온 현대차가 관련 기술을 보유하고 있는 것으로 파악된다. 현재 하나의 MEA는 약 0.7V의 전기를 발생시키고, 1kw의 전기를 만들기 위해서는 40~50매정도의 셀이 필요하며 수소차 1대에 들어가는 MEA는 440장에 이른다.

2) 가스확산층(Gas Diffusion Layer)

수소, 산소 및 물을 공급하고 배출하는 장치로 Current Collector와 촉매를 연결하며, 수소가 압력차에 의해 GDL을 지나 촉매쪽으로 이동하게끔 한다.

3) 분리판(Plate)

분리판(Plate)은 연료전지에 공급된 산소, 수소를 Gas Flow Channel을 통해 GDL에 공급하고, 수소와 산소의 화학반응으로 생성된 물을 외부로 배출시킨다. 따라서 분리판은 상기 물질이 섞이는 것을 방지하고 음극(Anode)에서 발생한 전자를 양극(Cathode)로 전달하는 전자전도체 기능도 하기에 열전도가 우수해야 한다. 이러한 특성으로 인해 분리판은 일반적으로 흑연(Graphite), 탄소복합제로 제작된다. 일반적으로 FCEV의 원가에서 수소연료전지의 비중이 40~50%이며, MEA와 금속분리판(Plate)은 연료전지 원가의 60~70%를 차지하는 것으로 파악된다. 즉, MEA 및 Plate 기술확보가 FCEV 가격경쟁력을 좌우하는 요소인 것이다.

4) 가스켓(Gasket)

가스켓(Gasket)은 수소, 공기, 냉각수의 누설을 방지하는 역할을 수행한다.

나. 수소차 부품 기술 동향

국내 수소전기차 및 부품기술은 해외대비 동등 또는 이상의 수준으로 시장경쟁이 가능하지만 소재기술은 다소 미흡한 수준으로 평가된다. 따라서 본 서에서는 부품기술 중심으로 알아본다.

수소전기차 연료전지시스템 중 부품 수가 가장 많고 특허 경쟁이 치열한 운전장치의 부품은 우리나라가 현재 세계 최고기술 수준을 자랑한다. 연료전지시스템의 핵심기술인 막전극접합체(MEA)와 금속분리판의 경우 2013년 출시 수소전기차(투싼 ix)에는 수입품을 사용했지만 이후 국산화에 성공해 차세대 수소전기차 '넥쏘'에는 국산제품을 사용했다.

또한 수소전기차의 심장인 연료전지 스택에 들어가는 기체확산층(GDL:Gas Diffusion Layer)은 2019년 연료전지 전문기업 JNTG(제이앤티지)가 11년 동안 공들여 개발해온 결과, 세계에서 4~5번째, 국내에서는 최초로 개발을 성공하기도 했다.[15)]

고압용기(수소저장용기)는 부품기준으로는 국산화에 성공했지만 카본파이버 등의 소재는 수입에 의존하고 있다. 수소가스의 누설여부를 감지하고 차량의 안전을 진단하기 위한 핵심부품인 수소센서는 이미 국산화 개발이 이뤄져 투싼 ix부터 적용되고 있다.

이처럼 수소전기차의 가격 저감을 위한 핵심부품(스택, 수소저장장치 등) 기술개발이 이미 진행 중이지만 우위를 보이고 있는 기술경쟁력을 지속적으로 유지·강화하고 추가적인 기술개발을 국가 차원에서 보다 체계적으로 추진하기 위해 수소전기차 기술로드맵이 마련되었다.

향후 세계시장에서 국내 수소전기차 가격경쟁력 확보를 위한 추가적인 부품기술들의 국산화, 수소공급·공기공급·열관리 장치 대량생산기술 확보, 백금촉매 저감 기술 개발 등이 추진된다.

이로써 글로벌 대형 부품업체와 기술·시장 경쟁이 가능한 국내 부품업체의 기술 확보 및 내구성 향상을 위해 공기압축기, 능동제어 가습기, 고농도수소센서, 일체형 수소재순환장치, 고내구 가변밸브, 수소누설방지 기술 개발 등이 추진된다.

15) 수소·연료전지 연구현장을 가다-⑭JNTG 에너지 연구소 / 월간수소경제

시내·고속 수소버스, 5톤급 이상의 수소 화물차·특장차 등 다양한 모델의 수소상용차 기술 개발도 진행된다. 이와 관련해 2018년 평창올림픽과 울산에서 수소버스가 시범 운행되었다. 이는 700기압의 수소저장장치를 장착해 1회 충전 주행거리가 300km 이상인 도심주행용 수소버스 핵심기술개발(2016~2019년)의 일환이다.

그림 23 2018년 평창동계올림픽과 울산에서 시범 운행했던 현대차의 수소전기버스

여전히 미흡하다고 판단되는 수소연료 가격저감을 위한 기술개발도 추진된다. 수소 생산보다 이송비용이 높기 때문에 이송비용 저감기술이 필요하다.

현재 수소충전소에 공급되는 대부분의 수소연료가 부생수소로 이뤄지고 있는 만큼 안정적인 수소연료 공급을 위한 재생에너지 활용 수소생산기술도 개발계획에 포함됐다. 수소충전소의 경우 부품 국산화율이 40%에 불과해 국산화를 통한 가격저감 역시 요구된다. 해외와 같은 저가형 모듈 충전소 기술도 부족해 국산화가 이뤄져야 하는 부분이다. 고장률을 감소시킬 수 있는 방안 마련도 필요한 것으로 알려졌다.

이에 따라 수소 및 수소충전소 분야에서는 수소가격 저감을 위한 수소이송, 충전소 수소 생산·저장 및 고효율 압축기 원천기술 개발, 모듈형(패키지) 및 융합충전소, 수입부품 국산화, 대체소재 기술개발, 초기 CNG 충전소 보급 시 활용한 이동식 수소충전소 기술개발, 일일 500kg급 이상을 대비해 대용량 수소 카트리지 수소이송 실증, 설비업자 자가 검증 매뉴얼 및 수소 순도·충전량·충전시간·충전방식 검증장비 개발이 추진된다.

또한 수소전기차 보급 활성화를 위해 경제성 분석 툴(Tool), 부품고장 DB, 부품기술 개발 지표 등도 반드시 필요하지만 국내 상황은 매우 미흡하다는 판단이다.

이와 같은 문제를 해결하기 위해 미국 DOE의 'H2First'등과 같은 국내 환경에 적합한 수소 생산부터 수소충전소까지의 다양한 경제성 분석 툴 개발, 주요부품의 기술수준 파악 및 개발방향 설계를 위한 실증사업(수소 택시 50대), 부품기업 기술 증진, 판로확대, 정보교류를 위한 수소에너지 R%D통합 발표회, 수소가치사슬과 연관된 실증사업(Hydrogen power park)등도 기술개발 로드맵에 포함됐다. 다음은 수소전기차 부품개발에 공들여 온 국내 기업 사례도 있다.

에코플라스틱 이 240억 원 규모의 유상증자에 나선다. 현대자동차가 선보일 친환경 차량 금형 개발과 신규 부품 생산에 자금을 투자한다. 중장기적으로 전기차 관련 매출 증대를 이루겠다는 계획이다. 에코플라스틱 은 자동차 차체용 부품 제조업체다. 플라스틱 범퍼를 주력으로 공급한다. 주요 고객사는 현대자동차와 기아다.

2022년부터 오는 2024년 12월까지는 120억 원을 투입해 차량 경량화 사업을 확대한다. 에코플라스틱은 2020년 산업통상자원부의 제28차 사업재편계획 심의위원회에서 내연 자동차 부품기업의 전기·수소차 부품 전환 부문 사업재편계획 승인을 받았다. 이를 통해 하이퍼 플라스틱 소재를 활용한 경량화 및 고부가 가치화를 추진한다는 계획이다. 현재는 테일게이트 판넬 및 전기·수소차의 경량화 부품을 개발하고 있다.[16]

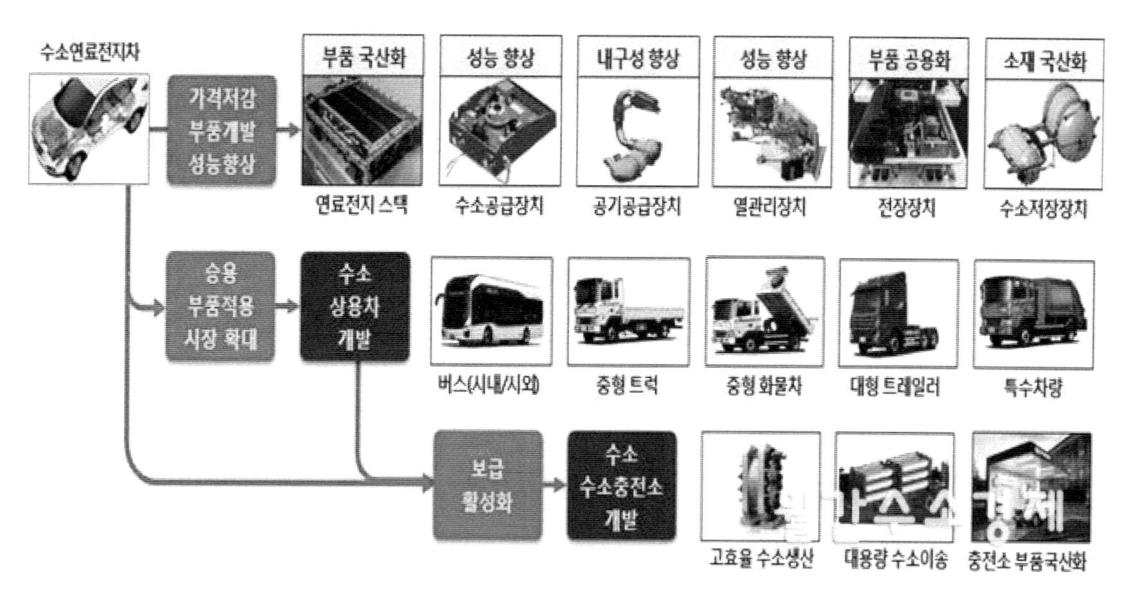

그림 24 수소차 기술개발 형태

16) 아시아경제 '[자금조달]에코플라스틱, 아이오닉6 코나 등 전기 수소차 부품생산'

다. 전기자동차 기술개발 동향

전기자동차의 주요 시스템은 전지시스템, 충전시스템, 구동시스템, 차체시스템 등으로 구분할 수 있다. 주요 시스템별 기술개발동향은 다음과 같다.

구분	개발동향
전지시스템	-대용량 BMS -배터리 핵심소재 국산화
충전시스템	-양방향 충방전 시스템
구동시스템	-비희토류 전동기 설계 및 구동기술
차체시스템	-양산형 전기차 전용 플랫폼

[17]

표 6 국내 전기자동차 기술 개발 동향

1) 전지시스템

대용량 BMS(Battery Management System)의 개발은 대용량 배터리의 효율성 향상과 안정성 확보가 핵심요소이다. 배터리 핵심소재의 국산화율은 낮은 수준이며, 특히 원가비중이 높은 양극재를 중심으로 기술개발을 하고 있다. 배터리는 전기차 생산원가의 가장 큰 비중을 차지하며, 전기차의 가격, 주행거리 등을 좌우하는 핵심 부품이다. 다음은 배터리 종류별 특징이다.

17) 자료: KDB산업은행 기술평가부 재구성

구분	원형	각형	폴리머
전지의 형상			
특징	-주로 it용도로 활용 -최근 자동차용으로 사용 -대용량의 원형전지도 생산(~40AH)	-HEV 및 PHEV에 주로 사용 -대용량에는 복수의 Jelly-roll를 사용	-EV등의 대용량 전지에 적합 -IT, HEV~ESS등 광범위한 응용분야 -낱장의 전극 적층방식 채용
장단점	-고속대량 생산에 유리 -저가격 -취급용이 -수명·안정성 취약 -디자인 유연성이 없음	-패키징 용이 -취급용이 -안전성 취약 -많은 부품 수 -디자인 유연성 낮음	-디자인 유연성 -적은 부품 수 -고 안전성 -취급 난이 -낮은 생산 속도

표 7 배터리의 종류

18)19)

배터리는 재충전이 가능한 2차전지가 이용되며 전기자동차 성능·가격에 가장 큰 영향을 미친다. 배터리의 구성요소로는 배터리 셀, 모듈, 배터리관리시스템(BMS), 냉각장치 등을 들 수 있다. 세부적으로 살펴보면 배터리 셀이 모여 모듈이 되고, 모듈이 모여 최종 배터리 팩이 된다. 또한 배터리 셀은 양극, 음극, 전해액, 분리막, 덮개로 구성되며, 배터리 팩에는 배터리의 상태를 측정하고 통제하는 배터리 관리시스템과 냉각장치가 부착된다.

배터리 셀은 각각 에너지를 저장했다 내보내는 역할을 하는데 이 자체만으로는 용량이 작기 때문에 이를 한데 묶은 모듈을 만들고, 이를 다시 크게 합쳐 팩을 만든다. 배터리의 원천은 셀에 있고, 이를 묶는 단위가 모듈-팩 순이라고 보면 된다. 셀은 삼성SDI, LG화학 등 일부 업체만 생산이 가능하고, 이를 용도별로 맞게 모듈과 팩으로 묶는 작업은 여러 업체가 맡는다.

18) 전기자동차 배터리 종류, 다이나솔루션
19) 자료: 한국자동차 공학회, 「Pouch형 LIB의 현황과 전망」 2014.09.17

삼성SDI의 배터리를 넣은 BMW i3를 보면, 셀을 96개 사용한다. 셀 12개를 하나의 모듈로 묶고, 이런 모듈 8개를 다시 하나의 팩으로 묶어 탑재하는 식이다.

전기차용 셀은 자동차 내 제한된 공간에서 최대한의 성능을 발현할 수 있도록 단위 부피당 높은 용량을 지녀야한다. 여기에 일반 모바일 기기용 배터리에 비해 훨씬 긴 수명을 가지면서, 동시에 주행 중에 전달되는 충격을 견디고, 저온·고온에서도 끄덕없을 만큼 높은 신뢰성과 안정성을 지녀야 한다.

여러 개의 셀은 또 열과 진동 등 외부 충격에서 좀 더 보호될 수 있도록 하나로 묶어 프레임에 넣는데, 이게 바로 모듈이다. 모듈에 배터리의 온도나 전압 등을 관리해주는 배터리 관리시스템(BMS)과 냉각장치 등을 추가한 것이 팩이다.

배터리 업계는 그 동안 셀에 대한 기술 경쟁에 주력해왔는데 이제는 셀에 대한 기술 발전이 상당 부분 이뤄지면서 점차 모듈과 팩에 대한 성능·효율성 증가로 방향이 바뀌고 있다. 팩은 두께와 폭이 얼마나 얇아지느냐에 따라 완성차의 디자인을 더 유연하게 시도할 수 있다. 삼성SDI의 경우 2017년 전기차 배터리 모듈 플랫폼인 '확장형 모듈'을 공개하며 호응을 얻었다. 셀에 대한 기술력은 이미 상당한 수준인 만큼, 이를 더욱 극대화할 모듈 디자인을 선보인 것이다. BMW i3에 공급한 배터리의 모듈에 12개의 셀이 들어갔는데, 확장형 모듈은 24개 이상의 셀을 넣을 수 있도록 첨단 기구설계 공법을 적용해 기존 대비 2배 이상의 에너지 용량(6~8kWh)을 구현했다.

이외에 기존 내연기관 자동차의 디자인을 크게 바꾸지 않는 범위 내에서 하이브리드 전기차(HEV)를 구현할 수 있도록 하는 '저전압 배터리 시스템(LVS)'이나 모듈 없이 셀을 구성해 바로 팩을 만드는 디자인에 대한 시도도 이어지고 있다.

이렇게 배터리 기술은 계속해서 발전하고 있지만 원료가 되는 희귀소재의 확보는 갈수록 어려워지고 있다고 한다. 원료가 되는 희귀소재는 희토류를 말하는 것인데, 2021년에는 리튬과 코발트 등의 주요 원료들이 고갈 우려가 있다. 테슬라의 모델 S 차량 한대에 리튬이 7.7kg, 니켈은 53.5kg, 코발트는 10kg, 구리는 26.6kg이 들어가는데, 현재 대비 2025년 리튬의 수요는 21배, 코발트 수요는 15배, 니켈은 41배의 수요 폭증이 예상된다. 자연히 고갈 문제가 불거질 수밖에 없는 구조다. 이 때문에 배터리 제조사들은 대안이 될 수 있는 원료를 찾는 것이 관건으로 보인다.

배터리의 원료소재별 특성은 다음과 같다.

	납 (Lead Acid)	니켈카드뮴	니켈수소	리튬이온	리튬이온 폴리머
양극	이산화염	니켈계	옥시수산화니켈	리튬금속산화물	리튬금속 산화물 등
음극	납	카드뮴	MH (Metal Hydride)	탄소질	탄소질 등
전해질	황산	알카리계	알카리수용액	유기질	유기질 등
작동전압 (V)	2	1.2	1.2	3.6~3.8	3.6~3.8
에너지밀도 (Wh/kg)	35	50~60	60~80	90~120	180~200
자기방전율 (Wh/kg)	6	20~23	15~20	5	0.1
메모리 효과	없음	있음	있음	없음	없음
각종 안전성	좋음	좋음	좋음	보통	보통
환경오염	有	有	無	無	無
용도	-일반 자동차 -국내 NEV급 배터리	초기 핸드폰, 노트북(현재 사용안함)	-프리우스, 시빅 프라이드 HEV -96~9년의 핸드폰, 노트북	-현재 핸드폰, 노트북, AV -닛산, 니혼전지	-국내 NEV(옵션) -'09년 현대 아반떼 -GM 시보레볼트 적용
장점	신뢰성, 저단가	고용량, 대전류 방전(납보다)	검증된 수명, 안전성, 저가	고에너지 밀도 경량, 적은부피	리튬이온장점, 안전성, Size Flexibility
단점	낮은 에너지밀도 고중량	환경문제, 메모리 효과, 낮은 에너지밀도	급속충전 힘듦, 저온성능 낮음	안정성, 고가	고가

표 8 Battery 원료별 특성

2) 충전시스템[20]

전기차를 효율적으로 운행하기 위해서는 아래와 같이 전력공급을 할 수 있는 네트워크, 충전/방전 시스템, 요금 과금 시스템, 전력계통 운영시스템, 배터리 교환소 등이 구성되어야 한다.

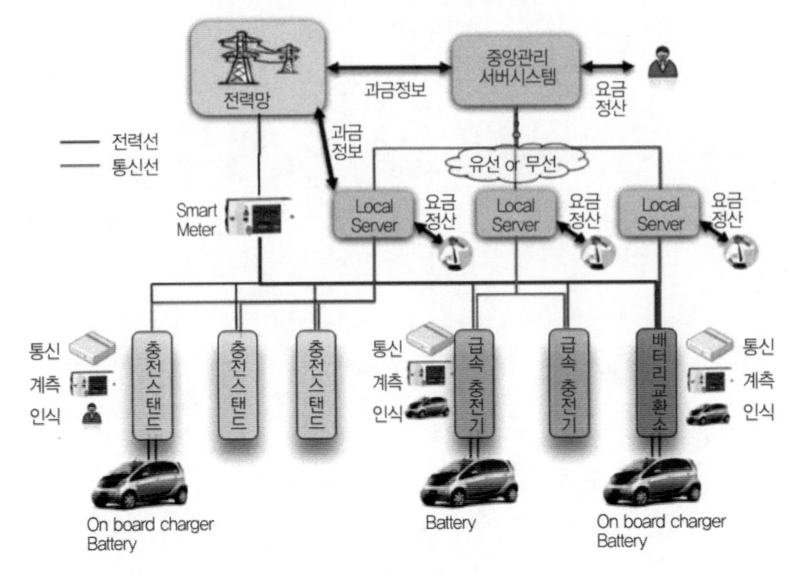

그림 25 전기차 충전시스템 구성

전기차의 인프라 구성은 아파트 또는 공용시설의 주차장에서 전기자동차 충전을 값싸고 편리하게 이용하기 위한 시스템으로, 사용한 전기 요금은 세대 관리비 등에 합산해 청구하는 방식으로 운영될 것이다. 기본 충전기능뿐만 아니라 RFID 카드나 홈네트워크를 통해 실시간 요금정산 및 원격 모니터링, 충전 현황 등의 정보를 손쉽게 확인할 수 있다.

전기차 충전기는 홈충전기 저속과 급속충전기와 완속 충전기의 두가지 타입이 있으며, 급속충전기는 약 30분 만에 충전이 가능하다. 급속충전기는 한전 AC전원을 DC변환 또는 신재생에너지 DC전원을 DC/DC로 변환하여 자동차에 장착된 배터리에 필요전력을 충전하며, 정류기 및 DC/DC 컨버터가 외부 충전시스템에 분리되어 있어 충전속도가 빠르다. 완속 충전기는 정류기와 DC/DC컨버터가 자동차에 내장(On Board Charger)되어 전력변화과정이 발생하고 자동차는 구조적으로 소용량 변환만 가능하므로 충전 속도가 느리다.

20) <전기차 충전시스템 소개와 인프라 구성>

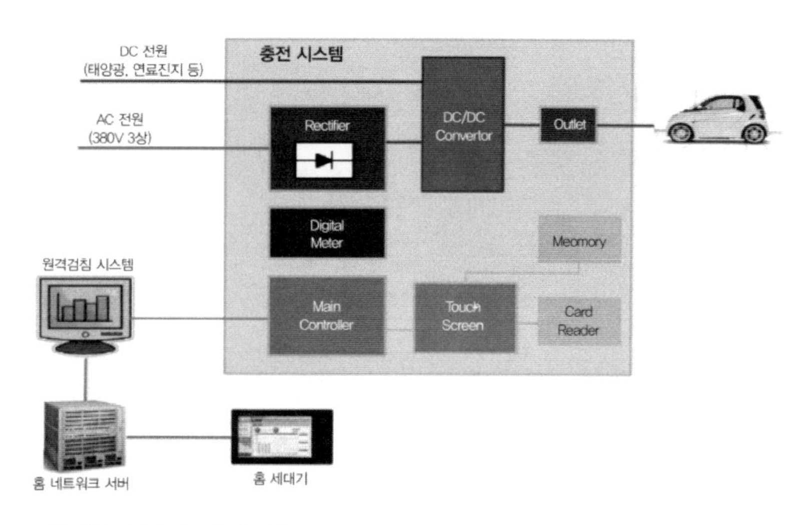

그림 26 급속충전기 구조

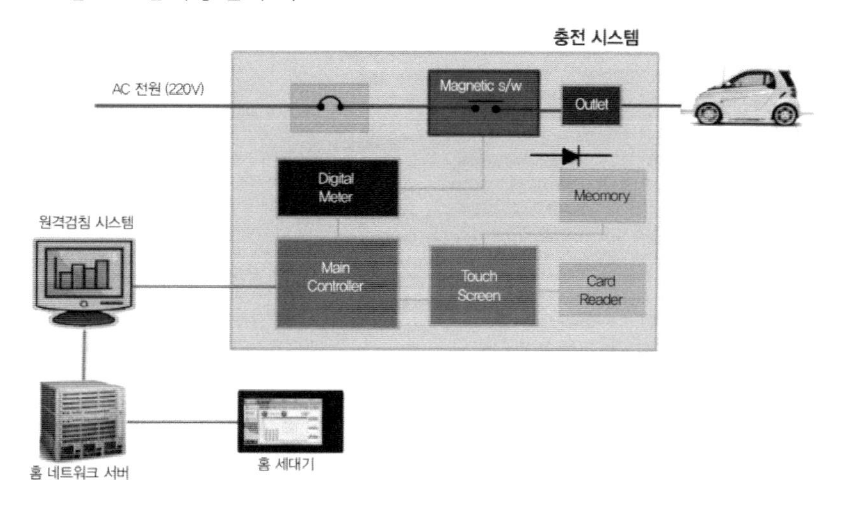

그림 27 완속충전기 구조

최근 배터리 충전의 신기술 동향을 살펴보면 글로벌 기업 퀄컴이 새로운 무선충전기술을 선보였다. 글로벌 기업 퀄컴은 '다이나믹 충전'이라고 불리는 새로운 전기자동차 무선 충전방식을 발표했으며, 이와 관련된 연구는 프랑스에서 관련 연구가 진행돼 왔다. 해당기술은 현재 모바일 기기의 무선충전과 비슷한 개념이라고 분석되며, 퀄컴의 기술은 도로에 무선 충전 가능한 패드 차량에 내장시켜 달리는 차량에서 자동으로 충전될 수 있는 기술을 선보였다.

3) 구동시스템

전기차의 구동모터는 전기모터로 전기모터 기술을 세계에 알린 사람은 마이클 패러데이이다. 패러데이는 1831년 말, 1832년 초에 자신의 아이디어를 왕립협회에 발표했는데, 패러데이의 연구를 바탕으로 다른 과학자들이 다양한 전기 원리를 발견하면서 현대적인 전기모터가 개발되기 시작했다.

모터는 사용목적에 따라 여러 가지 성질의 동력장치를 만들 수 있다. 그래서 종류가 매우 많고 기술적으로 상당히 광범위하다. 전기차는 휴대폰처럼 배터리를 충전해 움직이는 방식으로 배터리는 전기모터에 전기를 부여하고, 전기차는 모터의 힘을 통해 구동된다. 전기차의 모터가 중요한 이유는 저소음, 친환경이라는 특징 때문이다. 전기모터는 엔진과 달리 전기를 이용해 힘을 얻기 때문에 소음도 적고 유해물질도 생성하지 않는다. 디젤 차량이 미세먼지의 주범으로 몰리면서 전기차 같은 친환경 차에 대한 사람들의 관심이 증가하면서 모터의 중요성도 높아지게 되었다.

모터는 입력되는 전원에 따라 AC모터와 DC모터 두 가지로 구분할 수 있다. AC모터는 다양한 분야에 광범위하게 사용됐고, 가격도 저렴한 특징을 가지고 있다. DC모터보다 내구성도 뛰어나다. 이 때문에 AC모터는 큰 힘이 있어야 하는 공작기계, 압축기 등 산업분야에서 많이 활용되지만 제어가 복잡하다는 단점도 있다.

DC모터는 교류를 사용하지 않고 12V, 24V, 90V, 180V 등 직류전압을 사용하기 때문에 직류변환 어댑터가 필요하다. DC모터는 대부분 크기가 작고, 저렴하며, 다양한 성능을 자랑한다. DC모터는 고정자의 전극을 마이너스와 플러스로 바꿔주기 위한 브러시가 필요하다.

구조상 모터 내부의 브러시와 정류자가 회전 시 접촉하면서 작동되는데, 이 때 브러시가 닳아서 작동되지 않을 수 있다. 이런 단점을 극복하기 위해 BLDC모터, 즉 브러시가 없는 모터가 개발되기도 했다.

전기자동차에 사용되는 모터는 주로 AC모터이다. 그 이유는 앞서 말한 DC모터의 내구성 때문이다. DC모터는 브러쉬가 자주 마모되기 때문에 자주 교체를 해주어야 한다. 안정성이 중요한 자동차에 사용하기 적합하지 않은 것이다.

AC모터를 사용하는 전기자동차에는 배터리와 모터 사이에 인버터가 꼭 필요하다. 인버터를 이용해 직류를 모터에 적합한 교류로 변환시켜야 하기 때문이다. AC모터는 현재 동기모터, 유도모터, 교류정류자모터 등 다양한 종류가 개발됐다.

전기자동차에 주로 쓰는 것은 동기모터로 동기모터가 다른 모터들보다 작게 만들 수 있어 전기자동차에 더 적합하다. 이처럼 전기모터는 전기자동차 핵심 기술 중 하나이다. 전기자동차뿐만 아니라 하이브리드 자동차에도 전기모터가 사용되고 있다. 이에 많은 업체가 개선된 효율성을 가진 전기모터를 개발하기 위해 노력 중이다.

최근에는 전기모터의 효율을 지금보다 두 배 높일 수 있는 '이중 고정자 구조' 모터가 개발됐다. 전기모터를 자동차 엔진에 비유했을 때, 기존의 모터는 모두 1기통 엔진이라고 할 수 있다. 이중 고정자 구조 모터는 2기통 엔진에 비유할 수 있다. 이중 고정자 구조의 모터를 다중 고정자 구조나 다단회전자 방식과 조합하면 6기통 이상의 더 효율적인 모터를 만들 수 있다.

프로스트 앤 설리번 한국 지사의 '2017 세계 전기모터 시장 전망 분석 보고서(Global Electric Motors Market, Outlook 2017)'에 따르면, 자동차, 가전제품, 신재생 에너지, 수질 폐수처리 등의 산업에서 전기모터 매출이 늘어나고 있으며, 전기자동차와 하이브리드 전기 자동차 전기 모터 수요를 이끌어 낼 수 있는 전기 자동차 및 자동차 제어 전기화가 장려되고 있다.

향후 전기모터는 자동차뿐만 아니라 가전제품, 신재생 에너지, 수질 폐수처리 등 다양한 산업에 적용될 것으로 보인다.

4) 차체시스템

전기자동차의 주행거리 향상 및 구동계 부품 효율 증대 등을 위해 종전 Steel 구조의 차체가 복합 소재 활용을 통한 차량 경량화를 요구하고 있다.

자동차 차체는 차량의 골격을 구성하는 바디(BIW, Body In White)와 도어(Door), 후드(Hood), 트렁크(Trunk)와 같은 무빙파트(Moving Parts)로 구성되며 차량 중량의 30%내외를 차지하는 고중량 부품으로 연비에 큰 영향을 주기 때문에 친환경 자동차 실현을 위해서는 차체 중량감소가 필수적이다. 강철은 자동차 무게의 70%를 차지하는 주요 소재에 해당한다. 전통적인 강철구조에서 더 강하고 더 가벼운 금속 소재 개발 경쟁은 오랫동안 지속돼왔다.

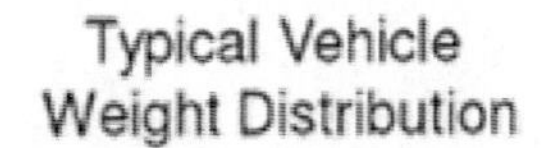

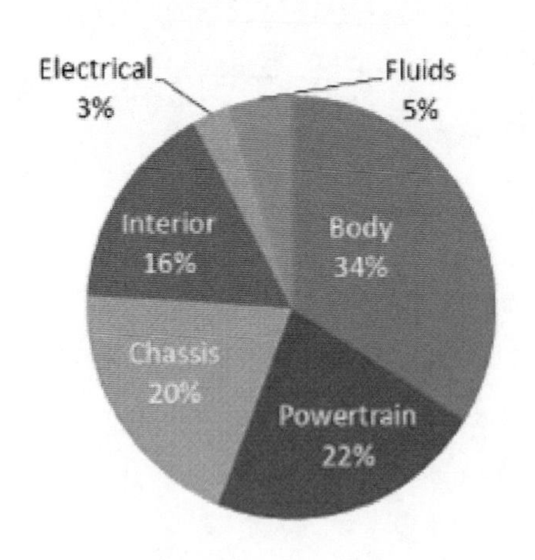

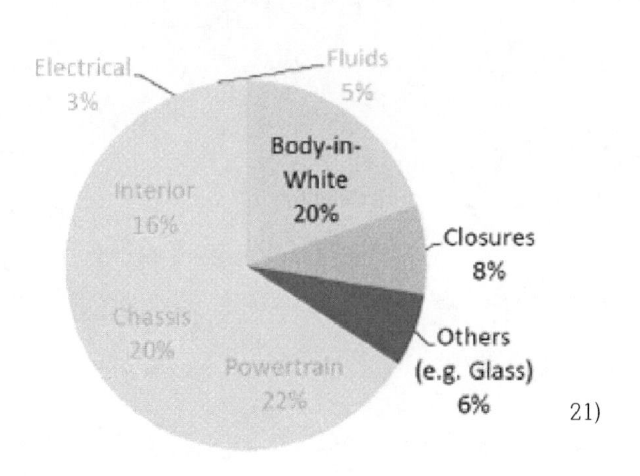

[21]

그림 28 자동차의 무게 분포

차체 중량을 혁신적으로 절감하기 위한 초경량 차체기술 개발요구가 증가함에 따라 기존 차체소재인 일반 강판(Mild Steel)은 고강도강·초고강도강판 등으로 대체되고 있으며, Audi A8, 메르세대스 CL과 같이 알루미늄 차체가 양산되고 있다. 자동차 차체 제조에 사용되는 기본 소재는 전통적으로 연강(Mild Steel)이지만, 차량 설계를 통해 연료 소비를 줄이려는 노력은 고강도 강철(High Strength Steel, HSS)을 개발하게 되는 원동력이 됐다.

최근에는 초경량 차체 실현을 위해 여러가지 소재로 혼합된 차체를 구성하는 멀티머티리얼믹스(Multi-Material Mix, MMM)개념의 차체개발이 진행 중이며, 이에 따라 이종소재의 접합기술 개발에 대한 연구가 진행 중이다.

자동차 관련 연비 및 이산화탄소 규제가 점차 강화됨에 따라 기존 엔진차량에서 하이브리드 차량 또는 전기자동차의 수요가 급격히 증가할 것으로 예상되며, 자동차 효율을 고려한 경량화요구 증대로 초경량 소재 연구가 활발해질 것으로 보인다. 현재 초경량 소재 연구는 마그네슘, 알루미늄, 탄소섬유복합재료를 중심으로 이뤄지고 있다. 마그네슘 비중은 철의 4분의 1, 알루미늄의 3분의 2수준이다. 현재 자동차에 쓸 수 있는 금속 재료 중 가장 가벼워 항공기 부품으로 주로 쓰인다. 하지만 가격이 비싼데다 주조할 때 불이 잘 붙고 부식이 빠르다는 단점이 있다. 이런 한계를 넘어 자동차 차체나 강한 내구성이 필요한 부품에까지 적용하려는 연구가 한창이다.[22]

---

21) 출처: 포드
22) <더 가볍게, 더 강하게… 초경량車 소재개발 '가속'>, 동아사이언스 (2017.09.01)

알루미늄 역시 기존 휠이나 엔진 실린더 블록 등 주조 부품은 물론이고 차체에도 적용하려는 시도가 활발하다. 유럽에서는 자동차 후드나 도어 등에 알루미늄합금 판재를 쓰는 경우가 늘고 있다. 아우디 'A8'처럼 차체 프레임까지 알루미늄 합금을 적용하는 차량도 나오고 있다. 포드의 픽업트럭 'F-150'은 알루미늄 차체를 적용해 기존 모델보다 무게를 350kg 줄였다. 국내에서도 2017년 경량금속 소재 개발 사업의 일환으로 차체용 알루미늄합금 판재 국산화가 추진된 바 있다.

전기자동차용 알루미늄 차체의 효율적 제작을 위한 일체형 죠인트와 브라켓 부품의 개발사업은 많은 부품으로 구성되어 복잡하고 많은 공정단계를 거치는 공정을 단순부품으로 줄이면서 Net-Shaping 공정으로 Scrap 배출을 크게 줄일 수 있는 청정 생산공정 개발사업이다.

특히 알루미늄 스페이스프레임 공법은 속이 빈 알루미늄 튜브를 설계된 형상(단면)으로 압출하여 용접 등으로 연결하여 차체를 구성하는 방법으로 모델 변경이 용이해 디자인의 자유도가 높고 차체 비틀림 강성의 비약적인 증가와 충돌할 때의 충격에너지 흡수로 인한 안전도 향상으로 이미 선진국에서는 일부 차종에 적용되고 있는 새로운 기법의 차체 제작 방법이다.

알루미늄 압출재를 차량 프레임 소재로 적용하여 차량을 제작한 결과 차체의 죠인트 부위와 일부 브라켓 연결 부위 등이 복잡하게 되어 용접과 기타 작업 공수량이 많아지게 되어 제작비가 증가하였다. 또한 용접 변형 등의 문제가 조립 품질에도 악영향을 미치는 생산 공정상의 문제점으로 나타났고 구조적 강성을 만족하기 위해 죠인트 노드(Joint Node)등을 기계적으로 가공하여 용접하여 생산원가를 상승시키는 원인으로 작용하였다.

강도가 높은 탄소섬유와 가공이 쉬운 플라스틱을 섞은 탄소섬유복합재료도 자동차 소재로 주목받고 있다. 탄소섬유복합재료는 가볍고 튼튼한데다 다양한 모양으로 가공할 수 있어 친환경차의 경량화에 필수적인 소재로 꼽힌다. 제조시간을 단축할 수 있는 고속 경화형 수지, 재활용 효율을 높이는 기술 등을 개발해야 하는 과제는 남아있다. 3차원(3D) 프린터를 이용한 부품 생산이 확대됨에 따라 이에 적합한 경량 소재 기술도 필요하다.

초경량 자동차 차체개발을 위해 기존 소재의 고강도화를 통한 경량화 방안이 연구되어 왔으나, 경량화를 위한 두께 감소로 차체의 강성이 감소한다는 단점이 있다. 따라서 소재의 고강도화를 위해 기존 소재의 고강도화뿐만 아니라, 경량화 효과 증대를 위한 고탄성 소재의 개발 및 부품 적용기술에 대한 연구가 필요하다.

또한 초경량 차체개발에 있어서 비용 및 경량화 측면에서 부품소재의 선정이 고려되고 있으며 경량화를 최대화하면서도 비용 상승을 최소화시키기 위한 멀티머티리얼(Multi Materials)개념의 초경량 차체의 적용이 연구되고 있다.

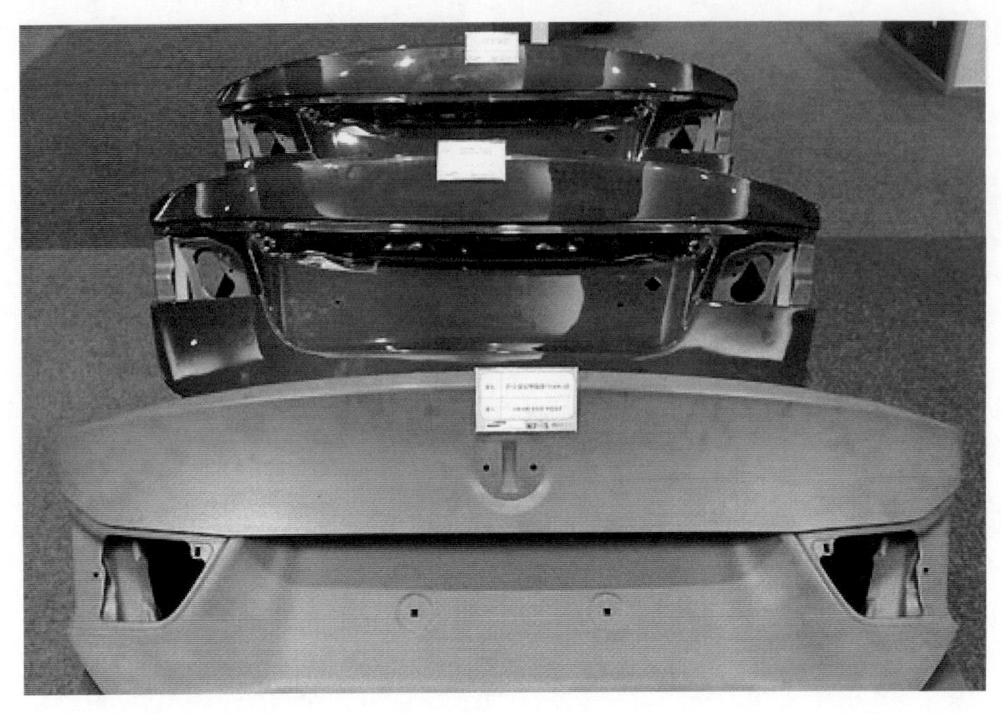

그림 29 탄소섬유복합재료로 만든 자동차 트렁크

4. 수소차·전기차 시장 동향

4. 수소차·전기차 시장 동향

2030년까지는 내연기관 자동차와 하이브리드차가 병존하여 시장을 형성할 것으로 전망되며, 이후 전기, 수소, 바이오 연료를 이용한 대체에너지 자동차로 점차적으로 전환될 것으로 전망된다. 사회적으로 충전인프라가 구축된다면 플러그인 하이브리드 차가 시장에 상당수 출현할 것으로 전망되며, 배터리, 수소연료전지 기술의 발전 및 인프라 구축 등이 완료되면 전기자동차, 수소연료전지차 시장이 본격적으로 형성될 것으로 보인다.

충전소가 불필요하고, 미국의 경우 가정 내에서도 충전이 가능하여 중기적인 측면에서 시장형성 및 보급에 문제가 없어 시장전망이 밝은 하이브리드차와는 달리, 전기자동차 및 수소연료전지차는 아직 혁신적인 기술개발 및 사회적 인프라 구축에 좀 더 시간이 필요할 것으로 보인다. 또한 수소연료전지 관련하여 부품 가격 경쟁력 확보도 절대적으로 필요하다.

친환경차의 핵심부품인 전기모터, 인버터 및 배터리 기술개발 관점에서 모터와 인버터는 전기자동차, 수소연료전지차에 그대로 양산 적용될 수 있는 기술수준이나, 배터리의 경우, 에너지 밀도가 높고, 중량이 가볍고, 1회 충전으로 충분한 주행거리가 확보될 수 있는 대용량 배터리 개발이 필연적이다.

글로벌에너지 정보분석기업 S&P 글로벌플래츠(S&P Global Platts)에 따르면, 2021년 경량차 기준으로 순수 전기차와 플러그인 하이브리드 차량을 포함한 전기차 판매량은 역대 최다인 629만대로, 전년대비 2배(102%), 2019년대비 3배 가량이 늘어, 전체 자동차 시장의 8.9%를 점유한 것으로 나타났다.

플래츠는 내연기관차는 2016년을 정점으로 하락세에 접어들었으며, 전기차의 급속 성장이 지속될 것이라고 밝혔다. 이에 따라 2030년 전기차 판매량은 2700만대로 전체 자동차시장에서 약 30% 비중을 차지하고, 2040년에는 5700만대로 확대, 점유율 약 54%로 내연기관차 판매량을 넘어설 것으로 예측했다.[23]

23) 에너지신문 '2030년 세계 자동차시장 전기차 30%차지할 것'

글로벌 시장조사기관인 '포춘 비즈니스 인사이트'가 2020년 수소연료전지차 시장에 대한 전망을 담은 보고서에서도, 글로벌 수소연료전지 자동차 시장이 오는 2027년에 300조원(2500억 달러)으로 성장할 것으로 내다봤다. 보고서는 코로나19 유행이 단기간에는 생산율 하락과 중소기업의 유동성 부족이라는 문제를 야기해 단기적으로는 악재가 될 수 있다면서도 각국 정부의 적극적인 정책 지원으로 엄청난 성장 기회를 가지게 될 것이라고 분석했다. 이에 포춘 비즈니스 인사이트는 수소연료전지차 시장의 급성장을 예상하며 2020년부터 2027년까지 연평균 성장률이 56.7%에 이를 것으로 예상했다.[24)]

또한 '탄소저감'이 세계적 기조로 떠오르면서, 친환경 자동차 시장의 성장은 더욱 탄력을 받을 것으로 보인다. 무엇보다도, 차기 미국 대통령으로 조 바이든 민주당 후보가 사실상 확정되면서 그가 내세운 경제·통상 관련 공약들이 주목받고 있다. 산업 측면에선 친환경·재생에너지 분야가 가장 큰 수혜를 입을 것으로 예상되고 있는데, 그중에서도 자동차 산업은 전기차 등 배터리 산업 생태계와 맞물려 바이든 시대 가장 높은 성장세를 이어갈 부문으로 손꼽힌다.[25)]여기에 최근 중국 내에서도 수소전기차에 대한 관심이 늘고 있으며, 정부 주도의 육성정책 하에 상용차 중심으로 빠르게 성장하고 있는 모습이다.

향후 전기차 대중화의 관건은 무엇보다도 차량 충전 인프라 시설 확충과 배터리 가격이라고 볼 수 있다. 전기차 충전시설의 미국과 전 세계 시장 확대가 아직은 초기인 상태이지만, 전기자동차 기업들의 지속적인 투자와 기술발전과 함께 증가하는 소비자들의 수요로 인프라 구축이 강해질 것으로 예측되며 시장 확대 또한 더욱 거세질 것으로 예측된다.

컨설팅기관 BNEF는 전기차의 광범위한 상용화 및 대중화를 이루기 위해선 4가지 조건이 충족돼야 한다고 말했다. ① 정부의 적극적인 인센티브 프로그램, ② 제조사의 낮은 이익 감수, ③ 소비자들이 조금 더 값을 주더라도 전기차를 구매하겠다는 마음가짐, ④ 전기자동차 배터리 가격 인하 등의 조건이다.

위의 4가지 조건 중 1번부터 3번까지는 현재까지 조금씩 진행이 되는 상황이지만 3가지 조건 모두 장기적으로 이어지는 것은 불가능하다는 것이 전문가들의 의견이다. 이런 이유로 전기자동차 배터리 가격의 인하만이 전기자동차 대중화에 장기적으로 긍정적 영향을 미칠 수 있는 조건이라고 분석된다.

본 장에서는 국가별로 수소차·전기차 시장 동향을 살펴볼 것이다.

---

24) 글로벌 수소차 시장, '2027년 300조' 전망…연평균 56.7% 성장 / THE GURU
25) 美본토서 전기차 大戰 예고…현대차, 100만대 新시장 눈독 / 매일경제

가. 국내 시장 동향

1) LPG·CNG차 줄고 친환경차(전기차·수소차) 늘어

구분	2020년 12월	2021년 12월	증감대수	증감률
합계	**24,365,979**	**24,911,101**	**545,122**	**2.2%**
휘발유	11,410,484	11,759,565	349,081	3.1%
경유	9,992,124	9,871,951	-120,173	-1.2%
LPG	1,979,407	1,945,674	-33,733	-1.7%
내연기관 소계	**23,382,015**	**23,577,190**	**195,175**	**0.8%**
하이브리드	**674,461**	**908,240**	**233,779**	**34.7%**
전기	**134,962**	**231,443**	**96,481**	**71.5%**
수소	10,906	19,404	8,498	77.9%
친환경 소계	**820,329**	**1,159,087**	**338,758**	**41.3%**
기타 (CNG, 피견인차 등)	163,635	174,824	11,189	6.8%

표 9 연료별 자동차 등록현황 변동 추이(단위:대)

2021년 자동차 신규 등록 대수는 전년 대비 9% 감소했지만 전기차 신규 등록은 10만대로 두 배 넘게 증가했다. 국산차 신규 등록 대수는 11.1% 줄었지만 수입차 신규 등록은 1.9% 늘었다.

국토교통부는 2021년 12월 기준 자동차 누적 등록대수가 2491만대로 집계돼 2020년 말(2436만6천대) 대비 2.2%(55만대) 증가했다고 밝혔다.

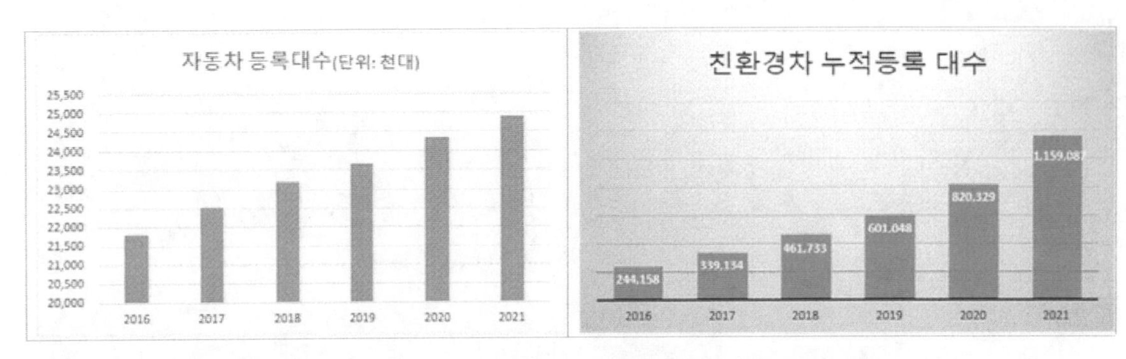

그림 32 자동차등록대수와 친환경차 누적등록대수 (국토교통부 제공)

인구 2.07명당 1대의 자동차를 보유하고 있는 꼴이다. 국가별 자동차 1대당 인구수를 보면 미국 1.1명, 일본과 독일 1.6명, 스웨덴 1.8명, 중국 5.1명 등이다.

□ 21년말 차종별 자동차 누적등록 현황

차종	2020년 12월	2021년 12월	증감대수	증가율
승용	19,860,955	20,410,648	549,693	2.8%
승합	783,842	749,968	-33,874	-4.3%
화물	3,615,245	3,631,975	16,730	0.5%
특수	105,937	118,510	12,573	11.9%
소계	24,365,979	24,911,101	545,122	2.2%

그림 33 2021년말 차종별 누적등록 현황 (국토교통부 제공)

차종별로는 승용차가 누적 2041만648대로 전체의 81.9%를 차지했고, 이어 화물차 14.6%(363만1975대), 승합차 3.0%(74만9968대), 특수차 0.5%(11만8510대)순이었다. 전년 대비 승용차는 2.8%, 화물차는 0.5%, 특수차는 11.9% 각각 증가한 반면, 승합차는 4.3% 감소했다.

원산지별로는, 국산차의 누적 점유율이 88.2%(2196만5천대)였고 수입차는 11.8%(294만6천대)를 차지했다. 수입차 점유율은 꾸준히 오르고 있다. 2017년 8.4%에서 2019년 10.2%로 처음 10%대에 진입한 뒤 2020년엔 11.0%, 2021년엔 11.8%로 점점 더 비중을 키웠다.

사용 연료별로는, 친환경차(전기·수소·하이브리드차)가 2021년보다 41.3% (33만9천대) 증가해 누적 등록대수 115만9천대를 기록했다. 휘발유차는 2021년보다 3.1%(34만9천대) 늘었으나, 경유차는 2021년에 처음으로 1.2%(12만대) 감소했다. 경유차 누적등록 대수는 2018년 993만대, 2019년 996만대, 2020년 999만대로 늘었었다.

□ 친환경자동차 연도별 등록비중 현황

(단위 : 대, %)

구 분	'14말	'15말	'16말	'17말	'18말	'19말	'20말	'21말
전체자동차	20,117,955	20,989,885	21,803,351	22,528,295	23,202,555	23,677,366	24,365,979	24,911,101
하이브리드	137,522	174,620	233,216	313,856	405,084	506,047	674,461	908,240
전기차	2,775	5,712	10,855	25,108	55,756	89,918	134,962	231,443
수소차	-	29	87	170	893	5,083	10,906	19,404
친환경차	140,297	180,361	244,158	339,134	461,733	601,048	820,329	1,159,087
친환경차 등록비중(%)	**0.7**	**0.9**	**1.1**	**1.5**	**2.0**	**2.5**	**3.4**	**4.7**

그림 34 친환경차 연도별 등록비중 현황 (국토교통부 제공)

친환경차 등록비중은 2014년 말 0.7%에서 2020년말 3.4%, 2021년말 4.7%로 꾸준히 높아지고 있다. 친환경차 가운데 수소차는 2021년보다 77.9%(8498대) 증가해 누적 1만9404대, 하이브리드차는 34.7%(23만4천대) 늘어 누적 90만8천대가 됐다.
전기차는 2021년보다 71.5%(9만6481대)가 증가해 총 23만1443대가 등록됐다. 2017년말(2만5108대)과 비교하면 9.2배, 2018년말(5만5756대)보다는 4.2배나 증가했다.

2021년 자동차 신규등록 대수는 차량용 반도체 수급부족에 따른 생산차질로 전년(191만6천대)보다 9.0%(17만3천대) 감소한 174만3천대로 집계됐다.[26)]

26) 메가경제 '2021년 자동차 등록대수 2491만대 2.07명당 1대 전기차 신규등록 10만대'

2) 전기차·수소차 확대에 따른 세입감소

전기차와 수소차 등 친환경자동차의 보급 확대에 따라 **2020년부터 2050년까지 세입감소**가 **최소 48조 4천억 원에서 최대 85조 1천억 원**에 이를 것이라는 연구결과가 나왔다.

그러나 국토연구원은 세수가 감소되는 부분이 주로 도로와 교통 재원에 투입되고 있기 때문에 이에 대하여 지속가능한 재원 마련 방안이 필요하며, 세수감소에 따른 대처방안은 아직 미흡한 실정이라고 지적했다.

국내 친환경차 보급상황을 추계해보면 단계별 시기별 세입감소 추이는 2020년부터 2050년도까지 24.6%에서 37.4%로 증가할 것으로 추정되고 있다.

이에 따른 자세한 세입감소 수치는 다음과 같다. 2020~2050년까지 친환경차 보유에 따른 자동차세·지방교육세를 적용하고 운행단계에서는 교통세·교육세·주행세를 적용할 경우, 국세 22조 5000억 원과 지방세 25조 8000억 원을 합해 48조 4000억 원의 세입이 감소할 것으로 추정되고 있으며 정부정책과 'ARIMA 모형'을 적용한 '분석방법론 2'에서는 보유·운행 단계에서 국세 39조 8000억 원과 지방세 45조 3000억 원 등 85조 1000억 원의 세입이 감소될 것으로 추정되었다.

이에 전기차나 수소차도 도로를 주행하는 동일한 조건에 따라 형평성 취지에서 인프라 확충과 유지보수 비용을 위한 추가적인 세금 부과가 필요하다는 목소리가 나오고 있다.

기존 내연기관차를 통해 거둬들인 세입은 주로 도로인프라 확충을 위한 신규투자와 유지보수 비용으로 사용되고 있었다.

이에 따라 단기적으로 국내에 '친환경차 등록세' 부과를 통한 추가적 세입 마련 방안을 마련하고 중장기적으로 미국에서 추진 중인 '자동차주행거리세'를 도입해 지속가능한 도로·교통 재원 마련을 고려해야 한다는 것이다.

관련 업계에 따르면 휘발유·경유를 사용하지 않아 유류세를 부담하지 않는 전기차 이용자에게도 별도의 세금을 부과해야 한다는 논의가 확산하고 있다. 우리나라 국회 예산결산특별위원회도 친환경차를 포함한 모든 차량에 대해 주행거리세와 탄소세 부과를 검토해야 한다고 제안했다.

주행거리세는 일정 기간 주행한 거리를 계측하고, 주행거리(㎞)를 바탕으로 교통세를 부과하는 방식이다. 이미 미국과 일본, 독일 등 주요 경제협력개발기구(OECD) 국가들 사이에서는 주행거리 기반 과세 체계 도입 움직임이 본격화하고 있다.

내연기관 차량과 전기차 간 가장 큰 세금 차이는 교통·에너지·환경세다. 교통·에너지·환경세는 ℓ당 휘발유는 529원, 경유는 375원으로 유류세에 포함돼 있다. 따라서 내연기관 차량은 고스란히 이를 부담하지만 전기차 사용자는 한 푼도 내지 않고 있다. 연간 15조~17조원에 달하는 교통·에너지·환경세는 우리나라 3대 세목인 소득세, 법인세, 부가가치세 다음으로 가장 규모가 클 뿐만 아니라 목적세 중에서 가장 비중이 높다. 교통·에너지·환경세는 특히 교통시설(80%), 환경(15%), 에너지 및 자원 사업(3%), 지역발전(2%) 등에 사용하도록 목적이 명시돼 있어서 도로 유지관리 및 신규 교통 인프라 건설 재원을 비축하기 위한 도로 이용료 성격을 띤다. 그런데 전기차에는 이를 부과하지 않으므로 세금 형평성 문제가 불거지고 있다.

국가기후환경회의에 따르면 자동차 한 대당 1년 평균 운행거리(2018년 기준)인 1만 4308㎞를 10년 동안 주행한다고 가정할 때 세금은 전기차의 경우 130만원에 불과해 휘발유차(223만원)와 경유차(221만원)보다 훨씬 적다. 결과적으로 유류세와 차량 구입 및 운행 시 부담하는 각종 세금 등을 종합하면 전기차를 10년간 운행할 경우 약 350만원의 세금 이득을 볼 수 있다는 게 국가기후환경회의 설명이다.

이에 따라 차량 동력원이 무엇인지에 관계없이 주행거리만큼 세금을 납부하는 주행거리세 도입이 필요하다는 목소리가 힘을 얻고 있다. 이재현 국토연구원 책임연구원은 "현 교통세제 개편 없이 친환경차에 대한 세제 혜택이 유지될 경우 2050년까지 교통세 약 19조6000억 원, 자동차세 약 20조8000억 원, 교육세와 주행세 각각 3조원, 5조원 등 모두 48조4000억 원의 세입 손실이 발생할 것으로 예측됐다"고 말했다.[27)]

이외에도 연구원은 친환경차 보급 확대를 위해 내연기관차 산업 파괴에 대한 실태조사와 이에 따른 대응방안이 필요하다고 덧붙였다. 친환경차 보급이 확대되면서 그동안 기존 주유소와 LPG충전소, 자동차정비업체 등의 내연기관차 산업이 파괴되고 있는 실정이고 이에 대한 정책적인 대응방안도 필요한 실정이기 때문이다.

우선적으로 전기차·수소차 보급률이 가장 높은 제주도와 울산시의 경우, 친환경차 보급 확대로 기존 내연기관차 관련 업종들의 장래 피해가 예상되므로 상생 발전을 위한 합리적인 대응방안 마련이 추진되어야 할 것이다.[28)]

---

27) 매일경제 '전기차도 주행거리 따라 세금내야'
28) 전기차·수소차 확대, 세금 85조원 사라진다!/지앤이타임즈

3) 전기차 늘수록 제주도는 타격?

현재 제주도는 '탄소 없는 섬'을 조성하기 위해 **'카본 프리 아일랜드(CFI) 2030'** 사업을 추진 중에 있다. CFI 2030 사업은 도내 등록 차량 중 75%인 37만 7000대를 친환경 전기차로 전환키로 한 사업이다.

이에 따라 제주도와 정부는 친환경 전기차 보급 확대를 위해 다양한 혜택도 제공하고 있는데, 차량 구매 비용 일부와 충전기 설치비용 등을 지원하면서 국내 전기차 대수 6만9000대 중 24.0%인 1만650여대를 도내에 보급하기도 했다.

그러나 이와 같은 전기차 보급 확대 사업의 이면에는 '세금 수입 감소'라는 난제가 있었다. 전기차 보급 확대를 위한 세금 감면 혜택이 지속될수록 세수 감소 규모는 커질 수밖에 없어 정부가 이에 대한 완화 대책을 추진할 경우 전기차 보급 확대에 걸림돌로 작용하는 것이다.

실제 '환경친화적 자동차의 개발 및 보급에 관한 기본계획'(2016~2020년)에 따라 한시적으로 전기차와 수소차 등 친환경 차량을 구매할 경우 개별소비세와 교육세, 취득세를 감면하고 있다.

국토연구원이 발표한 '친환경차 보급 확대에 따른 교통 분야 세입감소 대응방안' 자료에 따르면 2020년부터 2050년까지 세금 감면에 따른 세수 감소 규모는 48조4000억원으로 추산되었으며, 제주도는 전기차 보급 전망치가 가장 높기 때문에 약 4600억원의 지방비가 줄어들 예정이다.

전기차 보급이 늘어날수록 세입이 감소, 제주도 재정이 악화되는 요인이 될 수 있어 대책 마련이 필요하다는 지적이 제기됐다.

현 의원은 2030년 탄소없는 섬 정책이 완성되는 시점을 가정할 경우 지역개발기금에서 260억 원, 취득세 250억 원, 자동차세 주행분 165억 원 감소가 예상된다면서 "결국 주민들이 소비한 재원이 행정안전부로 가서 다시 우리에게 내려오게 되는데 이런 부분은 전기차 정책으로 인해 지역에 재원이 모자라게 되는 상황을 설명하고 국고지원을 받아올 수 있는 논리 개발이 가능하다"는 의견을 제시했다.

특히 그는 "세금 감면 정책을 당장 부활하자는 논리는 적절하지 않지만 중앙 정부에 얘기할 논리를 마련할 컨트롤 타워가 없다"면서 세정담당관과 예산담당관, 미래전략국, 교통과 등 관련 부서를 아우르는 역할을 기획조정실장이 맡아 관련 부서들이 공유할 수 있도록 해야 한다는 점을 강조했다.

유 담당관은 이 같은 우려가 제기된 데 대해 "전기차가 늘어나면서 자동차세가 많이 줄어드는 것은 물론 유류세도 많이 줄어들게 된다"면서 "2050년이 되면 제주도에서 감소되는 세입이 4000억대가 될 거라는 전망도 있다. 정부 차원에서도 정책이 마련돼야 할 것으로 본다"고 답했다.

이에 현 의원도 "현재 기준으로 하면 670억 원 정도 세수 감소가 예상되는 만큼 새로운 설계가 필요하다"면서 세정 담당 부서에서 주도적으로 나서 정부를 설득할 수 있는 논리 개발에 나서줄 것을 주문했다.[29]

그러나 세수가 감소한다고 해서 친환경 차량 확대를 위한 기존의 지원 혜택을 줄이거나, 새로운 항목의 세금을 부과할 경우 전기차의 수요가 감소하기 때문에 CFI 2030 프로젝트 추진에는 또한 치명적이라고 볼 수 있다.

따라서 이에 대한 대처방안으로 국토연구원은 '자동차주행거리세' 시행과 '친환경차 등록세' 도입 등을 제안했다.

---

29) 전기차 많이 보급될수록 세입 감소, 제주도 재정에 '타격'(?) / 미디어제주

자동차주행거리세는 전기차와 수소차에 대해 주행거리 1㎞ 당 세금을 부과하는 것이며, 1㎞ 당 10원을 부과할 경우 추산된 세금 감소액의 약 45%를, 15원 부과 시 60%를 완화할 수 있으며, 25원을 부과하면 2017년 대비 10% 이상의 세수 확대 효과를 거둘 수 있다.

친환경차 등록세는 친환경 차량 운전자의 경우 현재 연료세를 통한 도로 환경 개선 등의 비용을 부담하지 않고 있으므로 형평성을 맞추기 위해 고안됐다.

전기차 보급 확대를 위한 각종 혜택이 되레 규제로 전환될 우려가 높아지면서 제주도의 선제적인 대응 방안 마련이 요구되고 있다.[30)]

30) 전기차 늘수록 세금 수입 감소…제주도 '딜레마'/제주일보

4) 온실가스 배출하지 않는 수소차

현대자동차 수소전기차 넥쏘·투싼이 미국에서만 온실가스를 배출하지 않고, 1352만 km을 주행하는 기록을 달성했다고 전했다.

이 주행 기록은 미국에서 판매된 현대차의 투싼 수소차와 넥쏘의 주행거리를 합친 기록으로, 현대차 미국법인은 미국 2019년 수소의 날을 맞이해 미국에서 판매되는 현대차의 수소차가 지구와 달을 17번 왕복하는 거리 이상을 온실가스를 배출하지 않고 주행했다고 밝혔다.

수소차는 수소를 연료로 해 산소와 반응시켜 전기를 만들어 주행하는 자동차로 찌꺼기로 온실가스 등을 배출하는 내연기관과는 다르게 순수한 물만을 배출하는 방식의 자동차를 말한다. 또한 움직이는 공기청정기라고 불리며 미세먼지 포집 효과도 있는 것으로 알려져있다.

특히 아직까지 충전시간이 긴 전기차에 비해 내연기관차와 비슷한 5분정도의 시간이면 충전할 수 있다는 장점이 있으며 완충시 주행거리도 전기차보다 길다.

미국에서도 수소연료전지 기술을 버스, 선박과 같은 장거리 대규모 운송수단에서 전기 배터리 기술보다 강점을 가지고 있어 전기차와 함께 발전가능성이 크다고 판단해 수소차 보급은 물론 인프라 확충에도 걸음을 뗀 상태다.

특히 캘리포니아 주를 중심으로 2030년까지는 1000개의 수소충전소를 구축하는 등 인프라를 확장할 계획이며 미국 북동부 지역에서도 수소차 인프라가 지속적으로 확충될 전망이다.[31)]

31) 수소차 넥쏘, 美서 '지구-달 17번 왕복 거리' 온실가스 무배출/MN매일뉴스

5) 예상보다 더 빨리 성장하는 전기차 · 수소차 시장.

전기차와 수소차 시장이 예상보다 빠르게 확대될 것이라는 진단이 제기됐다. 관련업계 관계자는 석유를 사용하지 않는 미래차에 대해 정유 기업 메이저들의 전망이 가장 보수적인 편인데 그 수치까지 대폭 상향되는 것은, 전기차 수소차 시대가 예상보다 훨씬 빠르게 오고 있다는 뜻이라고 전망했다.

보고서에 의하면 엑슨모빌은 2040년 전기차·수소차 누적 대수를 4억2000만대로 발표했다. 2018년도 예상 수치인 1억6000만 대 대비 2.6배 상향된 것이다. BP도 매년 전기차 등 미래차 전망치를 상향 중이며, 2040년 누적 미래차 전망치를 3억대로 보고 있다.

그런가 하면 최근 중국 정부는 중국 내 17개 지역에서 수소 승용차를 구매하면 대당 최고 16만 위안의 보조금을 지급한다고 발표했다. 10개 시의 경우 수소충전소 설치에도 200만~400만 위안을 보조하기로 했다.

업계 연구원은 전기차 시장 성장은 세계 최대 자동차 시장인 중국의 정책지원에서 비롯됐다면서 중국의 수소차 보조금 지급 확정 발표는 글로벌 수소차 시장 성장을 도울 것이라고 밝혔으며, 특히 폭스바겐 등 많은 완성차 업체들이 빠르면 2040년, 늦어도 2050년에는 신규 자동차 판매의 100%가 전기차 또는 수소차일 것으로 예상하고 있다면서 전기차 배터리, 수소차 관련 글로벌 경쟁력을 보유한 국내 관련업체들에 대한 중장기 투자가 필요한 시점이라고 덧붙였다.[32)]

코로나19로 인한 수요 충격을 제외할 때 자동차 시장의 가장 큰 특징은 전기차 시장의 가속화다. 외신에 따르면 IEA는 최근 발표한 '2022년 글로벌 전기차시장 전망' 보고서에서 순수 전기차와 플러그인 하이브리드차(PHEV)를 비롯한 전기차의 전 세계 판매량이 2021년 660만대로 집계돼 사상 최고를 기록했다고 밝혔다.

2022년 1분기에 전 세계적으로 팔린 전기차만 200만대를 기록했는데 이는 전년동기 대비 75%나 증가한 것으로 이런 추세라면 2022년 새 기록이 달성될 가능성이 매우 크다.[33)] 이에 글로벌 전기차 시장 규모는 연간 25%씩 성장해 2025년 830만 대(침투율 9.4%) 규모를 기록할 전망이다.

전통적인 수익원의 경쟁력을 유지하면서도 미래 자동차 기술에 대해서도 빠르게 적응하고 있는 한국 기업들에는 기회다. 현대차그룹은 2021년 전기차 25만2719대를 판매해 톱 5 진입에 성공한 만큼 '4강 체제'에 안착할 수 있을지가 최대 관심사다. 현 시점 전망은 밝다. 2022년 1분기 전기차 판매 대수가 7만6801대로 전년 동기 대비 73% 증가하면서 순항 중이다. 한국 시장에서 2만2768대가 판매돼 155% 성장했고, 해외 시장에서 5만4033대가 팔려 52% 증가했다. 전기차 판매 최전선인 유럽 14개국에서는 폭스바겐그룹(23.8%), 스텔란티스(19.0%)의 뒤를 이어 2022년 1분기 판매 순위 3위(점유율 9.8%)를 차지했다.[34)]

---

32) "전기차 · 수소차 시장, 예상보다 더 빨리 커진다"/초이스경제
33) 글로벌비즈 '[초점] 글로벌 전기차시장, 본격 시동 걸렸다'
34) 주간동아 '현대자동차 美전기차 판매량 241% 급증, 일론 머스크 엄지 척'

6) 인프라 턱없이 부족, 정부지원 시급

국내 수소차 보급이 3천 대를 넘어섰지만, 전국 수소충전소는 30여 곳에 불과해 정부지원이 시급하다는 의견이 제기됐다. 수소충전소 구축·운영을 위한 지원과 동시에 충전소 확대를 위한 안전성 확보 방안이 마련해야 한다는 주장이다.

현재 수소모빌리티 산업은 전 세계적으로 빠르게 활성화되고 있는데, BMW, 아우디 등도 수소차 산업에 뛰어들고 있으며 프랑크푸르트 모터쇼에서 BMW는 SUV 기반 수소차도 앞당겨 양산할 계획을 발표하기도 했다. 그러나 이렇게 수소모빌리티 산업이 활성화해가는 가운데 해결해야 할 과제가 바로 '수소충전소 구축과 안전성 확보'다.

업계 관계자는 본래 이상적으로는 수소차를 충전소에서 3분에 1대씩 충전할 수 있어야 하는데 현재는 1시간에 5대 정도를 충전한다며 이는 기술상 문제보다 경제적 이유 때문이라고 지적했다. 수소충전소를 구축하는데 기술상 문제는 없지만 운영에 많은 비용이 들어가 충전소를 구축·운영하는 업체에 어려움이 있다는 것이다.

현대자동차로부터 국회 수소충전소를 위탁 운영하는 등 수소충전소 구축과 운영 등을 맡고 있는 하이넷(수소에너지네트워크)도 정부가 수소충전소 구축뿐 아니라 운영에도 보조금을 지원해야 한다는데 동의했다.

그러면서 안전성 확보 방안으로 ▲표준 시공 매뉴얼 제정과 외부 전문가 자문단을 구성해 시공 관리 강화 ▲정밀장비를 이용한 정밀안전진단과 상시모니터링 시스템 ▲저장·운송 시 안전관리기준 강화 ▲사고 대응을 위한 표준 매뉴얼 제정 등을 제안했다. 이와 같은 내용이 담긴 수소충전소 안전관리와 관련한 종합적인 내용은 산업통상자원부에서 발표할 예정이다.[35]

35) [현장] 벌써 3천대 넘은 수소차, 충전소는 고작 30여 곳…정부지원 시급/아이뉴스24

현대자동차가 정부와 지방자치단체, 에너지 업계 등과 손잡고 상용차 수소 인프라 구축에 앞장선다.

업계에 따르면 현대차그룹은 오는 2030년까지 수소차 관련 설비·R&D, 충전소 등 연관 인프라에 11조1000억 원을 투입하고 연간 수소차 50만대, 수소연료전지 시스템 70만기를 생산할 계획이다.

한국은 2020년 세계 수소차 시장에서 56.3%를 점유하고 있다. 이 중 현대차의 넥쏘가 수소차 승용 부문 75.1% 차지한다. 넥쏘는 출시 첫해인 2018년에 949대, 2019년 4987대 팔린 데 이어 2020년에는 6781대로 토요타와 혼다를 제치고 글로벌 1위를 기록한 바 있다. 2021년에는 전년보다 판매가 더 가파르게 늘어 이러한 추세라면 연간 1만대까지도 가능해 보인다.

이 외에도 현대차는 2020년 7월 엑시언트 수소전기 트럭을 개발하며 세계 최초로 대형 수소전기 트럭 양산체제를 구축했고, 오는 2025년까지 1600대를 스위스에 공급할 계획이다. 뿐만 아니라 다른 유럽 국가에도 진출하기 위한 논의를 진행 중이다.

현대차그룹은 2021년부터 수소연료전지 시스템 브랜드 'HTWO(에이치투)'의 글로벌 사업을 본격화하며 생태계 확장에 나섰다. 중국 광저우에 해외 첫 생산기지를 건립하고 있으며 모터스포츠 시장에도 진출한다고 선언했다.

이로써 현대차그룹은 안정적인 수소연료전지 발전 시스템 운영을 바탕으로 HTWO의 새로운 시장 진출과 신사업 기회 모색을 도모한다는 복안이다.[36]

---

36) e대한경제 '현대차 수소 인프라에 11조 베팅'

7) 수소·전기차도 사고 대차 기준은?

국회가 수소차와 전기차에 대하여 사고 대차 기준을 마련하겠다고 밝혔다. 국회는 금감원 국정감사에서 전기차의 특성을 고려한 대차 기준이 없다는 지적을 받아들이고, 손해보험 약관에 자동차가 사고가 나서 대차를 해줄 경우는 배기량이 같은 동급의 차량을 해주는 것으로 되어 있으나, 수소차나 전기차는 배기량이 없어 사고가 났을 때 대처 기준이 전혀 없다는 점을 인지했다. 이에 따라 국회는 수소 전기차의 사고 대차 기준을 위해 빠른 시일내로 기준을 만들겠다고 강조했다.[37]

---

37) 윤석헌 금감원장 " 수소·전기차도 사고 대차 기준 마련하겠다"/데일리한국

금융감독원이 전기차와 수소차의 대차(貸車) 기준을 마련했다. 지금은 별도의 기준 없이 크기가 비슷한 차량을 대차하는데 앞으로는 차량 출력이 기준이 된다.

금융감독원과 보험업계에 따르면, 금감원은 전기차와 수소차의 대차 기준을 마련하는 작업을 하고 있다. 금감원 관계자는 "보험업계, 렌터카업계와 함께 전기차·수소차 대차 기준을 마련하기 위해 논의를 진행했다"며 "전기차 사고가 나면 출력을 기준으로 동급 차량을 대차하도록 할 것"이라고 말했다.

일반 내연기관차는 사고가 나면 배기량을 기준으로 렌터카를 대차해준다. 그런데 전기차는 배기량 기준이 없기 때문에 일반 내연기관차의 대차 기준을 적용할 수 없다. 배기량을 기준으로 보면 전기차는 60cc 원동기로 분류된다. 배기량을 기준으로 하면 1억원에 육박하는 전기차를 수리할 때 스파크나 모닝 같은 경차를 받게 되는 셈이다. 이 때문에 보험업계는 전기차에 한해 배기량이 아닌 비슷한 크기의 차량을 대차하고 있다.

하지만 차량 크기도 전기차 차주 입장에서는 불합리한 기준이다. 전기차는 내연기관차에 비해 차량 가격이나 보험료가 비싸다. 같은 크기의 차량으로 대차를 하더라도 차량 가격이나 보험료 측면에서보면 전기차 차주 입장에서 손해다. 테슬라 모델S를 타다가 사고가 나면 아반떼를 대차해주는 식이다.

이 때문에 전기차에 대한 별도의 대차 기준이 필요하다는 지적이 계속됐다. 금감원도 이를 받아들여 보험업계, 렌터카업계와 함께 전기차 대차 기준을 마련하는 작업을 계속 진행해 왔다. 금감원 관계자는 "배기량이나 차량 크기가 아닌 합리적인 전기차 대차 기준이 필요하다는 문제를 인식하고 있다"며 "여러가지 방안이 있지만 전기차와 내연기관차에 공통으로 적용되는 차량 출력을 기준으로 동급 차량을 대차해주는 방안으로 결정했다"고 말했다..[38]

38) [단독] 불합리한 전기차 대차(貸車) 기준 바꾼다… 크기 대신 출력 / 조선비즈

8) 서울시의 전기차 보급 정책

서울시가 반도체 수급 문제 대응을 위해 '22년도 상반기 전기자동차 민간보급사업'을 변경 공고했다.

이번 공고는 반도체 수급 문제 대응을 위한 것으로 출고기한 연장, 보조금 대상 차량 추가 및 자격부여 방법 변경을 주요 내용으로 한다.

우선 시는 반도체 수급 지연으로 전기차 출고가 늦어지자 당초 계약체결 후 2개월 안에 출고돼야 보조금을 주던 규정을 3개월로 연장하기로 했다.

보조금 지급 대상 차량도 늘어났다. 기존 공고상 신청가능 대상은 승용차 47종, 화물차 26종이었으나, 신모델 승용차 7종 및 화물차 1종을 추가하고, 단종된 승용차 1종을 제외하면서 승용차 53종, 화물 27종으로 보급대상 차종이 변경됐다.

또한 기존에는 접수순서에 따라 보조금 지급대상 자격을 부여해 차량 출고가 임박하였음에도 자격부여를 받기까지 대기해야 하는 문제가 발생했다. 이에 시는 전기차 제작·수입사가 10일 이내로 출고가 가능한 차량을 서울시로 제출하면, 제출일 당일 자격을 부여해 기다림 없이 바로 차량이 출고될 수 있도록 개선했다.

전기차 구매보조금은 차량가격과 보급대상에 따라 승용차 최대 900만 원, 화물차 최대 2,600만 원, 순환·통근버스는 최대 1억 원까지 지원받을 수 있다.[39]

39) 서울시 정책뉴스 '반도체 수급난에 출고지연 전기차도 보조금 지원'

서울시는 '서울시 기후변화대응 종합계획'을 통해 온실가스 배출량의 19.2%를 차지하는 수송부문의 탄소중립을 위해 '26년까지 충전기 22만기, 전기차 40만대를 선제적으로 보급하여, '전기차 10% 시대'를 앞당기겠다고 밝힌 바 있다.

서울시는 전기차 충전인프라 설치로 편리한 충전환경을 조성하여 전기차 수요를 확대하고, '생활권 5분 충전망 구축'을 위한 기반을 마련하여 시민 불편을 최소화하는데 앞장서고 있다.

이와 함께 충전기 설치 여건이 열악한 주택가 밀집 지역의 인근 도로변이나, 거주자 우선주차구역 등에 가로등형, 볼라드형 충전기를 설치하여 전기차 이용자의 충전 접근성 및 편의성을 높혔다 .

2022년 상반기부터는 전기차 충전기 설치부지를 시민들이 직접 신청할 수 있도록 했다. 시민이 원하는 장소에 설치해 체감도를 높이고, 고지대, 노후 아파트 등에도 설치해 충전 사각지대 해소를 위한 정책이다 .

상반기에만 약 10,000기가 접수되는 등 당초 목표 대비 높은 신청률을 달성하였으며, 저소득층, 장애인 등 취약계층 신청 건을 우선으로 처리해 충전 편의를 제고시켜왔다.

현재는 하반기 설치에 대한 신청을 받고 있으며, 서울시 홈페이지에서 직접 신청하면 된다.[40]

서울 초미세먼지의 25%는 자동차에서 발생한다. 난방·발전(39%)에 이어 두 번째로 큰 원인이다. 특히 인구가 밀집된 데다 교통량이 많은 도심은 차량 배기가스를 통제하는 것이 관건이다. 2019년 서울시가 종로구 8개동, 중구 7개동을 둘러싼 한양도성을 '녹색교통지역'으로 묶은 것도 이 같은 이유에서였다.

시는 한양도성을 지나는 진출입로 45개 지점을 조사한 결과 지난 2년 간 배출가스 5등급 차량의 통행이 하루 1만5000대(2019년 7월)에서 6000대(2021년 12월)로 58.6% 줄었고, 5등급 중 저감장치 미부착 차량의 통행은 98% 감소했다고 밝혔다. 녹색교통지역 내에서는 2019년 12월부터 저감장치를 부착하지 않은 5등급 차량은 운행이 제한돼 진입 시 10만원의 과태료가 부과된다.

---

40) smart city today '서울시, 전기차 충전기 정책 대한민국 환경대상 수상'

여기에 세종대로 보행거리와 같이 도로를 줄여 걷는 길을 넓혔고, 공유 자전거인 '따릉이'가 대중화되면서 도심 차량 흐름에도 변화가 생겼다는 것이 서울시의 설명이다. 녹색교통지역을 오고 가는 차량은 같은 기간 하루 평균 79만6000대에서 72만1000대로 9.5% 줄었다. 2년 간 서울시에 등록된 차량은 312만대에서 317만대로 늘었지만 도심 통행은 감소한 것이다. 특히 승용차(7.4%)와 승합차(21.5%)가 많이 줄었다.

반면 화물차 통행은 오히려 증가(5.6%)했다. 물리(사회)적 거리두기가 강화되면서 외출이 제한돼 시민들의 이동은 급감했지만 비대면 거래와 배달 등이 늘어 화물량이 증가했기 때문이다.

백호 서울시 도시교통실장은 "한양도성 안쪽을 녹색교통지역으로 지정한 후 5등급 차량 운행 제한과 함께 도심 통행량 분석 중"이라며 "이를 바탕으로 도심 교통환경을 개선하고 미세먼지 저감을 위한 세밀한 정책 수립하겠다"고 밝혔다.[41]

41) 경향신문 '녹색교통지역 2년 서울 도심의 차량 흐름이 바뀌었다'

나. 해외 시장 동향

1) 미국

가) 수소차 시장

미국은 부시 전 대통령때부터 일찍이 '수소차 상용화'를 추진해왔다. 그러나 전기차에 비해 유독 기술적 난제가 많은 수소차는 기술 개발이 아직 역부족인 상태에 직면해있다. 수소차는 수소를 탱크에 저장했다가 차체 내에서 전기를 생산하는 방식으로 가동된다. 이에 비해 전기차는 배터리에 저장된 전기로 모터를 돌리는 비교적 간단한 구조인 것이다.

이에 따라 오바마 전 대통령은 부시 대통령의 '수소차 상용화 연료 계획'을 사실상 폐기했다. 소연료전지 기술은 아직 수십 년 뒤에나 유효하기 때문에 지금은 당장 필요한 에너지 절감 대책에 집중하는 것이 낫다는 판단에 근거했다. 따라서 오바마 행정부는 매년 1억6900만 달러(약 1919억 원)씩 투입되던 수소차 관련 예산을 6820만 달러(약 774억 원)로 대폭 감축했다.

대신 미국정부는 당장의 수소차 상용화보다 수소차의 경제성을 높이기 위한 기반 기술 개발에 집중하기로 했다. 이에 따라 미국 에너지부(DOE)는 수소 액체화 기술을 비롯해 생산·저장 기술을 개발해 2025년까지 수소 유통가를 1㎏당 7달러까지 낮춘다는 계획을 발표하였다.

미국은 캘리포니아와 연방정부(에너지부)를 중심으로 민、관이 파트너십을 맺고 수소차 보급을 늘려왔다. 미국 내 수소 연료전지차 2022년 누적 판매량은 1만 2272대를 기록했다. 수소충전소 확대에도 적극적이다. 하지만 통계를 보면 지금까지 미국에서 건설된 공공 기반의 수소 충전소는 48개에 불과하다. 캘리포니아에 47개가 있고, 하와이에 1개가 있다.42) 2023년까지 충전소 설립에 매년 240억 원을 투자해 2030년까지 1000개를 구축할 계획이다.

미국에서조차 수소차는 '미완(未完)'의 생태계다. 캘리포니아를 벗어나면 충전소가 손에 꼽을 정도다. 캘리포니아에서도 대도시 인근에 충전소가 집중됐다. 그마저도 수소가 떨어져 운영을 일시 중단한 충전소가 종종 눈에 띄었다. 잭 브라우어 미국 국립수소연료전지연구센터(NFCRC) 소장은 "미국조차 수소차에 대한 관심이 아직 부족하고 인프라 구축도 막 걸음마를 뗀 단계"라고 평가했다.43)

캘리포니아 주에서는 수소 생태계를 활발히 구축하고 있는 것으로 알려졌다. 캘리포니아는 민주당 텃밭으로 환경 보호 문제에 관심이 많은 곳으로, 2017년 전 세계 수소차 총판매량이 6365대인데 이 중 절반가량이 캘리포니아주에서 판매되기도 했다. 미국 전역에 있는 40곳의 수소충전소 중 39곳이 이곳에 모여있는 것이다.

'캘리포니아연료전지 파트너십(CaFCP)'은 1999년에 만들어져 수소 생태계 구축에 공헌하고 있는 단체로 이 파트너십에는 캘리포니아 주정부, 연방정부, 자동차 회사, 에너지 회사가 참여하고 있다.

42) 더밀크 '[인사이트인사이드] 미국 도로에는 왜 수소차가 보이지 않을까?'
43) '수소차 천국' 미국서 1000㎞ 질주…넥쏘는 목말랐다 / 중앙일보

CaFCP 소속 단체들은 수소충전소 건립 비용의 85%를 지급하는 'AB118' 법안을 제정하고, 2023년까지 매년 약 240억 원의 예산을 편성하는 등의 물적자원도 아끼지 않는다.

수소차 상용화에 앞장서고 있는 완성차 업체들의 지원도 전폭적이다. 혼다는 3년 동안 소비자들에게 1만5000달러 상당의 연료 충전 비용을 제공한다. CaFCP는 2030년까지 1000개의 충전소를 건설하고, 1만대의 수소차를 보급할 계획이라고 밝혔다.

미국 수소트럭 회사 니콜라(NIKOLA)가 연일 도마에 오르고 있다. 힌덴버그리서치가 '니콜라 : 어떻게 거짓말의 홍수를 활용해 미국 최대 자동차 OEM 회사와 파트너십을 맺었나'라는 보고서를 발간한 것이 계기다.

이 보고서가 나오기 전까지 니콜라는 자동차 업계의 신데랄라였다. 미국 제너럴모터스(GM)와 협력을 발표하며 하루만에 40% 넘게 급등했다. 등장하자마자 포드자동차의 시가총액을 앞지르기도 했다.

하지만 힌덴버그리서치는 그간 니콜라가 선보인 기술력을 부정하는 메시지를 강력하게 담고 있다.

특히 사람들이 분노한 건 2018년 1월 니콜라의 수소 트럭 니콜라원 주행 영상이 실제로 주행하는 모습이 아니라 내리막 언덕에서 차를 밀었을 뿐이라는 주장이다. 수소전기 트럭 주행 영상을 찍기 위해 트럭을 언덕 위로 견인했다가 단지 아래로 굴렸을 뿐이라는 것이다.

또 2016년 트레버 밀턴 니콜라 최고경영자(CEO)가 지난 2016년 직접 공개했던 차량도 외관밖에 없었다고 힌덴버그리서치는 주장했다. 이밖에 니콜라에 태양전지는 한 장도 없다거나 수소 생산시설이 존재하지 않는다는 의혹 역시 힌덴버그리서치가 폭로한 의혹들이다.

2018년 니콜라 원이 실제 주행됐는지 묻는 힌덴버그리서치의 질문에 니콜라는 "'움직인다(In motion)'고만 했을 뿐 '스스로 작동한다(Powering Itself)'고 말하지 않았다"고 해명하면서 의혹은 불난 집에 부채질했다.[44]

---

44)수소차 강자는 니콜라인줄 알았는데..알고보니 진짜 강자는? / 데일리카

나) 전기차시장

미국 전기차 시장은 지속적인 성장률을 보이며 꾸준한 성장세를 이어가고 있다. 그동안 미국 전기차 시장의 가장 큰 장애요소는 '비싼 가격'이었다. 이는 높은 배터리 생산 가격에 기인하였다. 그러나 2019년도 테슬라가 보급형 전기차 모델을 출시하면서 미국 내에서 총 전기차 판매량이 급격히 상승하였다. 테슬라는 Model 3를 3만 8,990달러에 출시하였다.
한국자동차산업협회 '2021년 주요국 전기동력차 보급현황 분석'에 따르면 테슬라는 캘리포니아 프레몬트 공장, 상하이 기가팩토리 공급확대로 128% 증가한 104만5072대를 판매하며 1위를 유지했지만 신차 출시나 부분변경, 연식변경 없이 가격만 올리는 배짱 장사를 하고 있어 미국에선 현재 70% 수준인 시장 점유율이 2025년에 11%로 급락할 것이란 전망이 나왔다.[45]

테슬라에 이어 두번째로 가장 많은 전기차를 판매한 완성차 기업은 폭스바겐이다. 폭스바겐그룹은 MEB플랫폼을 채택한 ID.3 등 새로운 모델 투입 확대와 스코다 및 세아트의 보급형 투입으로 84.2% 증가한 70만9030대를 판매하며 2위를 유지했다.

이어 3위는 중국 전기동력차 전문기업인 비와이디로 신 기술적용 모델과 신형 BEV 출시로 전년대비 232.2% 증가한 59만5089대를 판매했다.[46]

45) 조선비즈 '가격 또 올린 테슬라 美점유율 11%로 급락 전망도'
46) 뉴데일리경제 '지난해 전기차 666만대 판매...테슬라 1위, 현대차 기아 5위'

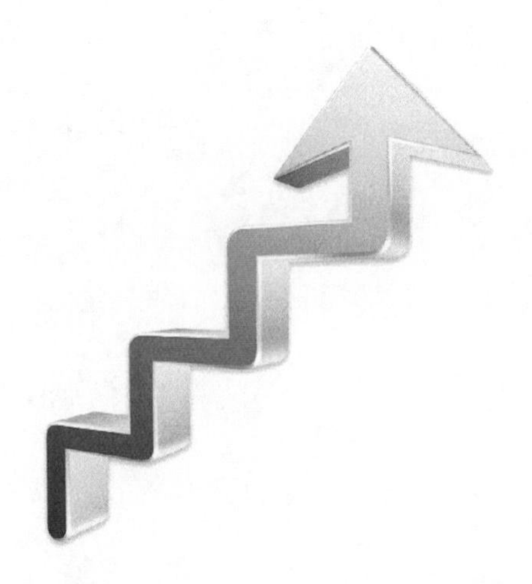

미국 친환경차 시장 내에서는 수소차 대신 전기차가 입지를 굳히고 있다. 대한무역투자진흥공사(KOTRA)에서 발표한 '미국 전기차 가격 상승 가속화' 보고서에 따르면 2021년 미국 내 전기차 판매량은 49만9616대로 전체 자동차 판매량(1556만2031대)의 3.2%를 차지했다. 그중에서 2022년 5월까지 전기차 판매량은 31만578대로 전체 자동차 판매량(586만6494대)의 5.29%를 차지한다. 5월까지의 판매량은 전년도 판매량의 62%에 육박하는 수치다.[47)]

따라서 미국 주요 완성차 기업들은 수소차보다 전기차 양산에 박차를 가하고 있다. 예를 들어 GM은 1966년 수소차 모델의 효시인 '일렉트로밴(electrovan)'을 만들었지만 상용화에 실패하여 이후 기술적으로 실현 가능성이 큰 전기차에 우선 투자했다. GM은 전기차 라인업을 확대하고, 2026년까지 전기차를 100만 대 판매하겠다는 목표를 세웠다.[48)]

테슬라가 미국에서 전 제품 가격을 인상했다. 로이터통신 등에 따르면, 보급형 SUV인 모델Y 롱레인지는 3000달러 인상된 6만5990달러로 5% 인상됐다. 퍼포먼스 버전은 2000달러 오른 6만9990달러다.

보급형 세단 모델3의 롱레인지는 2500달러 인상된 5만7990달러다. 다만 가장 저렴한 모델3의 후륜 가격은 4만6990달러로 변동되지 않았다.

고급 SUV 모델인 모델X 사륜 버전은 6000달러 인상된 12만990달러, 모델 S 사륜은 5000달러 인상된 10만4990달러다.

---

47) 전기신문 '테슬라 GM 리비안 다 올랐다... 미국 전기차 가격 상승 가속화'
48) 전기차 입지 먼저 굳혀…수소차는 기반 기술 개발 초점/Economy Chosun

일론 머스크 테슬라 CEO는 그동안 원자재값 상승과 반도체 부족 등 공급망 압박을 자주 거론하며 테슬라 가격을 인상해왔다.

테슬라코리아 홈페이지에 따르면, 현재 테슬라 모델3의 가격은 최저 6699만원이고, 롱레인지는 7879만원이다. 모델3 기본형은 가격이 상대적으로 저렴하지만 에너지 밀도가 낮은 LFP(리튬인산철) 배터리를 써서 가격 인상을 최소화하고 있다. 하지만 그 이상 모델은 큰 폭으로 오르고 있다. 특히 모델3 롱레인지가 미국 수준으로 인상될 경우 8000만원을 넘어설 것으로 보인다.49)

조 바이든 미국 대통령은 대선 공약으로 2조 달러 규모의 친환경 인프라 투자를 발표하며 신재생에너지·전기차·탄소제로 등 그린뉴딜에 초점을 맞췄다. 또 오바마케어 유지 확대 등 헬스케어업종에 우호적인 정책을 발표하며 미국 내에서 긍정적 반응을 얻고 있다.

바이든 행정부 출범시 변화가 가장 큰 분야는 환경·에너지다. 바이든 대통령은 청정에너지 경제 및 탄소배출 제로를 선언하며 재생에너지 사용 촉진 규제 강화를 예고했다. 또한 기후변화 위험에 대비하기 위해 미국의 인프라를 개선하고, 전기자동차의 활용을 높이는 방안을 추진하며, 유럽연합(EU)과 발맞춰 환경규제가 약한 국가의 제품에 부과하는 탄소조정세(또는 탄소국경세) 도입을 검토 중이다.

자동차업계는 바이든 대통령이 환경 문제를 강조해 온 점에 주목하며, 수소차·전기차 등 친환경차 확대에는 긍정적이지만 전체적인 환경 규제 강화로 비용 부담이 늘어날 것을 우려했다. 특히 연비 규제 강화 등 환경부문 강조가 자국 산업을 보호하는 도구로 전용돼 강화된 보호무역 태세를 취할 가능성이 있다고 내다봤다.

바이든 정부의 친환경 정책은 전기·수소차 시장의 확장과 함께 국내 전기차 배터리 업계에 호재로 작용할 수 있다. 또한 풍력, 태양광 등 신재생 에너지 정책 강화에 따라 국내 풍력·태양광 관련 기업에도 기회가 될 전망이다.50)

---

49) 조선경제 '美테슬라 가격 또 올렸다... 한국도 시간문제'
50) [미국 대선 '그후'] 뜨는 산업과 지는 산업은 / 서울와이어

로이터통신는 “미국 도로교통안전국(NHTSA)이 2019년식 이후 연비 기준을 맞추지 못한 자동차 제조사에 대한 벌금 상향 조치를 원래대로 부활시켰다”고 보도했다. NHTSA는 이번 조치로 늘어나는 벌금의 규모가 최소 1억7085만 달러(약 2000억 원)에 이를 것으로 추산했다. 특히 2022년형 차량부터 기업평균연비규제(CAFE) 요건을 충족하지 못할 경우 벌금이 크게 상향될 전망이다.

이번 조치는 자동차 배기가스 배출 기준을 강화한 것으로 바이든 정부의 친환경 기조에 따른 것이다. 바이든 정부는 출범 이후 탄소중립 실현을 위해 내연기관차에서 친환경 차량으로의 전환을 촉구해 왔다.

앞서 버락 오바마 정부는 자동차 제조업체들이 전기차와 연료 효율성을 높인 차량을 제조하도록 유도하기 위해 자동차의 연비 기준을 높이고 이를 충족하지 못했을 때 부과하는 벌금액을 상향했다. 미국 정부는 이에 따라 2012년 공식적으로 2025년까지 자동차 연비를 갤런당 54.5마일(ℓ당 23.3㎞)로 향상하는 것을 주 내용으로 한 새로운 CAFE 기준을 발표했다. 2016년에는 해당 규제에 따른 벌금을 기존의 1mpg(갤런당 마일)당 55달러에서 140달러로 크게 높여 2019년형 자동차부터 적용하겠다고 밝혔다.

하지만 이 같은 조치는 트럼프 정부가 2022년형 신차부터 적용하도록 벌금 인상을 유예하며 제동이 걸렸다. 당시 자동차 업계가 연간 최소 10억 달러(약 1조2000억 원) 가량의 비용이 추가로 발생할 수 있다며 반발하자 규제를 완화한 것이다.

후보 시절부터 자동차와 트럭의 배기가스 배출 기준을 강화하겠다고 밝혀 온 바이든 대통령은 친환경차 보급을 위한 지원과 연비 규제에 속도를 내고 있다. 미국 환경보호국(EPA)은 지난해 말 2023년부터 자동차 연비 기준을 매년 5~10%씩 끌어올려 2026년에는 갤런당 평균 55마일(ℓ당 23.4㎞)로 높인다는 새 기준을 확정했다. 당시 워싱턴포스트는 “바이든 정부 출범 이후 내놓은 기후변화 관련 대책 중 가장 강도 높은 것”이라고 평가했다. 바이든 대통령은 2030년까지 신차 판매의 50%를 전기차나 하이브리드차 등 친환경 차량으로 대체하겠다고 밝힌 상태다.

이번 조치가 완성차 업체에 비용 증가 요인이 되지만 테슬라 등 전기차 업체에는 호재가 될 것으로 내다봤다. 크라이슬러, 지프 등의 산하 브랜드를 소유하고 있는 자동차 제조업체 스텔란티스는 이로 인해 5억7200만 달러의 비용이 발생할 것으로 예상된다. 반면 테슬라는 이번 조치를 통해 탄소배출권을 더 높은 가격에 매매할 수 있을 전망이다.[51]

---

51) 경향신문 ‘친환경차 전환 바이든 프럼프가 유예했던 자동차 연비 규제 다시 강화’

조 바이든 미국 대통령 정부가 전기차 충전소 50만 개 건설 프로젝트에 박차를 가하고 있다. 미 교통부는 전국 각지에 정부 지원으로 설치될 전기차 충전소 기본 모델을 공개했다. 미 교통부는 운전자들이 전기차 충전소를 편리하게 이용할 수 있도록 규격을 통일했다고 밝혔다.

현재 전기차 소유자는 각기 다른 인터페이스, 모바일 앱, 가격 구조, 회원제 시스템을 이용하고 있다. 그러나 미 연방 정부 지원으로 건설되는 충전소에서는 회원 등록이 필요 없고, 어떤 종류의 전기차도 충전할 수 있도록 할 것이라고 미 교통부가 밝혔다.

그러나 미 정부는 최대 전기차 제조업체인 테슬라가 건설하는 충전소에는 연방 정부 자금을 지원하지 않기로 했다. 테슬라가 자사에 특화된 충전소를 건설하고 있어 차종과 관계없이 충전할 수 있도록 하려는 정부의 기본 취지와 맞지 않는다고 미 교통부가 밝혔다.

미국 정부는 전기차 배터리 증산을 위해 30억 달러(약 3조 7,000억 원)를 지원하기로 했다. 미국 에너지부는 1조 달러 규모의 인프라 확충 예산을 집행하면서 이 중에서 일부를 전기차 배터리 생산 지원에 사용한다. 미 에너지부는 전기차 배터리 재활용을 위해 관련 업계에 추가로 6,000만 달러를 지원하기로 했다.

바이든 대통령은 오는 2030년까지 미국에서 생산되는 자동차의 절반가량이 전기차 또는 하이브리드 차량이 차지하는 비전을 제시하고, 이를 위한 지원 대책을 강화하고 있다. 바이든 정부는 전기차 생산 확대를 통해 화석 연료 사용을 줄여 에너지 독립을 공고히 하고, 기후 변화 등에 적극적으로 대처할 계획이다.

또 오는 2030년까지 미국 전역에 50만 개의 전기차 충전소를 설치할 수 있도록 각 주에 일단 50억 달러를 지원한다. 미국에서 전기차 충전소는 현재 10만 개가량이기에 앞으로 40만 개를 추가로 짓겠다는 것이다.

백악관은 미국의 고속도로에 50마일 (약 80km)마다 1개의 충전소를 설치할 수 있도록 지원할 계획이다. 바이든 정부는 미국의 소비자들이 전기차 구매를 꺼리는 가장 큰 이유가 충전소가 부족하기 때문이라고 보고, 이 문제를 적극적으로 해결해 전기차 구매를 대폭 늘릴 수 있도록 할 계획이다. 미 정부와 의회는 이와는 별개로 시골이나 저개발 지역 또는 대기 오염이 심한 지역에 전기차 충전소를 설치할 수 있도록 25억 달러를 지원하는 내용의 법안을 마련했다.[52]

---

52) 글로벌비즈 '[여기는워싱턴] 바이든 정부, 전기차 충전소 50만개 건설 프로젝트 박차'

2) 유럽

EU는 2050년까지 중장기 로드맵을 보유하고 있는데 자동차 산업 배기가스 감축 규제로 EURO6까지 내놓은 상태이며 이 규제는 2020년까지의 연비 개선 목표만을 제시한 것이다. 그러나 상위 규제 및 합의를 감안 시 2020년까지 배기가스 감축규제에 그치지 않고 2050년까지 지속적인 배기가스 감축을 자동차 산업에 요구할 것으로 예상된다.

시기별 목표	구분	내용
2020 climate & energy package	목표	-2020년까지 온실가스를 1990년보다 20%감축 -재생에너지 비율 20% 달성 -에너지 효율 20% 개선
	합의 시점	EU Leader들 2007년 합의, 2009년 법제화(Enacted in legislation)
	구속력	있음(Binding Legistaion)
2030 climate & energy framework	목표	-2030년까지 온실가스를 1990년보다 최소 40%감축 -재생에너지 비율 최소 27%달성 -에너지 효율 최소 27%개선
	합의 시점	2014년 10월 EU Leader들 채택(Adoption), 아직 법제화 되지 않은 것으로 보임
	구속력	없는 것으로 보임

2050 low-carbon economy	Roadmap	-EU는 2050년까지 온실가스를 1990년보다 80%감축 -Milestone : 2030년까지 40%감축, 2040년까지 60% 감축 -전 산업이 동참해야 함 -Low-Carbon 세계로의 변화는 경제적 관점에서도 가능한 얘기임
	목표	현재는 EC의 Roadmap상태이며 EU회원국의 합의는 없는 것으로 보임
	구속력	없는 것으로 보임
	산업별 감축	발전 및 송전: 재생에너지를 통해 발전함으로써 온실가스 배출을 거의 0으로 줄일 수 있을 것으로 추정 수송: 2050년 온실가스 배출량을 60% 가량 줄일 수 있을 것으로 추정 Building: 가정용 및 사무용 빌딩에서의 2050년 온실가스 배출량을 1990년 대비 90%가량 줄일 수 있을 것으로 추정 Industry: 산업에서의 2050년 온실가스 배출량을 1990년 대비 80%가량 줄일 수 있을 것으로 추정 농업: As global food demand grows, the share of agriculture in the EU's total emissions will rise to about a third by 2050, but reductions are possible

표 11 유럽 내연기관차 관련 주요 정책내용

전기차 시대가 더 앞당겨질 거란 전망이 나오고 있다. 유럽연합(EU)이 배기가스 배출량 감축 목표치를 기존보다 더 끌어올리면서 유럽 완성차업계의 전기차로의 생산체제 전환 압박이 더 거세지고 있기 때문이다. 유럽과 미국의 배출가스 정책 기조를 따르는 한국 역시 영향을 받게 될 것으로 보인다.

로이터에 따르면, EU 집행위원회는 이번 주 공개 예정인 배기가스 감축 계획안 초안에 2030년 배기가스 감축 목표량을 1990년 배출량의 '최소 55%' 이상으로 확대하는 내용을 담았다. 기존 감축 목표량(1990년 배출량의 40%)과 비교하면 15%포인트 늘어난 수치다.

유럽 자동차업계는 당장 발등이 불이 떨어진 상황이다. 초안에 나온대로 배기가스량을 감축하기 위해선 내년부터 10년간 생산하는 차량의 이산화탄소 배출량을 기존의 절반 수준으로 줄여야 하기 때문이다. 경유차나 휘발유차의 배기가스 배출량을 대폭 줄이는 획기적인 기술이 개발되지 않는 한 전기차 생산을 늘릴 수밖에 없는 상황이다.[53)]

53)EU 배기가스 배출규제 강화 소식에 발등에 불난 유럽 자동차업계...전기차 시대 앞당겨질까/조선일보

가) 스웨덴

스웨덴 정부는 현재 자율주행차량, 전기자동차 및 관련 부품, 소재 경량화 분야 연구에 대한 개발을 확대 중이다. 전기자동차 및 충전설비 개발을 지원하는 한편, 전기차 확대를 위해 전기차 구매 시 인센티브를 제공하는 정책도 시행 중인 것으로 알려졌다.

현재 완성차 업체인 Volvo 승용차와 Volvo 트럭, Scania사는 요테보리에 소재한 Lindholmen Science Park를 주축으로 산학연 협력을 통해 자율 주행차량과 전기차 기술을 공동 개발하고 있으며, 이외에도 IT 응용기술 중심의 설비구조 고도화와 소재 경량화를 위한 기술도 개발 중에 있는 것으로 알려졌다.

또한 각 완성차 업체들은 다각도의 모든 솔루션을 고려하고 있는 상태이며, 차량 무게 감축과 모터 성능 개선을 통한 CO_2배출 감축, 전기자동차를 중심으로 한 친환경차 생산에 박차를 기울이고 있다.

자율주행차량과 전기자동차 관련한 다양한 프로젝트는 다음과 같이 운영되고 있는데, 먼저 'ElectriCity 프로젝트'는 차세대 전기차를 위한 프로젝트로서 지속성장가능 대중교통을 위한 산학연 연계 프로젝트이고, 'Drive Me 프로젝트'는 자율주행차량 프로젝트를 말한다.[54)]

54) 스웨덴 자동차 산업/Kotra 해외시장뉴스

스웨덴 자동차시장에 친환경바람이 불기 시작했다. 스웨덴 정부는 '18년 7월 1일부로 친환경정책의 일환인 Bonus-Malus 시스템을 발효했다. Bonus-Malus 시스템은 이산화탄소 배출량이 높은 차량에 높은 세금을 부과하고, 이산화탄소 배출량이 적은 차량은 구입 시 보조금을 지원함으로써 온실가스 배출량이 적은 친환경차량의 확대를 유인하는 강제 시스템을 말한다. 이에 따라 시스템 도입 직전인 '18.6월에 중형차량(이산화탄소 배출량이 높은 차량)의 구입이 급격하게 늘었고 '18.7월에는 심리위축으로 판매량이 감소한 바 있다.

또한 스웨덴은 오는 2030년까지 교통 분야에서 화석연료를 퇴출시키고 2045년까지는 온실가스 배출을 제로화한다는 에너지 정책을 실현 중이다. 그동안 스웨덴 정부는 친환경차량의 보급 확산을 위해 다양한 지원제도를 실시해왔다.

2012년까지는 이산화탄소배출량이 140g/km 이하 차량에 보조금을 지급했고 2013년부터는 이산화탄소배출량이 50g/km 이하인 슈퍼친환경차량(전기자동차와 전기하이브리드, 플러그인 하이브리드차량)으로 기준을 강화했다.

또한 2018.7월부터는 당근과 채찍개념(Bonus-Malus)을 도입하여 전기차와 전기하이브리드 차량 등 기후 보너스차량 구매 시에는 6만 크로나(US$ 6,300)를 지원하고 이산화탄소 배출량이 많은 화석연료 차량 구매 시에는 높은 세금을 매김으로써 휘발유나 디젤차량, 이산화탄소배출량이 높은 중형차량의 구매 감소를 유도 중이다. 예를 들어, 인기 모델인 Volvo V90T5 차량을 구매할 경우 연간 추가 세금부담이 5,000크로나(US$ 520)를 넘기 때문에 구매를 망설이는 소비자들이 늘고 있다고 한다.[55)]

그리고 2021년 4월 기후보너스 조건을 70g/km에서 60g/km으로 강화하였다. 순수전기차 보조금은 상향하고 하이브리드 차량의 보조금은 축소함으로써 2022년에도 순수전기차 시장확대에 더욱 주력할 예정이다.

이와 함께 스웨덴에 배정된 EU 경제회복기금 중 약 48%를 전기차 배터리 기술 개발과 충전인프라 구축, 풍력단지 건설 등 그린분야에 투자할 계획이어서 EU 집행위가 정한 '2050년 온실가스배출 제로화'보다 5년 이상 빠른 2045년까지 온실가스배출 제로화 달성이 무난할 것으로 보인다.[56)]

스웨덴 볼보가 국내 수입 친환경 하이브리드 시장서 새로운 다크호스로 급부상하고 있다.

---

55) 스웨덴 자동차시장에 부는 친환경바람/Kotra 해외시장뉴스
56) https://thecce.kr/2796

볼보는 전통적 자동차 회사로선 처음으로 내연기관으로만 구동되는 차량의 생산을 중단하겠다고 선언했다. 그 결과 하이브리드 시장 판도에도 변화의 조짐이 일고 있다.

그간 국내 수입 하이브리드 시장은 도요타,렉서스 등 일본차 브랜드가 군림해왔다. 특히 렉서스 ES300h는 일본차 불매 운동 분위기 속에서도 벌써 수 개월 째 하이브리드 부문 '부동의 1위'를 차지할 정도로 입지가 굳건했다. 하지만 상품성 높은 '마일드 하이브리드'를 무기로 내세운 볼보가 새로운 강자로 떠오르고 있어 일본차 브랜드의 아성이 위협받고 있다.

볼보는 일찌감치 친환경 전동화 바람에 발맞춰 친환경 파워트레인으로의 전면 전환을 추진해왔다. 볼보 본사는 오는 2025년까지 자사 차종의 수명 주기 전체의 이산화탄소 배출량을 40% 줄인다는 방침이다. 특히 볼보코리아는 2021년형 모델부터 전 차종에 마일드 하이브리드 또는 플러그인 하이브리드 시스템을 도입, 전 세계 국가 중 가장 먼저 디젤 엔진을 전면 배제키로 했다.

친환경 전략에 발맞춰 새롭게 국내 선보인 'B 엔진'은 2.0ℓ 가솔린 엔진에 48V 마일드 하이브리드 기술을 적용한 엔진 통합형 전동화 파워트레인으로, S60, V60CC, XC40 등 3개 차종에 탑재됐다.

연비 효율을 높이고 정숙한 주행과 강력한 성능을 동시에 제공하는 친환경차의 수요 증가에 따라 국내 수입 하이브리드 시장도 한층 치열해질 전망이다.[57)]

볼보는 차세대 볼보 모델을 위한 전기모터의 자체 설계, 개발 등 글로벌 시설 네트워크를 갖춘 전기모터 연구소를 중국 상하이에 오픈하고, 차세대 e-모터 개발 및 중국과 스웨덴의 최신 배터리 연구와 연계해 향후 모든 미래 전기차 개발의 성장 동력으로 자리할 전망이다.

이를 통해 e-모터뿐만 아니라, 전동화시대의 3요소인 전기모터와 배터리, 전기 구동라인의 개발과정을 함께 하게 된다.

볼보는 전기모터 개발을 내재화함에 따라, 신차에 탑재될 전기모터 및 전기 드라이브 유닛을 더욱 최적화하고, 더불어 에너지 효율성과 성능 면에서 보다 많은 이점을 얻을 것으로 내다보고 있다.

---

57) 스웨덴 볼보, 국내 친환경 하이브리드 시장의 '다크호스'로 급부상 / M오토데일리

헨릭 그린(Henrik Green) 볼보자동차 최고기술책임자는 “자체적인 설계 및 개발을 통해 e-모터를 더 나은 수준으로 조율할 수 있다”며, “에너지 효율성과 편안함 측면에서 전반적인 성능 수준을 지속적으로 개선하는 데에도 도움을 준다”고 말했다.

본격적인 가동을 시작한 볼보 전기모터 연구소는 향후 SPA2 플랫폼을 기반으로 하는 순수 전기 및 하이브리드 모델에 탑재될 전기 모터 개발에 초점을 맞출 것으로 알려졌다.

아울러 이번 e-모터 내재화와 관련된 볼보의 계획은 브랜드의 미래차 전략 및 기후 중립화를 향한 한 단계 진보를 의미한다. 볼보는 기후 중립 달성을 위해 첫 번째 가시적인 조치로 오는 2025년까지 자동차 수명주기에 있어 탄소 발자국을 40%까지 줄이는 것을 목표로 하고 있다.

이어 국내 볼보코리아도 향후 플러그인하이브리드(PHEV)와 마일드하이브리드(MHEV), 순수전기차(EV)등 친환경 라인업을 구축한다는 계획이다.[58]

58) 볼보, 中 상하이서 차세대 전기모터 연구소 오픈. ‘e-모터’등 미래차 개발 전념 / M오토데일리

나) 영국

영국의 자동차 배기가스 규제 현황은 다음과 같다. 먼저,'ULEZ(Ultra Low Emission Zone)' 정책은 런던 중심부를 통행하는 모든 이동차량에 적용되는 배기가스 규제로서 연중무휴 적용되고 있다. 기준을 충족하지 못하는 차량은 요금을 부과해야 한다. 다음으로 'LEZ(Low Emission Zone)' 정책은 밴, 미니버스, 대형트럭, 버스, 우등버스와 같은 승용차보다 큰 이동차량에 적용되는 배기가스 규제로서 ULEZ와 마찬가지로 연중무휴 적용되고 있다.

현재 옥스퍼드는 2020년 이후 디젤, 휘발유 차량의 시내 중심부 운행을 금지하고 있으며, 사디크 칸 런던 시장은 '친환경 차량을 제외한 모든 차량'에 대해 최대 2파운드(3,240원)의 통행료와 함께 영국 수도에서 마일당 운전 요금을 도입할 것을 촉구했다.

이는 런던시청이 발의했다. 탄소 제로 목표를 달성하려면 2030년까지 자동차 교통량을 27% 줄여야 한다는 이유에서다. 칸 시장은 런던 외부에서 광역으로 여행하려는 운전자에게 요금을 부과하는 것도 고려하고 있다.[59)]

또한 '저공해 차량 구매 보조금(plug-in grant)'도 시행 중이며, 영국 정부는 저공해 자동차, 오토바이, 모패드(Mopeds), 밴, 택시, 구매에 대한 플러그 인 보조금을 지급하고 있으며, 보조금은 차량 종류에 따라 차등 지급된다.

---

59) Smart City Today '런던 전역에 자동차 통행료 징수 방침... 성공할까? 이목집중'

'전기차 충전시설 인프라 구축 보조금(OLEV grant)' 정책에도 영국 정부는 전기차 사용을 장려하기 위한 충전시설 확충 보조금을 지원하고 있다. 가정용(EVHS, The Electric Vehicle Homecharge Scheme), 직장용(WCS, Workplace Charging Scheme), 주택가(ORCS, On-street Residential Chargepoint Scheme), 택시용(Ultra Low Emission Taxi Infrastructure Scheme) 보조금이 있으며, 보조금 종류에 따라 지원 금액은 달라진다.

이에 따라 친환경 자동차인 수소차, 전기차의 개발도 활발하게 이루어지고 있으며, 재규어 랜드로버사와 BMW사는 전기차 제조에 사용되는 부품인 전기모터, 변속기, 전력 전자 장치 개발을 위한 R&D 공동 투자에 합의하였으며, 벤츠사는 금년 영국에 전기차(The EQC) 출시를 앞두고 있다. 해당 모델은 80kWh 배터리를 장착한 SUV 전기차이다.[60)]

영국주재 한국대사관에 따르면 보리스 존슨 영국 총리는 최근 '2050년 탄소중립' 실행방안으로 '녹색산업 혁명을 위한 10대 전략'을 발표하고 그 중 하나로 2030년부터 내연기관 차량의 신차 판매를 금지하는 방안을 포함했다.

영국 정부는 2021년 2월 2035년부터 탄소배출차량 판매금지(휘발유, 경유, 하이브리드 등 포함)를 발표한 바 있는데 이번 정책을 통해 하이브리드를 제외한 내연기관 차량의 판매금지를 2030년으로 앞당겨 시행키로 했다.

즉, 1단계로 2030년부터 모든 휘발유 및 경유 차량의 신차 판매가 금지되고 이어서 2단계로 2035년부터 모든 하이브리드 차량(플러그인형 포함)의 신차 판매가 금지돼 2035년부터는 순수 전기·수소차량 신차 판매만 가능하게 된다.

또한, 친환경차 보급 재정 지원에 1억8000만 파운드 추가 편성하고 미래형 신차 기술개발에 5억 파운드를 추가 지원해 향후 전기차 등 탄소제로 차량 보급 정책을 더욱 확대할 계획이다.

전기차 충전시설 확대에 1억3000만 파운드, 저탄소차 신차보조금에 1억8000만 파운드, 차세대 탄소제로 차량(배터리, 초경량 부품 등) 기술 개발에 5억 파운드가 지원되고 탄소제로 차량에 녹색번호판(2020년 12월 시행)을 부착해 주차료 감면, 도심혼잡 통행료 면제 등 인세티브를 확대키로 했다.

---

60) 영국 자동차산업/Kotra 해외시장뉴스

한편 영국이 발표한 '녹색산업 혁명을 위한 10대 전략'은 ▲첨단 풍력 ▲그린 수소 ▲원전 ▲친환경 차량 ▲그린 교통 ▲그린 선박 ▲그린 건물 ▲탄소 포집·저장 ▲자연환경 보호 ▲그린금융 및 혁신이다.[61]

영국이 디젤, 가솔린 등 기존 내연기관 차량을 전기차로 교체하는 친환경차 구매자에게 6000파운드(910만원) 지원방안을 추진한다.

코로나19로 침체된 친환경차 시장 활성화를 위한 자구책으로 풀이된다.

코로나19로 인해 영국 내 신차 판매가 급격하게 줄면서 친환경차 보급 속도도 더디다. 영국자동차산업협회 집계에 따르면 올해 5월 영국의 신차 등록은 지난해 같은 기간과 비교했을 때 89%나 급감했다. 1952년 이후 최저치를 기록했다.

2035년까지 내연기관 차를 판매하지 않는 것을 목표로 세운 영국은 친환경차 판매 촉진을 위해 보조금 지급을 선택했다.[62]

로이터통신 등 외신들에 따르면 영국 자동차산업협회(SMMT)가 발표한 2022년 5월 신차등록대수는 2021년보다 21% 줄어든 12만4394대를 기록했다. 이는 5월 기준으로는 지난 30년 내에 신종 코로나바이러스 감염증(코로나19) 대응조치로 도시봉쇄조치가 내려졌던 2020년에 이어 두 번째로 낮은 수준이다.

수요는 강력했지만 공급제약으로 판매와 납기내 차량인도가 지지부진한 때문으로 분석된다.

한편 전기자동차(EV)의 등록대수는 18% 가까이 증가해 신차등록차량 8대중 1대가 EV였다.

이에 SMMT는 "신차시장으로서는 또 어려운 달이 됐다. 자동차업계는 세계적인 부품부족과 싸우고 있다. EV가 몇 안되는 긍정적인 요소"라고 말했다.

또한 2022년 신차판매가 생계비 상승과 반도체 부족으로 당초 예상을 밑돌 것으로 전망했다.[63]

---

61) 에너지데일리 '영국,2035년부터 순수 전기 수소차만 판매할 수 있다'
62) 英, 전기차 교체 보조금 900만원 지원 / IT조선
63) 글로벌이코노믹 '영국5월 신차 등록대수 지난해보다 20%이상 급감...전기차는 급증'

벤틀리 모터스는 영국 크루에 위치한 본사 및 공장이 탄소중립 인증을 획득했다고 발표하고, 전세계에서 가장 지속가능성이 뛰어난 럭셔리 자동차 제조사로 도약하고 있음을 입증했다.

탄소중립성 분야의 전문 기관인 카본 트러스트(Carbon Trust)는 벤틀리 모터스가 전세계적으로 인정받는 PAS 2060 기준에 부합한다는 인증을 부여했다. 현재 벤틀리 본사 공장에서 사용되고 있는 모든 전기는 100% 공장 내 설치된 솔라 패널 및 친환경 전기로 인정받은 공급원을 통해 공급되고 있다. 기타 공장 운영 상에서 불가피하게 발생하는 이산화탄소 배출 역시 상쇄할 수 있는 다른 대안 실행을 통해 탄소중립을 실천하고 있다.

생산공장의 탄소중립 실현과 함께 벤틀리는 전동화에도 박차를 가한다. 지난 주 최초의 럭셔리 플러그인 하이브리드 모델인 벤테이가 하이브리드를 출시한 벤틀리는 오는 2023년까지 전 모델의 하이브리드 버전을, 오는 2025년까지는 전 모델의 전기차 버전을 발표할 계획이다.[64)]

전기차를 선점하기 위한 전세계 자동차 업체들의 발걸음이 갈수록 빨라지고 있다. 슈퍼카 브랜드인 벤틀리도 최근 모든 판매 모델을 10년내 100% 전기차로 전환할 방침이라고 밝혔다.

벤틀리는 '비욘드100' 전략을 통해 2026년까지 모든 판매 차량 모델을 플러그인 하이브리드와 전기차로 전환하고 2030년에는 완전히 전기차로 넘어갈 것이라고 선언했다.

벤틀리는 대중적인 자동차가 아니라 한 대에 수억 원씩 하는 초고가 모델만 취급하는 영국의 슈퍼카 브랜드 제조사다. 자동차 시장에서 전 세계적으로 퍼지고 있는 전기차 경쟁이 일반 자동차 시장을 넘어 슈퍼카까지 확산되고 있다는 의미다.[65)]

64) 벤틀리, 영국 자동차 브랜드 중 최초 탄소중립 친환경 공장 실현 / 카가이
65) "벤틀리도 2030년 전기차로 완전 전환" / 교통신문

3) 중국

가) 수소차 시장

중국은 현재 '수소차 원년'이라고 불릴정도로 수소차 육성에 본격적으로 나서고 있다. 지금까지 중국 정부는 전기차 육성에 주력하였으나, 최근에는 '수소차 보급 로드맵'을 내놓는 등 차세대 연료 전지차 육성의 무게중심이 수소차로 옮겨가고 있는 실정이다.

코트라(KOTRA)에 따르면 중국 국가개발개위와 국가에너지국은 '수소에너지 산업 중장기 규획(2021~2035년)'을 발표했다. 중국은 그 동안 수소차 보조금 지원 등 부분적인 정책은 시행해왔지만, 산업 전반에 적용되는 수소 중장기계획을 발표한 것은 이번이 처음이다.

이 규획에 따르면 중국은 2025년까지 수소전기차 보유량을 5만 대, 그린수소 연간 생산량을 10만~ 20만 톤까지 끌어올리고 이산화탄소 연간 배출량을 100만~ 200만 톤 낮출 계획이다.

또 2030년까지 완전한 수소산업기술혁신체계와 그린수소 공급체계를 구축하고 2035년까지 다양한 수소 활용 생태계를 구축하고 수소의 소비 비중을 끌어올린다는 목표를 제시했다.

중국의 수소차의 경우 버스, 트럭 등 상용차에 우선 보급한 후 기술력이 향상되고 비용이 감소하면 승용차에도 보급할 것으로 보인다. 이 때문에 현재 수소차 구매지원책은 버스, 트럭 등 상용차에 집중돼 있다.

중국자동차공업협회와 중국수소산업발전보고서에 따르면 수소버스 보유량은 2020년 5,000대에서 2025년 7만 1,600대, 2030년 21만 1,700대, 트럭은 2020년 5,000대에서 2025년 2만 8,400대, 2030년 8만 7,200대, 승용은 2030년 64만 대를 보유할 것으로 전망된다.

또 수소버스의 100km당 수소 소모량은 2020년 7kg에서 2030년 5.5kg, 트럭은 2020년 3kg에서 2030년 2.3kg, 승용은 2020년 1kg에서 2030년 0.8kg으로 낮아질 것으로 예상된다.

이를 위한 수소차 보급지원책은 단순한 수소차 생산·투자 확대가 아닌 핵심기술의 산업화와 상용화, 완전한 산업망 구축에 초점을 맞춰 지정된 5곳의 수소차 시범도시에 장려금을 지급하는 방식으로 진행되고 있다.

베이징-텐진-허베이를 묶은 징진지 지구는 2025년까지 수소차 5,300대와 수소충전소 49기를 보급해 항구, 광석·철강 생산, 건축자재 운송에 활용할 계획이다. 상하이는 수소차 5,000대와 충전소 73기를 보급해 다양한 분야에서 활용한다.

그리고 광둥성은 항구, 여객운송, 택배물류, 대중교통 등에 사용할 수소차 1만 대와 충전소 200기를, 허베이는 수소차 7,710대를 허난성은 수소차 4,295대와 충전소 76기를 보급하기로 했다.[66]

중국의 현재 연간 수소 생산량은 약 3천300만t으로 세계 최대 수소 생산국이지만 대부분의 수소가 화석 연료를 통해 생산되고 있다. 중국수소에너지연맹은 중국의 수소에너지 시장 규모가 2030년까지 4천300만t에 이를 것으로 예측했다. 이어 녹색 수소가 전체 에너지원에서 차지하는 비중이 2019년 1%에서 10%까지 확대될 것으로 내다봤다.

중국의 주요 도시도 수소 에너지 시장 활성화에 박차를 가하고 있다. 2021년 8월 베이징시 경제정보화국은 2023년까지 글로벌 영향력을 가진 수소에너지 기업 5~8개를 베이징에 설립하겠다고 밝혔다.

---

66) 월간수소경제 '中, 탄소중립 위해 수소굴기 강력 드라이브'

이어 상하이도 2023년까지 수소 충전소 100개를 설치하고 수소차 1만 대를 보급하겠다고 강조했다. 광둥(廣東)성은 수소차의 대규모 보급 계획과 더불어 주장(珠江)삼각주 및 주변 지역에 수소 충전소 300개를 마련하겠다고 나섰다.[67)]

중국의 각 지방정부도 수소차 보급을 위해 빠르게 움직이고 있다. 상하이, 베이징, 후베이, 충칭 등의 각 도시별로 관련 프로젝트도 진행 중이다. 이는 수소차 기술수준 향상, 수소차 및 수소충전소 보급 확대, 산업 클러스터 조성 등에 방점을 두고 있으며 일부 도시에서는 수소차 카웨어링 프로젝트도 가동 중이다.

상하이는 2017년 9월에 '상하이시 수소연료전지차 발전규획'을 발표하고, 2019년 에산업 자딩(嘉定)구에 산업클러스터 조성 방침을 세웠다. 그리고 2023년까지 수소연료전지차 1만 대 이상을 보급하고, 수소산업 생산액 1,000억 위안을 달성하겠다고 발표했다. 이어 2025년까지 상하이는 ▷각종 수소 충전소 약 70개 설치 ▷국제 일류 혁신 연구개발(R&D) 플랫폼 3~5개 구축 ▷연료전지 자동차 보유량 1만 대 돌파 ▷수소에너지 산업체인 산업 규모 1천억 위안 초과 등을 목표로 삼고 있다.

베이징은 2017년 말에 수소차 산업을 중점 육성분야로 확정했으며, '수소연료전지차 산업발전계획'을 통해 2025년까지 글로벌 수소기업을 육성하고 수소연료 전지차를 1만 대 보급하며 수소충전소 74개를 건설하겠다고 발표했다.

후베이성 우한시 정부는 2022년 3월 <우한시 수소산업 발전 지원에 관한 의견(武汉市支持氢能产业发展的意见)>을 통해 수소산업 육성, 수소과학기술 선도, 수소시설 건설, 수소에너지 응용시범 등 6대 사업 시행 계획을 발표했다. 이를 통해 2025년까지 수소산업 영업이익 500억 위안, 연료전지 자동차 보급량 3000대, 수소충전소 35개 이상 건설 등을 달성해 우한을 중국의 수소 중심 도시로 만들겠다는 목표를 갖고 있다.

충칭도 최근 수소연료전지 관련 대형 프로젝트를 잇달아 착공하고 관련 산업 가치사슬 구축에 힘을 쏟고 있다. 충칭에서는 수소연료전지자동차 3개 모델이 출시됐고 버스, 물류트럭 등의 시험운영이 시작됐다. 독일 보쉬사의 현지 진출 등 핵심부품업체들의 결집도 가속화되고 있으며 수소 충전소 건설 추진 등 수소산업 가치사슬 구축, 수소연료전지차 산업 클러스트 구축을 추진하고 있다는 내용이 현지 신화통신에 보도되기도 했다.

---

67) 신화망 베이징 뉴스 '中 수소에너지 산업발전 중장기 계획 내놔... 탄소중립 박차'

충칭시에서는 2020년 3월 <충칭시 수소연료전지 자동차 산업 발전 의견>, 2021년 8월 <충칭시 제조업 발전 14-5 계획(2021-2025년)> 등 수소산업 가치사슬 구축을 위한 다양한 정책들을 발표했다. 충칭시는 연료전지스택(Fuel Cell Stack, FCS), 차량용 수소공급시스템 등을 비롯한 수소연료전지시스템 및 관련 핵심부품의 연구개발, 생산 클러스터를 구축하며 수소연료전지 관련기업을 유치, 육성하고 수소충전소 15개 설치, 수소연료전지버스 및 화물차를 1500대 운행한다는 구체적 목표를 제시했다. 현재 충칭시는 2개의 수소산업클러스터를 설치·육성하고 있다.

저장성은 수소 연료전지 자동차 산업 발전을 위한 목표를 수립하고, 2025년까지 저장성의 △ 대중교통 △ 항구 △ 도시 간 물류 등 영역에서 수소 연료전지 자동차를 5천 대 보급하고, 수소 충전소를 50개 구축할 계획이다.

이와 같은 지방정부의 수소차 산업 육성 및 보급 로드맵을 표로 정리하면 다음과 같다.[68][69][70][71]

지역	발표시기	정책	주요목표
상하이	2017.9	상하이 연료전지 자동차 발전계획	- 2023년 까지 FCV 생산규모 1000억 위안 돌파, FCV 1만 대 보급
	2022.6	수소산업 로드맵 발표	- 2025년까지 FCV 생산규모 1000억 위안 초과, 수소충전소 70개 설치, FCV 1만 대 돌파
베이징	2020.9	수소연료전지차 산업발전계획	- 2025년까지 글로벌 수소기업 육성, FCV 1만 대 보급, 수소충전소 74개 설치

68) KiET산업연구원, 중국산업경제브리프(2021), 「탄소중립 시대에 대응하는 중국 수소산업 발전전략」
69) 신화망 뉴스 '상하이, 수소 산업 로드맵 발표...2025년까지 산업체인 1천억 위안대'
70) KOTRA해외시장뉴스 '중국 충칭시, 수소연료전지 관련 대형 프로젝트 잇달아 착공'
71) CSF중국전문가포럼 '[이슈트렌드] 中 2025년까지 NEV로컬브랜드 점유율 80%로 끌어올릴 것'

후베이성 우한시	2020.3	우한시 수소산업 발전 지원에 관한 의견	- 2025년까지 FCV 관련 산업 규모 1000억 위안 돌파, 수소 충전소 35개 이상 설치, 수소산업 영업이익 500억 위안, FCV 3천 대 보급
충칭시 지우릉포구	2020.3 2021.08	충칭시 수소연료전지 자동차 산업 발전 의견 충칭시 제조업 발전 14-5 계획(2021-2025)	- 2025년까지 서부 수소밸리 수소산업 클러스터 연료전지 관련 기업 30개사 유치, 수소상용차 9천 대 생산, FCS 4만3천대 생산
충칭시 광장신구	2020.3 2021.08	충칭시 수소연료전지 자동차 산업 발전 의견 충칭시 제조업 발전 14-5 계획(2021-2025)	- 수소연료전지 자동차 개발 추진
저장성	2019.4	저장성 수소에너지 발전 육성에 관한 의견(의견수렴안) 수소연료전지 자동차 산업 가속화 실시방안	- 2025년까지 FCV 5천대 보급, 수소충전소 50개 구축

중국 자동차 기업 및 관련기업들은 이와 같은 중국 정부의 강력한 수소차 산업 지원 하에 수소차 개발 및 양산에 공을 들이고 있다. 대표적으로 상하이자동차와 치루이자동차 등 10여 곳은 수소차 개발 및 양산에 나섰으며, 연간 5,000대를 생산할 수 있는 세계 최대 규모의 수소상용차공장을 완공하였다.

중국 현지 기업 외에도 외자기업들의 움직임도 활발해지고 있다. 도요타는 베이치 산하 베이치푸톈(北汽福田), 중국제일자동차그룹(一汽), 상용차업체 진룽(金龍)에 버스 연료전지장치와 수소탱크 등의 부품을 납품한다고 밝혔다.

한편, 국유 에너지기업들은 에너지공급체인 구축에 주력하고 있는 것으로 알려졌다. 또한 '중국 수소에너지 및 연료전지산업 혁신전략연맹'을 출범함으로서 동 사업을 더욱 공고히 하고 있다.

물류업체들은 수소 화물차를 물류배송에 적극 활용하고 있는데, 중국의 4대 택배업체 중 하나인 선퉁(STO·申通)택배가 대표적으로 수소 화물차를 운송하고 있다. 2대 전자상거래 기업인 징둥(京東)그룹과 순펑(順豊)택배도 수소화물차를 도입할 것을 고려 중이라고 전했다.[72]

2020년 중국 재정부, 공업정보화부, 과학기술부, 발개위, 국가에너지국 등 중앙부처가 수소차 보급을 위한 장려책 <연료전지차 시범응용에 관한 통지>를 발표했다. 단순한 구매 보조금 지원이 아닌 수소차 핵심 기술·부품 개발 및 산업망 구축 등 방면에서 성과를 낸 지방정부와 기업에 장려금을 지원하는 것이 골자이다. 정책 시범 시행기간은 4년이다. 단순한 수소차 생산·투자 확대만으로는 장려금을 지원받을 수 없다. 이번 정책은 핵심기술의 산업화와 상용화, 완전한 산업망 구축에 초점을 맞췄다.

점수 및 장려금은 매년 축소되지만 8종 핵심부품 개발 점수와 장려금은 2023년까지 그대로 유지된다. 8종 핵심부품은 연료전지 스택, 양극판, 막전극접합체(MEA), 공기압축기, 고분자 전해질 연료전지(PEMFC), 촉매제, 카본 페이퍼(탄소 종이), 수소 순환시스템 등을 말한다.[73]

중국 정부는 현재 수소차 스택 구성부분, 운전장비 부품, 전장장치 부품, 수소저장장치 부품 등 핵심 부품군, 완성차 관련 국가표준 제정, 개정에 박차를 가하고 있다. 일부는 강제성 표준이 아닌 추천성, 업종 내 표준이지만 향후 강제성 국가표준에 가속도가 붙을 것으로 내다봤다.[74]

---

72) 中 '수소차 굴기' 본격 개막/Kotra 해외시장뉴스
73) 월간수소경제 '중국, 수소차 보급 장려책 대폭 강화'
74) 중국, 수소차 보급 장려책 발표 / Kotra 해외시장뉴스

중국 수소연료전지차 시장이 뜨겁다. 당국의 적극적인 지원에 힘입어 빠르게 성장하고 있는 것이다. 향후 10년 안에 한국과 일본 등을 넘어 세계 1위가 될 것이란 전망도 나온다. 중국 당국이 수소차 지원 예산을 크게 늘리고 보조금 제공과 충전소 구축에 박차를 가하는 이유다.

'궁극의 친환경차'로 불리는 수소연료전기차 시장을 선점하기 위해 각국 정부와 기업들이 활발하게 움직이고 있다. '수소 굴기(倔起·우뚝 섬)'를 내건 중국의 베이징은 2025년 수소차 1만대 보급 등을 담은 발전 계획을 내놨다. 미국 제너럴모터스(GM)는 수소차 스타트업 니콜라에 20억 달러(약 2조4000억 원)을 투자하기로 했다.

베이징시는 '수소차산업 발전계획(2020~2025년)'을 발표했다. 2025년까지 지역 내 수소차 누적 판매량 1만대를 달성하고, 5~10개의 수소차 관련 선도기업을 육성해 연관산업 부가가치를 240억 위안(약 4조원) 창출한다는 목표를 제시했다. 베이징은 수소차 구매 시 정부 보조금(최대 20만 위안)의 50%를 추가해 주고 있다.

베이징시는 또 남서부 다싱구를 국제수소에너지시범구역으로 지정했다. 다싱은 베이징의 제2국제공항(다싱공항)은 베이징-톈진-허베이성으로 이어지는 '징진지(京津冀)' 경제권의 물류 허브다.[75)]

75) 베이징 "2025년까지 수소전기차 1만대 보급" / 한국경제

나) 전기차 시장

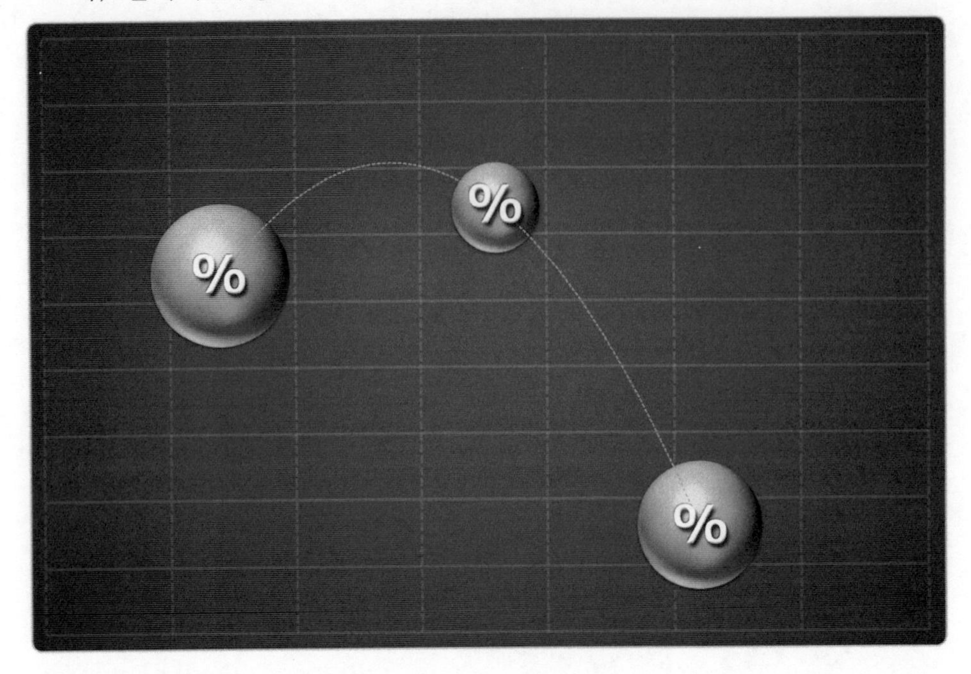

중국 내수시장에서 전기차 판매량이 지난해보다 크게 늘어날 것이라는 중국자동차공업협회의 전망이 나왔다.

코로나19 사태 영향으로 중국 내 차량 생산과 판매가 위축됐지만 6월부터 정부 차원의 정책적 지원 효과가 본격적으로 반영될 수 있다.

중국 매체 전동지가에 따르면 중국자동차공업협회는 생산판매 데이터를 근거로 2022년 연간 중국 내수시장 전기차 판매량이 500만 대를 넘어설 것이라고 전망했다. 2021년 판매량인 352만1천 대보다 약 42% 늘어나는 것이다.

중국자동차공업협회는 자동차 업계의 이해관계를 반영해 중국 정부와 산업 발전 지원 정책, 법률 기준 등을 연구하고 제정하는 중국 국가기관이다.

전동지가에 따르면 천스화 중국자동차공업협회 부비서장은 연간 판매량 전망치를 자신하는 이유를 두고 “중국 자동차 산업은 전기차 보급화 후반기에 들어섰고 전기차 소비 수요가 여전히 크기 때문이다”라고 설명했다.

한편 2022년 2분기에 코로나19 영향을 받아 자동차 산업에 큰 충격이 가해졌고 소매 매장 영업도 중단된 사례가 많아 단기적으로 전기차 생산 및 판매량이 크게 줄어든 것으로 분석됐다.

천 부비서장은 “전기차 업계는 2022년 2분기 마지막 달인 6월을 중요한 전환점으로 보고 있다”며 “2분기 생산 및 판매량을 안정시켜 연간 판매량을 끌어올려야 하기 때문이다”라고 말했다.

2022년 6월에는 전기차 구매세 50% 할인 등 중국 정부의 정책적 혜택이 정식으로 적용되면서 판매량이 전 달에 이어 더 크게 증가할 것으로 전망됐다. 2022년 1월에서 5월까지 누적 전기차 판매량은 200만 대로 2021년 같은 기간보다 111.2% 늘었다.

중국자동차공업협회는 이를 두고 “휘발유 가격 급등과 전기차 번호판 발급 혜택 등 정책적 호재가 반영됐다”고 분석했다.76)

지난 2020년 1월 중국 전기차 배터리 사용량은 전년 대비 반토막이 났다. 전기차 판매량도 40% 넘게 줄었다. 반년 가까이 장기침체가 이어졌다. 심각한 침체에 빠진 내수시장을 살리기 위해 다시 보조금 카드를 꺼낸 중국 정부다.

중국 정부의 전기차 산업 지원을 위한 새로운 밑그림이 공개됐다. 원래 올해로 종료 계획이었던 전기차 보조금을 2022년까지 연장 지급하고, 전기차 배터리 스와핑 사업도 본격적으로 육성하기로 했다.

중국 재정부, 공업정보화부, 과학기술부 등은 23일 전기차, 수소연료전지차, 플러그인 하이브리드카를 지칭하는 신에너지차(NEV) 보조금 지급 방안을 발표했다. 2020~2022년 3년 동안 신에너지차에 대한 보조금을 지급하되, 보조금 지급 규모는 해마다 단계적으로 전년도 대비 10,20,30% 삭감하기로 했다.77)

앞으로는 테슬라가 아닌 중국의 자동차 기업들이 전기차 산업의 대표 주자가 될 것이란 예측이 하나둘 나오고 있다. 중국 전기차 업체들의 성장이 그야말로 '일취월장'이라서다.

미국 CNBC방송은 최근 "중국이 정부 차원에서 전기차 산업 육성에 박차를 가하고 있다"며 "테슬라의 독주가 언제까지 계속될지 알 수 없다"고 보도했다.

76) Business Post ‘중국 올해 전기차 판매량 500만 대 돌파 전망, 정부 정책적 지원효과’
77) 중국 전기차 보조금 연장안 발표, 배터리 스와프 지원 눈길 / 뉴스핌

과연 누가 테슬라를 쫓고 있을까.
'중국판 테슬라'를 자처하는 중국 자동차 기업들은 여럿이지만 가장 눈에 띄는 건 니오(웨이라이)다. 지난 2018년 뉴욕에 상장한 이 회사는 프리미엄 전기차 시장에서 강세를 보이며 상장 이후 가치가 340% 이상 상승했다. 뒤이어 올해 미국에서 상장한 전기차 스타트업 리오토(리샹)와 샤오펑모터스도 고공 행진 중이다. 주가 변동성이 커서 불안하다는 지적이 나오곤 있지만 아랑곳하지 않는 모양새다.

사실 중국 전기차의 성장은 거대한 내수시장 덕이 크다.
정부에서 전기차 구매 시 보조금을 지급하는 등 물심양면으로 지원하고 있어서다. 중국 정부는 올해까지 주기로 했던 '전기차 구매 보조금'을 2년 더 주기로 하고, 대도시뿐 아니라 중소도시와 교외 지역에도 충전 시설을 확충하고 있다. 5년 내에 전기차 비중을 전체 차량의 25% 수준으로 끌어올리겠다는 목표다.

"2035년에는 내연기관 차량 생산을 아예 중단하고 전기차와 하이브리드 차량만 생산하도록 하겠다"는 발표도 했다. '중국자동차공정학회'의 로드맵으로 나온 것이지만 중국 정부의 정책이나 다름없다는 게 외신들의 평가다. 내수시장을 적극적으로 활용해 이 산업에서 반드시 '글로벌 1위'를 차지하겠다는 결의다.[78]

'중국판 테슬라'로 불리는 전기차 업체 니오 주가가 심상치 않다. '전기차 랠리'에 하루가 멀다 하고 신고점을 기록하고 있다. 최근엔 친환경 관련주가 '바이든 수혜주'로 주목 받으면서 국내 투자자들의 투자 비중도 높아지고 있다.

니오는 지난 2018년 9월 뉴욕증시에 입성한 이래 최대 호황기를 맞이했다. 테슬라, 니콜라와 함께 친환경 자동차 테마주로 주가 상승세를 보이더니, 최근엔 2배 가까이 상승하며 주가 상승률이 1016.94%에 이르렀다. 이러한 니오에 대한 관심은 바이든 행정부에 대한 기대감이 반영된 결과다.[79]

78) 중국 전기차 성장에 불안한 미국, 무슨 일일까 / 중앙일보
79) '중국판 테슬라' 니오, 고공행진..."스마트EV 주도" vs "지나친 기대" / 뉴스핌

4) 독일

가) 수소차 시장

독일은 현재 수소 인프라 구축을 위한 지원을 강화하고 있는 것으로 알려졌다. 이에 따라 2007년부터 수소 인프라 건설을 위해 연방정부 차원의 '수소 및 연료전지 기술 국가 혁신 프로그램'(National Innovation Programme Hydrogen and Fuel Cell Technology, NIP)을 시행하고 있다.

해당 프로그램은 초기부터 연구기술분야에 대한 포괄적인 지원 계획을 다루고 있으며, 2007년부터 2016년까지 수소 인프라의 기반 마련에 5억 유로를 지원한 것으로 알려졌다. 2016년부터 2025년까지는 양산을 위한 기술 개발과 인프라 구축 등을 위한 2차 프로젝트를 추진 중이다. NIP 프로그램은 독일 연방 교통부, 경제에너지부, 교육부 그리고 환경부에서 운영되고 있다.

프로그램 예산은 연방 정부 차원에서 조달되며, 2016년부터 2026년까지 14억 유로(약 1조 8000억 원)가 편성되었다. 수소연료전지산업의 향후 10년 목표는 시장 경쟁력을 갖추는 것이다. 무엇보다 수소연료전지산업의 발전은 독일 연방정부의 '기후 보호 계획(Klimaschutzplan) 2050년'에 크게 기여할 것으로 예상되며, 운송부문에서 2030년까지 1990년 대비 이산화탄소 배출량을 40% 이상 감축할 계획이다.

독일 수소차 산업의 현재 당면 과제는 '수소 연료 생산비용이 높다는 것'이다. 현재 수소 가격은 수소 충전소에서 1kg당 9.5유로인데, 화석연료를 생산하는 과정에서 얻어진 수소는 생산비용이 1kg당 2~3유로로 저렴하나 생산비용이 1Kg당 11~12유로에 달하는 신재생에너지를 사용해서 생산하는 수소를 절반씩 섞어 공급하기 때문에 평균 생산비용이 높은 편이다. 이는 시장경쟁력으로 이어지기 때문에 빠른 시일내에 단가를 낮추는 방안이 필요한 실정이다.

또 다른 문제는 수소 충전소 보수 유지 등 인프라가 부족하다는 것이다. 현재 1대의 트럭이 200Bar를 운송할 수 있으며, 수소 충전소의 정상적인 운영을 위해서는 하루에 1번의 수소 공급이 필수적인 상황이다. 이에 제안된 해결책은 수소 파이프 라인을 배치하는 것이지만 아직 논의 중으로 시행되지 않고 있다.

수소 충전소 건설에는 상당한 국가 보조금이 투입되지만 운영에는 보조금이 지급되지 못한 실정이다. 현재 독일에는 수소 차량이 500여 대 밖에 운행되고 있지 않아 그 수익성이 불투명하다.

이에 따라 독일 수소차 산업은 현재 수소 생산단가 절감 대책마련이 시급하다. 비용 절감을 위해 수소 생산 기술의 혁신이 필수적인 상황이며, 이는 수소 자동차의 가격 하락에도 영향을 미쳐 수요의 증대를 가져올 것으로 기대된다. 또한 수소 운송기술의 개발이 중요한데, 생산한 수소를 수소 충전소까지의 운송 및 충전탱크에 더 많은 양의 수소를 저장할 수 있는 기술의 개발이 필요하다.[80)]

현재 수소차 시장은 도요타, 현대, 다임러가 선도하고 있으나, 독일 완성차들은 수소차 개발 및 양산에 적극적이지는 않으며, 2025년 전후에야 양산이 본격화될 전망으로 나타났다. 현재 독일의 수소자동차 등록대수는 5~6백여 대 수준으로 그 입지가 크지 않은 상황이지만, 독일정부는 2023년까지 65만대, 2030년까지 180만대의 수소자동차를 보급하겠다는 야심찬 목표를 수립하고 여러 지원책을 펼쳐나가고 있다.[81)]

80) 독일, 수소 인프라 확충에 총력/Kotra 해외시장뉴스
81) GT weekly brief 글로벌 산업기술 주간브리프「독일의 수소연료전지자동차 최근동향」

메르세데스-벤츠는 양산을 목표로 개발한 수소 SUV인 'GLC F-CELL' 생산을 지난해 중단했다. 벤츠는 "제조 비용이 너무 높고 인프라가 부족해 대중화되기 어렵다"며 포기 이유를 밝혔다.[82]

오펠은 GM 산하에서 수소차 개발을 중단했으나, PSA가 인수하면서 개발을 재개하기로 결정했다. 단, 2024년 전 모델 출시는 어려울 전망이다.

82) 조선일보 '수소 승용차로 돈 벌기 어렵다 벤츠 도요타 잇달아 하차'

보쉬는 장거리형 중형트럭에서는 수소연료전지가 전기자동차보다 잠재력이 크다고 판단했으며, 미 스타트업 '니콜라 모터'와 부품 개발을 위해 협업을 개시했다.

독일 정부는 수소연료전지 시스템과 상용차 개발 등 수소 모빌리티와 관련해 자국 내 주요 산업계에 총 2350만 유로(약 307억 원)를 지원할 계획을 밝혔다. 오는 2030년까지 수소전기차 180만대 보급을 목표로 삼고 있다.[83]

또한 독일은 코로나 대응 경기부양책을 발표하면서 그린 수소 연구개발에 90억 유로(약 12조원)를 투입하기로 한 바 있다.[84]

독일 정부가 국제 그린수소 시장 확장(ramp-up)을 지원하기 위한 'H2 Global' 프로젝트에 대해 9억유로를 지원하며 유럽 수소사업을 리드하고 있다.

독일 정부는 2020년 6월 국가수소전략과 코로나 경기부양책을 통해 국내 그린수소 생산 및 시장조성에 70억 유로, 주요국과의 수소공급망 협력에 20억 유로를 지원한다고 발표한 바 있다. 여기에 2021년 6월, 독일정부의 '긴급 기후보호프로그램 2022' 세부사업에 'H2 Global'을 포함하고, 9억 유로를 지원한다는 계획이다. 이번 프로젝트는 EU 집행위에서 국가 보조금 지원을 승인했다.

이에 독일 정부는 수소시장 초기단계에서 그린수소 생산가격이 높기 때문에 수소중개회사는 생산자에 대한 도입가격 대비 수요자에 대한 판매가격을 낮게 책정할 계획이며, 연방정부가 재단을 통해 차액에 대한 보조금(9억유로)을 지원키로 했다.

이와 더불어 독일 연방정부는 보조금을 지원할 수 있는 △그린수소 및 파생상품의 대상을 선정하고 △상품 생산, 가공, 운송 등이 지속가능성 기준에 충족하는지 등을 정의했다.

이를 통해 수소 생산자와 투자자들은 장기도입계약으로 수요처를 확보함으로써 대규모 생산시설(Power-to-X)의 계획 및 투자 안정성을 확보할 수 있다.

이 프로젝트는 'H2 Global 재단'을 통해 추진되며, 재단 산하에 설립되는 '수소중개회사(HINT.CO)'가 수소도입 및 판매와 관련된 계약 및 보조금 지원 등 역할을 담당하고, 이외에 그린수소 및 여타 기후중립 연료의 국내 및 국제적 생산과 활용을 촉진하기 위한 여타 지원수단을 담당한다.[85]

---

83) 미래차 전쟁서 힘받는 수소차… 중국·독일 등 집중 투자 나서 / 국민일보
84) [수소경제] 플라스틱·폐휴지로 친환경 수소 만든다 / 조선비즈
85) 에너지신문 '독일 수소 프로젝트 구체화 속도낸다'

나) 전기차 시장

유럽 내에서 독일인들의 전기차 관심도가 상대적으로 낮다는 것도 활성화의 어려움 중 하나로 보인다. 최근 독일의 컨설팅 기업 파블리크(PAWLIK)가 자동차 전문지, 고객 경험 전문가 그룹과 함께 '3년 안에 전기차 또는 하이브리드 자동차를 구매할 의향이 있는지'를 5개 나라 1만 명의 운전자에게 물었다. 그 결과 이탈리아(47%), 스페인(39%), 영국(34%), 프랑스(33%)에 이어 조사된 곳 중 독일이 24%로 가장 긍정 답변 비율이 낮았다.

또한 유가 상승에 따른 대체 이동 수단, 예를 들면 대중교통이나 자전거 등을 정기적인 이동 수단으로 생각한다는 비중 또한 독일이 가장 낮은 것으로 나타났다. 반면 전통적인 자동차에 대한 관심, 그리고 자동차 기업에 높은 신뢰를 보이는 곳이 독일이었다. 변화를 싫어하고 새로운 것을 받아들이기까지 꼼꼼하게 따지는 그들의 특성이 자동차에도 반영된 것으로 보인다. 물론 자국 자동차의 높은 경쟁력도 브랜드 충성도를 높이는 이유가 될 수 있다.

독일 운전자들의 상대적으로 높은 내연기관 자동차에 대한 관심은 다른 조사에서도 드러난다. 온라인 자동차 거래 사이트 mobile.de에 따르면 가솔린과 디젤 자동차를 5년 후에도 이용할 것이라고 답한 비율이 43.8%였는데 반해 대안을 고려하겠다는 답은 27.9%에 머물렀다.

자율주행 기술이나 전기차 기술력에 대해서도 전반적으로 부정적인 반응을 보였는데 충전 인프라의 더딘 구축, 여전히 엔진이 달린 자동차에 대한 믿음, 그리고 새로운 기술에 대한 불신 등, 변화에 빠르게 응답하기를 꺼리는 분위기가 형성된 것으로 나타난다.[86]

독일 전기자동차 시장은 현재 급성장하고 있으며, 높은 잠재력을 보유하고 있다. 그러나 2022년 전기자동차 100만 대 목표를 달성해도 전시장의 2% 시장에 불과하기 때문에 더욱 박차를 가해야할 실정이다.[87]

유럽자동차공업협회(ACEA)에 따르면 2022년 1분기(1~3월) 전기차 시장 규모는 22만4145대로 집계됐다. 이는 전년 대비 53.4% 두 자릿수 급증한 수치다. 전체 자동차 시장에서 차지하는 비중은 10.0%로 판매된 자동차 10대 중 1대는 전기차인 셈이다.

86) Motor Graph '[이완 칼럼] 독일은 내연기관 최후의 보루가 될 것인가?'
87) 독일, 2022년 전기차 100만 대 시대가 온다/Kotra 해외시장뉴스

유럽 국가 중에선 독일 전기차 시장 규모가 가장 큰 것으로 나타났다. 2022년 1분기는 전년 대비 29.3% 증가한 8만3774대를 기록했다. 이어 △영국(6만4165대, 101.9%) △프랑스(4만3510대, 42.7%) △노르웨이(2만6803대, 39.9%) △스웨덴(1만9715대, 285.7%) 순으로 집계됐다.

앞으로 디젤 시장 규모를 넘어설 것이라는 전망도 나온다. 같은 기간 전체 자동차 시장에서 디젤 시장 비중은 16.8%로 전기차 시장 점유율과 6.8%로 좁혀진 상태다.[88] 업계 관계자는 이와 같은 움직임이 유럽 전기차 시장내에서 매우 의미있기 때문에 향후 독일의 전기차 산업의 행보를 더욱 지켜보아야 한다고 덧붙였다.

현재 EU는 2050년까지 1990년 대비 온실가스 배출을 80%까지 감축하는 것을 목표로 하고 있다. 이러한 EU의 저탄소 정책은 자동차 시장에 특히 많은 영향을 미치고 있다. 이 흐름에 따라 독일 역시 전 세계 추세와 마찬가지로 전기자동차 시장이 상승세를 보일 것으로 전망된다. 독일연방 자동차청의 자료에 따르면, 독일에서 등록된 전기 일반승용차의 총 대수는 2006년부터 2011년까지 조금씩 증가와 감소를 거듭하다가 2012년을 기준으로 현재까지 급격한 증가세를 보인다. 2022년 4월 기준 독일 신규 등록된 전기 승용차 수는 배터리 전기차(BEV) 68만7241대, 플러그인 하이브리드(PHEV)는 62만2971대로 약 130만 대에 이른다.[89]

또한 독일 완성차 업체들도 전기자동차 생산을 위해 박차를 가하고 있다. 폴크스바겐 그룹은 폭스바겐 산하의 글로벌 배터리 사업체인 파워코(PowerCo)는 성명을 통해 2030년까지 200억 유로 이상을 투자해 유럽에 공장 5곳을 건설하겠다고 밝혔다. 특히 이를 통해 약 2만개의 일자리를 창출하고 2030년까지 배터리 사업을 연 매출액 200억 유로 이상으로 키우겠다고 전했다.[90] 폴크스바겐은 오는 2023년 전기차 ID. 시리즈 100만 대 생산에 이어 2025년까지 150만 대 양산을 목표로 하고 있으며, 독일 츠비카우 공장을 전기차 전용 공장으로 만들고 있다.

---

88) THE GURU '유럽 내 전기차 시장 디젤 추월 초읽기 10대 중 1대 전기차'
89) Kotra해외시장뉴스 '독일 연방정부 전기차 보조금 삭감안 발표, 무엇이 달라지나?'
90) 조선비즈 '폭스바겐, 유럽 배터리공장 5곳에 26조원 투자 대량 생산체제 구축'

DAIMLER

다임러(Daimler)의 승용차 자회사인 메르체데스-벤츠(Mercedes-Benz)는 2025년까지 10개 이상의 순수전기차 모델 출시할 예정이며, 다임러는 2030년까지 총 판매 차량의 절반을 하이브리드를 포함한 순수전기차를 판매하고자 하는 목표를 추진 중이다.[91]

BMW그룹은 전기자동차를 포함한 미래형 자동차 미래형 자동차 연구개발(R&D)에 2025년까지 300억 유로 이상을 투자하기로 했다고 발표했다. BMW는 2023년까지 순수 전기차와 플러그인 하이브리드 자동차 등 총 25종의 전기차 모델을 출시할 계획이다.

아우디AG는 지난 2018년 전기자동차 양산 계획을 발표한 바 있다. 아우디는 2025년까지 전체 판매 대수 가운데 전기차 차량의 비중을 33% 수준으로 높이는 것을 목표로 하고 있다. 또한, 전 모델 시리즈에 전기차 또는 플러그인 하이브리드 라인업을 투입할 예정이며, 2025년까지 20종 이상의 전기차를 선보이고 80만 대 이상의 판매를 목표하고 있다.[92]

91) LS엠트론 '순수 전기차 시대를 준비하는 독일 자동차 산업'
92)E-Mobility로 전환하기 위한 독일 자동차 산업의 방향성 분석 / kotra 해외시장뉴스

5) 일본

가) 수소차 시장

일본은 현재 세계에서 가장 적극적으로 수소 에너지 정책을 펼치고 있는 나라이다. 이를 통해 '수소 에너지 사회를 선도하겠다'는 포부를 드러냈다.

현재 일본 내 설치된 수소스테이션은 105개, 약 2,500대의 수소연료전지차(FCEV)가 운행 중이며, 특히 도요타와 혼다에서 각각 수소전기차 '미라이(MIRAI)'와 '클라리티(Clarity)'를 양산 및 판매하고 있다. 이는 약 700만 엔(약 7,000만원)으로 비싼 편이나, 정부와 지자체에서 약 300만 엔을 보조금으로 지급하고 있다.

한편, 일본은 후쿠오카현, 큐슈대학 그리고 민간 기업 산학연협력으로 수소에너지제품연구시험센터(이하 HyTReC)를 설립하여 운영 중이다. 이는 후쿠오카현 'Hy-Life 프로젝트'의 다섯 가지 중「수소에너지 신산업의 육성 · 집적」추진을 위한 핵심시설이다. HyTReC은 중소·벤처 기업의 수소에너지 신산업 진출을 지원하기 위해 다음과 같은 사업을 실시하고 있다고 밝혔다.[93]

93) [이달의 이슈] 일본 수소전기차 현황과 수소에너지제품연구시험센터(HyTReC)/기후변화센터

[주요 사업]
1.수소에너지 관련제품 시범사업
- 내구성시험(환경, 진동, 압력 사이클 등) 및 성능시험 (내압, 가스 투과 등)
2.수소에너지 관련제품 시험방법 연구개발사업
- 실제 사용환경 모의시험방법을 개발하고 국내외 표준화 적정화에 반영
3.수소에너지 관련제품 개발
- 민간기업 제품 및 재료 공동연구 개발
4.수소 에너지에 관한 연구 교류 사업 (세미나 개최 · 시설 견학 등)

현재 일본 자동차 업계는 차세대자동차 시장에서 국제 기준을 준수하고 경쟁력을 제고할 수 있도록 하기 위한 정책 및 규제를 실시하고 있다. 일본 정부는 2021년 1월 탈탄소 정책의 일환으로써 2035년까지 신차판매를 친환경 자동차로 100% 전환하겠다는 입장을 표명했다. 이는 당초 2030년까지 내연기관 차량(하이브리드카 제외)의 판매비율을 30~50%까지 축소하겠다는 목표치를 수정해 다른 선진국과 동등한 수준으로 끌어 올린 것이다.[94]

또한 일본 정부는 수소를 일본이 주도하는 신(新) 에너지로 정의하고, 수소차 및 수소충전소 보급 가속화, 저렴한 원료 개발 통한 코스트 절감, 관련 규제 완화, 세계 최초 수소 발전소 상용화(현재 시험운영 중) 등을 지속적으로 추진하는 중에 있다.

그뿐만 아니라, 지자체 단위로 주요 기업 및 대학 연구소와 함께 고속도로에서의 대열주행을 하거나 무인 셔틀버스를 운영하는 등 차세대자동차 관련 실증실험에 유기적으로 협력하고 있다.[95]

94) Kotra 해외시장뉴스 '일본의 전기자동차 산업 동향'
95)일본 자동차 산업 / kotra 해외시장뉴스

일본은 이미 3년 전 수소 공급량을 현재보다 1,500배까지 확대하겠다는 당찬 목표를 제시했다. 일본이 수소 공급에 글로벌 리더십을 자임한 배경에는 기체 상태의 수소를 액체로 만드는 첨단 '액화 기술'이 있다.

수소는 단위면적당 에너지 밀도가 천연가스의 3분의1 수준에 불과해 수송과 저장에 막대한 비용이 소요되지만 액화기술을 통해 800분의1로 부피를 줄이면 충분히 경제성을 확보할 수 있다. 대량의 수소를 해외 등지에서 도입해 2030년 유통가격을 현재보다 70%까지 낮춰 수소전기차 수요를 400배까지 늘릴 수 있을 것으로 일본 정부는 기대하고 있다.[96]

CNBC에 따르면 "유럽 국가들에서 수소차 개발의 기회를 확대하기 위한 긴밀한 협력관계를 맺었다"며 파트너십 체결 사실을 밝혔다. 토요타와 손을 잡은 카에타노 버스는 포르투갈 버스 제조업체로 이전에도 수소차 관련 사업을 위해 토요타와 계약을 맺었다.

산업용 가스 대기업 에어리퀴드도 이번 계약에 참여하면서 유럽 내 수소차의 생산·유통·급유 인프라를 구축하는데 더욱 속도를 낼 것이라는 전망이다. 2022년 1월부터 유럽에서 2세대 연료전지 생산에 나선 토요타는 이번 프로젝트를 통해 버스와 트럭 부문으로 수소차 도입을 확장하는 데 주력할 전망이다.[97]

---

96) 수소차 연료전지는 美, 경제성 큰 '액화기술'선 日이 우위[성큼 다가온 수소시대] / 서울경제
97) 조선비즈 '토요타 유럽 수소차 시장 선점위해 카에타노-에어리퀴드와 협력'

나) 전기차 시장

일본의 전기차(EV)시장은 하이브리드차(HEV)를 중심으로 발전해왔다. 전기모터로만 달리는 순수전기차가 아닌 전기배터리와 내연기관이 혼합된 하이브리드차를 중심으로 전 세계시장에 양산 모델을 선보여 왔으며 한국과 중국보다 기술이 앞서있다.

일본의 대표적 자동차 회사인 도요타자동차가 일본 전기차 시장의 견인차 역할을 해왔으며 도요타자동차는 1997년 세계 최초의 하이브리드 양산 모델인 '프리우스'를 선보였다. 20여년이 지나 최근까지, 토요타는 하이브리드카 누적판매대수 1810만대를 돌파하며 하이브리드 대표 브랜드임을 공고히 했다.

일본은 하이브리드차량에서는 세계적으로 경쟁력을 갖췄지만 순수전기차 분야에서는 그렇지 못하다.

도요타자동차는 전기차로의 전환기를 맞고 있다는 점에 착안해 파나소닉 등 타사와 제휴를 맺고 뒤쳐진 전기차 개발을 서두르고 있다. 그 일환으로 도요타자동차는 하이브리드차량을 중심으로 한 전기차 관련 기술특허 약 2만3740건을 무상 개방하겠다고 밝힌 상황이다. 여기에는 모터, 전력변환기, 시스템제어장치 등의 기술이 포함된다. 도요타자동차는 2030년말까지 이러한 특허기술을 경쟁업체들과 공유할 방침이다. 자사의 하이브리드차 기술을 이용하고 싶다는 의사를 밝힌 회사에 무상으로 기술을 쓸 수 있도록 해주겠다는 것이다. 하이브리드차와 배터리전기차의 부품 공유비중은 70%에 달한다. 그럼에도 불구하고 도요타자동차가 관련 기술을 공유하겠다고 나선 데에는 다양한 의도가 깔려있다. 하이브리드차량의 수요가 줄어드는 속도를 조절하면서 관련 매출의 급감을 피하고, 동시에 전기차 부문의 경쟁력을 끌어올리겠다는 복안으로 판단된다.[98]

98) 하이브리드 집중하는 일본, 순수EV 전환 속도/ 팍스넷 뉴스

도요타를 비롯한 일본차는 1990년대 말 전기 주행 방식을 일부 차용한 하이브리드차를 대중화하며 친환경차 시장을 주도했었다. 그러나 미국 테슬라와 현대·기아차는 물론 유럽·중국차마저 본격적으로 전기차 시장에 뛰어들면서 일본차가 경쟁에서 뒤처지는 모습이다.

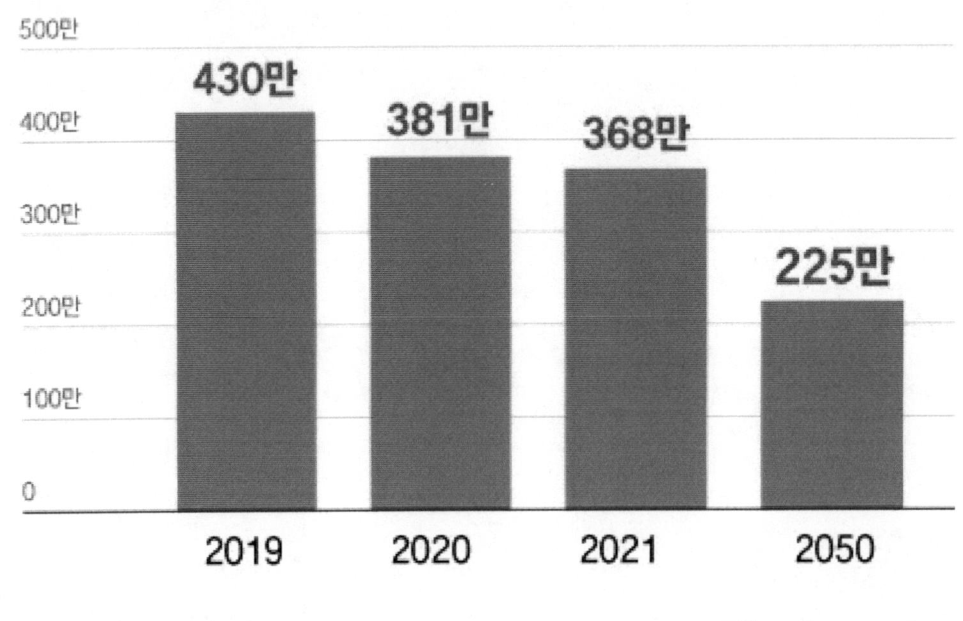

일본은 전기차 시장에 입지가 갈수록 좁아지고 있다. 일본 도요타자동차는 2021년 12월 전기차 전환 계획을 공개했지만, 충전 출력이 낮아 글로벌 경쟁력이 떨어진다는 평가를 받는다. 출력이 낮을수록 전기차를 충전하는데 많은 시간이 걸린다.[99)]

---

99) The JoongAng '전 세계가 전기차 올인 외치는데 일본만 잘라파고스 왜'

일본 전기차의 추락은 급성장 중인 세계 전기차 시장에 대한 한발 늦은 대처 때문으로 풀이된다. 닛산 리프, 도요타 프리우스 PHEV, 미쓰비시 아웃랜드 PHEV는 신모델 출시 후 3년 이상 지나며 노후화한데다 이렇다 할 추가적인 EV·PHEV 신모델도 찾아보기 어렵다. 현대차가 올 들어 '아이오닉'을 전기차 전용 브랜드로 개편하고 전기차 신모델 출시 계획을 발표하는 등 발빠르게 시장 상황에 대응하는 것과 대조를 이룬다. 테슬라를 중심으로 친환경차 시장이 순수 전기차(EV)로 빠르게 변하가고 있는데 일본차는 여전히 하이브리드차나 PHEV 중심인 것도 일본 전기차 추락의 요인으로 꼽힌다.[100]

도요타자동차는 1997년 처음 하이브리드카 프리우스를 출시한 이후 지속적인 성장세를 보이며 하이브리드 대표 브랜드로 자리잡았다. 2014년 말에는 미라이를 출시하며 수소전기차(FCEV)를 미래차, 친환경차 전략의 한 축으로 내세웠다.

상대적으로 배터리 전기차(BEV)에 대한 투자는 소극적이었다. 미국 캘리포니아 시장에 한해 라브4 EV를 판매하는 등 시범적으로 전기차를 내놓았을 뿐이다. 테슬라와 합작해 기존 내연기관 차량을 개량해서 만든 라브4 EV는 2014년까지 3년간 2000대 남짓 생산하는데 그쳤다.

도요타가 주저하는 모습을 보이는 사이 닛산, 현대 등은 전기차시장에 뛰어들었고 전기차 수요 증가는 도요타의 예측을 앞질렀다. 특히 유럽과 중국의 배출가스 규제 강화, 무시못할 미국 시장 전기차 수요 등이 결국 도요타로 하여금 전기차 라인업의 필요성을 인정하게끔 만들었다.

이에 도요타는 2030년까지 전세계 판매 차량의 절반을 전동화 차량으로 채우겠다는 기존 계획을 5년 앞당기기로 했다. 2025년에 하이브리드카 450만대 등 550만대의 전동화 차량을 판매한다는 것. 나머지 100만대는 BEV와 FCEV가 채우게 된다.

도요타는 순수 전기차 출시를 시작하여 중국에서는 C-HR과 형제차 'IZOA'의 전기차 버전을 현지 생산해 판매하고 유럽에는 렉서스 UX의 전기차 버전을 내놓는다. 이들은 기존 소형 SUV를 개량한 파생 전기차들이다.[101]

하지만 충전 인프라가 문제다. 도요타의 첫 양산형 전기차 bZ4X의 충전 출력은 150㎾다. 닛산이 2022년 하반기 출시하는 전기차 아리야(ariya)는 이보다 더 낮은 130㎾에 그친다. 30분을 충전해야 375㎞를 갈 수 있다. 충전시간은 전기차 구매를 고려하는 소비자들이 가장 중요하게 생각하는 요소 중 하나다.

---

100) 일본 전기차의 추락…도요타·닛산 올들어 '글로벌 톱10' 밖 밀려 / THE GURU
101) 하이브리드로 다진 기술력, 전기차에서도 빛날까? / 디지털 투데이

일본 전기차의 충전 출력이 낮은 이유는 이미 일본에 깔린 충전 인프라에 맞춰 전기차를 생산하고 있어서다. 도쿄전력홀딩스의 계열사 이모빌리티파워가 일본 전역에 전기차 충전기를 깔고 있는데 대부분 50㎾ 이하다. 최근 성능을 개선한 충전기의 출력도 90㎾에 불과하다.

상황이 이렇자 미즈호은행은 최근 발표한 '2050년 일본산업 전망'에서 일본 자동차 산업의 미래를 어둡게 내다봤다. 2050년에 일본의 자동차 생산량은 2019년(832만대)과 비교해 최대 70% 줄고 수출은 제로(0)가 된다고 경고했다. 파나소닉이나 샤프 같은 일본의 전자기업들이 과거 글로벌 변화의 바람에 제대로 대응하지 못해 몰락한 '잘라파고스'(Jalapagos·일본과 갈라파고스의 합성어) 현상이 자동차 산업에도 똑같이 벌어지고 있다는 지적이다. 자동차 업계 관계자는 "도요타 등 일본 완성차 업체는 현대차와 비교해도 전기차 분야에서 3, 4년 정도의 기술 격차를 보이고 있다. 전기차 시장에서 일본이 갈라파고스화할 수 있다는 우려가 크다"고 말했다.[102)]

일본의 대표적인 자동차 기업 도요타는 시장의 예상보다 자동차 판매 실적이 호조를 기록한 것으로 나타났다. 그러나 그간 하이브리드와 수소차에 집중하는 전략을 고수해 미래의 주요 이동수단으로 주목되는 전기차 판매량은 미미한 수준을 기록하고 있다는 비판적 시각은 여전히 제기되고 있다. 다만 그간의 기술력을 바탕으로 뒤처진 전기차 부문을 빨리 따라잡을 것이란 기대도 나온다.[103)]

102) 국민일보 '전기차 기술력 자만했나 큰 격차에 사기 꺾인 일본'
103) "가장 쓸데 없는 게 '도요타' 걱정…한발 늦은 전기차 지켜봐야" / 이데일리

5. 수소차·전기차 정책 동향

5. 수소차·전기차 정책 동향

세계 자동차산업의 정체에도 꾸준히 성장해온 친환경차 시장이 내년에는 한층 탄력을 받을 전망이다. 산업통상자원부가 발표한 '2022년 5월 자동차산업 동향(잠정)'에 따르면 지난달 자동차산업은 전년 동월 대비 생산은 19.8% 증가했고, 내수는 4.1% 감소한 것으로 잠정 집계됐다. 수출물량과 수출액은 각각 19.1%와 18.9% 늘어난 것으로 잠정 집계됐다.

특히 전기차 수출물량은 전년 동월 대비 19.1% 증가한 18만2869대, 수출금액은 18.9% 증가한 41억5000만 달러로 물량·금액 모두 1년 만에 두 자릿수 증가율을 보였다.[104]

또한, 최근 유럽연합(EU)을 비롯해 주요국들이 환경 규제를 통한 탄소중립을 선언하면서 친환경차 시장 호황을 맞이했고, 이러한 열풍에 힘입어 핵심부품인 이차전지 판매량 또한 가파른 성장세를 기록하고도 전기차 및 이차전지 산업이 성장세를 보이는 것은 고무적인 일이라며, 이러한 기회를 잘 활용한 있다. 한 리서치에 따르면, 글로벌 이차전지 시장은 전기차용 배터리를 중심으로 2020년 글로벌 배터리 출하량이 221GWh로 집계되었으며, 연평균 32%로 성장하여 2030년에는 3,670GWh에 이를 전망이다. [105][106]

여기에 미국에선 조 바이든 민주당 후보의 대통령 당선이 확정된 데 따른 미국의 파리기후협약 복귀와 함께 유럽연합(EU)의 환경규제가 강화되는 만큼 국내외 자동차업계의 친환경차 확대가 기대된다. 연비 규제 등 친환경 정책을 강경하게 거부해왔던 현 도널드 트럼프 대통령과 달리 바이든 후보와 민주당 행정부는 적극적으로 연비 규제를 강화하고, 전기차 등 친환경 차량 보급을 늘려나가겠다는 공약을 내세우고 있기 때문에 앞으로 바이든 행정부의 정책이 자동차 산업에 어떤 영향을 미칠 것인지 업계는 촉각을 세우고 있다.[107]

이처럼 '친환경발전'이 세계적인 정책 키워드로 부상하면서, 국내외 자동차 업계도 계속해서 미래차친화적인 사회·산업 생태계를 구축한다는 목표가 제시되고 있다. 이를 위해 각국의 정부도 보조금·세제정책 개편, 충전·주차 편의강화를 위한 인프라 확대등의 정책을 다각화해 가고 있는 상황이다.

---

104) 전기신문 '5월 자동차 생산 수출 두 자릿수 증가 친환경차 판매 첫 4만대 돌파'
105) 전기차 판매량 급증에 이차전지 시장 가파른 성장세 / Hello T
106) KDB미래전략연구소 산업기술리서치센터 「전기차용 이차전지의 시장 트렌드 및 기술 개발동향」
107) [바이든 시대] 전기·수소차에 보조금 지급 약속...친환경차 판매 급증할 듯 / 조선비즈

그러나 아직까지 국내 전기차·수소차 정책은 아직 미흡하고 가야할 단계가 많이 남아있다. 친환경차 시대가 성큼 다가왔음에도 불구하고 아직 한국의 대응은 미흡한 부분이 많다. 정부와 민간이 공동으로 2025년까지 전기차 급속충전기 50만대를 설치하는 등 발 빠르게 준비하고는 있지만, 현재 각각 290만대와 160만대를 넘는 중국·미국과 비교해 한참 모자란다. 수소전기차를 위한 수소충전소 역시 독일(100개)이나 일본(140개)과 달리 국내는 52개에 불과하다. [108] 그렇다면 해외는 어떤 상황일까. 이에 따라 본 챕터에서는 해외 각국의 정책과 우리나라 정책을 살펴보고자 한다.

108) 친환경차시대 코앞인데…갈길 먼 한국 / 매일경제

가. 해외 정책 동향[109]

세계 각국은 **정부 주도로 친환경 자동차 산업 육성을 위해 적극적인 움직임**을 보이고 있는데, 국가 간 정책지원 경쟁이 치열하다. 각 국가는 R&D비용과 보조금을 지원하고 감금을 감경하는 등의 혜택을 통해 자국의 현실에 맞는 차종을 개발하고 있다.

가장 적극적인 나라는 **중국**으로 2017년 말 수소차 로드맵을 확정하고, 2020년 수소차 5000대와 충전소 100기 이상, 2025년 5만 대·300기 이상, 2030년까지 100만 대·1000기 이상 누적 보급하는 등 2030년 수소차 100만 대 시대를 공식화했다. 보조금도 전기차와 플러그인 하이브리드는 점차 축소하면서 수소차는 현재 수준을 유지키로 했다. 승용차는 20만 위안, 버스 및 화물차는 30만~50만 위안의 보조금이 지원된다. 중국은 충전소의 경우에도 구축 비용의 60%를 지원하며, 전담 관리 부서까지 운영해 인프라 확충을 독려하고 있다.

한국과 수소차 기술 경쟁을 주도하고 있는 **일본**도 적극적이다. 2000년대 초반부터 에너지 정책 기본법으로 수소에너지 활용 가능성을 명문화한 일본은 지난해 말 미래에너지원으로 수소의 활용도를 높이고 수소사회 실현 및 국제 표준화 주도를 전폭적으로 지원한다는 내용의 '수소 기본 전략'을 발표했다. 이에 따라 연 30만t 수준의 대규모 수소 공급망을 구축해 수소 가격을 대폭 내리고 발전 및 모빌리티 분야에서의 보급도 확대할 계획이다. 2030년엔 수소차 80만 대 보급, 수소충전소 900기 건설을 목표로 하고 있다.

미국은 2050년까지 석유사용량과 공해 배출량을 80%까지 줄이는 방안을 마련하고, **독일**은 전기차 구매자에게 최소 3,000유로의 구매 보조금을 지원해주고 10년 간 도로세를 면제하는 등의 정책을 시행하고 있다. 프랑스는 6,300유로의 전기차 보조금 지급하고 있다.

각국이 이렇게 전기차, 수소차 보급을 하려는 이유는 갈수록 심각해지는 환경오염 문제를 해결할 수 있는 방안 중 하나이기 때문이다. 따라서 본 장에서는 각국의 온실가스 감축 계획도 함께 살펴볼 것이다.

---

109) 국회예산정책처(2022)「친환경자동차 지원사업 분석」

구분	보조금 규모(2022년 초, 전기승용 기준)	보급 목표
미국	• (연방정부) $7,500 세액공제 • (캘리포니아) $2,000(판매가격 $60,000이내 차량만 지원) - 소득수준으로 자격제한, 소득수준 낮을 경우 추가 $2,500 지원 • (메사추세츠) 최대 $2,500(최종 구매가격 $50,000이내의차량만 지원) • (오레건) 최대 $2,500, 저소득층 등 취약계층의 경우 최대 $5,000 지원 • (뉴욕) 최대 $2,000(판매가격 $60,000 이내 차량), $60,000 이상 차량은 $500 지원	- '25년까지 10개 주에서 ZEV 330만대 누적 보급 - `30년까지 신차의 50%를 ZEV로공급 - '30년까지 FCEV 120만대 누적 보급, 수소충전소 누적 4,300개 구축 *캘리포니아 주정부 내연기관 승용차 판매 중단(`35)
중국	• 최대 12,600위안, 단계적 삭감 중, 2022.12.31 종료 예정(2022년 기준) - 판매가격이 30만 위안(약 5,700만원) 미만 차량만 대상 • 보조금 지급기한 연장('20→'22)	❑ 신차판매 비중 - NEV ('25) 20% → ('30) 40% → ('35) 50% * NEV=BEV+PHEV+FCEV
일본	• 순수전기차 최대 85만엔, 플러그인 하이브리드차 최대 55만엔, 수소차 최대 255만엔	❑ 신차판매 비중 - 2035년까지 승용차 신차판매 100%를 전동차(하이브리드 포함) 추진
독일	• €7,500 ~ €9,000 - 차량가격 €4만 미만일 경우 €9,000 (정부 €6,000, 제작사 €3,000) - 차량가격 €4만~€6.5만 이하일 경우 €7,500 (정부 €5,000, 제작사 €2,500) • 2025년까지 지원 예정 - 2020.6월 코로나로 인한 경기 침체 회복 위해 ~'25년까지 보조금 지급 연장	❑ 보급목표(누적) (BEV.FCEV) `30년까지 700~1,000만대 보급 (충전소) 100만개 구축
영국	• 2022.6.14.일부터 전기차 보조금 중단 - 이전에는 전기 승용차 구매시 차량가격이 ￡35,000 이하인 모델에 한하여 최대 35%, ￡2,500(385만원)한도로 보조금 지원	❑ 신차판매 비중 - BEV.PHEV `30년까지 승용차 판매 비중 50~70% *내연기관차 판매 중단(`40)

프랑스	- 6,300 유로의 전기차 보조금 지급 - 구매 후 10년 동안 차량 운행세 면제 / 2040년까지 내연기관차의 판매중단 계획	❑ 보급목표(누적)(2028년까지) - 승용: BEV.FCEV 300만대, PHEV 180만대 보급 - 경상용: BEV.PHEV.FCEV 50만대 누적 보급 *내연기관차 판매 중단(`40)
노르웨이	- 전기차의 세율은 동급 휘발유·경유차의 50% 미만 - 구매시 25%의 부가가치세가 면제 - 통행료와 주차 요금 할인 혜택도 시행 - 하이브리드 전기차 보조금 폐지	❑ 신차판매 비중 - 전기차 : (`17) 20.9% → (`21) 64.5% - PHEV: (`17) 18.4% → (`21) 21.7% *내연기관차 판매 중단(`25)
한국	• 국비 최대 700만원, 지방비 상이 (200~1,100만원)(2022년 기준) - 차량가격 5,500만원 미만 보조금 지원단가 전액지원, 5,500만~8,500만원 보조금 지원 단가 50% 지원, 8,500만원 초과 미지원 • 전기차·수소차·하이브리드차 구매 시 개별소비세, 취득세 감면	❑ 보급목표(누적) : ('20) 82만대 → ('30) 850만대 - 전기차 ('20) 13.5만대 → ('30) 362만대 - 수소차 ('20) 1.1만대 → ('30) 88만대 - 하이브리드 ('20) 67.4만대 → ('30) 400만대

표 14 주요 국가별 친환경자동차 육성 정책

1) 국가별 온실가스 감축 계획

기후변화 심각성이 부각되면서 지난 2015년 12월 제 21차 유엔기후변화협약(UNFCCC) 당사국 총회에서는 파리협정이 채택돼 선진국뿐만 아니라 개발도상국이 모두 온실가스 감축에 동참하기로 결의했다. 이에 세계 각국은 2016년부터 자발적 온실가스 감축 목표(NDC)를 제출했고, 모든 당사국은 2020년까지 '파리협정 제 4조 제19항'에 근거해 지구평균온도 상승을 2℃ 이하로 억제하고,, 나아가 1.5℃를 달성하기 위한 장기저탄소 발전전략을(LEDS)을 제출했다.

우리나라도 '2050 저탄소 사회비전 포럼'이 출범하여 2017년 대 비 2050년까지 75%의 온실가스를 감축하는 배출목표를 포함해 총 다섯 개 시나리오를 도출하고 탄소중립 달성 방안을 추가 검토했다.[110]

현재 전 세계 온실가스는 배출량 상위 국가들이 주로 만들어내고 있다. 때문에 이들 주요국들의 동향에도 눈길을 돌리지 않을 수 없다.

미국은 대기 내 온실가스 수준을 기후변화에 대한 위험성 있는 간섭을 방지할 수 있는 수준으로 안정화한다는 협정 2조상의 목표에 대한 국가별 기여목표를 사무국에 제출하라는 사무국 요청에 따라, 미국은 경제 전반에 걸쳐 **2025년까지 온실가스 배출량을 2005년 수준 대비 26~28% 만큼 감축하고, 배출량을 28%만큼 감축하는 것을 목표**로 한다.

중국은 인구 13억의 개발도상국으로서, 기후변화의 부정적 영향을 가장 심하게 받고 있는 국가 중 하나이다. 중국은 현재 빠른 산업화 및 도시화 과정을 겪고 있으며, 경제 개발, 빈곤 퇴치, 삶의 질 향상, 환경 보호 및 기후 변화 대응이라는 다면적인 과제에 직면하고 있다. 기후 변화에 대한 대응은 경제적 안정, 에너지 안보, 생태 보전, 식량 안보 등을 보장하기 위한 지속가능한 개발의 필요성에 바탕을 두고 있다. 이에 따라 **2030년경에 이산화탄소 배출 정점에 도달한 후 조기에 배출량을 감소세로 전환하도록 하고 단위 GDP 당 CO2 배출량은 2005년 수준 대비 60~65% 감축한다. 주요 에너지 소비량 내 비화석연료 비중을 20%로 확대하고 삼림규모를 2005년 수준 대비 약 45억 입방미터만큼 확대할 것을 목표로 삼았다.**

110) [ET단상] 2050장기저탄소 발전전략과 대응방향

EU 및 28개 회원국은 UNFCCC협상과정에 최대한 협력하고자 노력하며, 지구 기온 상승 2°C 제한 목표에 상응하여 모든 당사국에게 적용되는 법적 구속력 있는 협정을 채택하는 것을 목표로 한다. EU 및 회원국들은 2014년 10월 유럽 이사회(Europe Council)회의에서 결론내린 바와 같이, **온실가스 배출량을 2030년까지 1990년 배출량과 대비해 최소한 40%감축하기로 했다.**

일본은 선진기술과 개발도상국 지원을 통해 온실가스 배출량을 전 세계적으로 감축하는 데 기여하고자 한다. **일본의 2020년 이후 온실가스 감축 목표는 에너지 믹스에 부합하도록 2030년 회계연도까지 감축량을 2013 회계연도 대비 26.0% 감축하는 것이다.** 현재까지 일본이 취한 감축 조치 등의 이유로 일본의 온실가스 배출 감축의 한계 비용은 높을 것으로 나타나고 있다. 그러나 위에 언급한 각 지표는 배출량 감축을 위한 추가 조치가 시행됨에 따라 2030년까지 20~40% 수준으로 개선될 것으로 전망되고 있다.

국가	계획
미국	2005년 배출량 대비 26~28%(2025년 목표)
중국	2005년 1인당 GDP 대비 60~65%(2030년 목표)
EU	1990년 배출량 대비 40%(2030년 목표)
일본	2013년 배출량 대비 26%(2030년 목표)

표 15 주요 국가들의 온실가스 감축 계획
111)

111) 자료: 환경부 "교통의정서 이후 신 기후체제 파리협정 길라잡이", 신영증권 리서치 센터

2) 국가별 전기차 육성 정책

가) 미국

주 정부 차원에서는 미 서부 캘리포니아 주가 전기차 등 친환경차 관련 인센티브 제공에 가장 적극적인 편으로 평가된다. 배기가스 무 배출 차량(ZEV)관련 법 제정을 통해 완성차 업체에 2018년 형부터 순수 전기차(BEV)나 PHEV를 전체의 2.0% 이상 판매하도록 강제하고 위반 시 벌금을 부과하도록 하고 있다.

캘리포니아 주는 2005년에 온실가스 배출량 관련 행정조치(Executive Order)를 시행했다. 이는 2050년까지 1990년 수준의 80%로 줄이겠다는 것이다. 이러한 목표 달성을 위해 캘리포니아 주는 2017~2025년에 생산되는 차량을 대상으로 하는 일련의 규정으로 구성된 'Advanced Clean Cars 프로그램'을 2012년 1월 발효했다. 이 프로그램은 2025년까지 140만 대 이상의 배기가스 무 배출 차량과 플러그인 하이브리드 차량이 운행되도록 배기가스 무 배출차량 의무판매규정(Zero Emission Vehicle Standards for 2018 and Subsequent Model Year Passenger Car, Light-Duty Trucks, And Medium-Duty Vehicles)을 Advanced Clean Car 규정에 포함했다.

이 배기가스 무 배출차량 의무판매 규정에 따르면 캘리포니아 주에서 연간 6만 대 이상을 판매하는 자동차업체는 2018년부터 전체 자동차 판매의 4.5%를 배기가스 무 배출 차량으로 채워야 한다. 2022년에는 14.5%, 2024년에는 19.5%, 2025년부터는 22%를 배기가스 무 배출 차량으로 판매해야 한다. 캘리포니아 주는 Advanced Clean Cars 프로그램 시행을 통해 2050년까지 배기가스 무 배출 차량이 전체 차량에서 차지하는 비중이 87%에 도달하기를 기대하고 있다.[112)]

112) [미국]친환경 메카 캘리포니아주 2050년에는 전체 차량 87%그린카

연방 정부	EV 구입 시 연방정부가 최대 7,500달러의 세금 공제 -PHEV는 2,500불에서 4,000불의 세금공제혜택 부여함 -BEV와 일부 전기주행 장거리 PHEV에게는 최대 7,500불의 세금 공제 혜택 부여함
주정부	주 단위에서 통상 1,000불에서 6,000불 사이의 인센티브 부여 -캘리포니아 : EV에 2,500불 지급, EV구입 시 2,500달러, PHEV는 1,500달러 -콜로라도 : 최대 6,000불의 소득세 공제 -코네티컷 : 최대 3,000불의 할인 혜택 부여(2010년 이후 구입 차량을 대상으로 누계 기준 20만대에 도달하는 시점부터 2/4분기 후에는 세금혜택을 50% 감액, 그 2분기 후에는 25%로 추가 감액되며, 그 5분기 후에 혜택 중단) -뉴저지주 : EV 취득 시 소비세 면제

표 16 미국 연방정부, 주정부 전기자동차 지원정책

더욱이 바이든 정부에서는 트럼프 시대와는 다른 상당한 변화가 미국 전기차 시장에 나타날 것이라는 기대의 목소리가 나오고 있는데, 바이든 대통령의 친환경 부문 공약은 `2050년까지 탄소 배출을 제로화한다`로 요약될 수 있다. 그는 2050년 탄소배출 제로를 목표로 친환경 인프라에 대대적으로 투자하고, 전기차 인프라 확충에 나서겠다고 밝힌 바 있다. 이에 그는 친환경 산업 인프라스트럭처 구축에 재임 4년간 총 2조 달러를 지원하겠다는 공약을 내걸었다. 구체적인 방안으로 미국 내에 전기차 충전소 50만개를 2030년 말까지 건립하겠다고 밝혔다. 스쿨버스 50만대와 연방정부 차량 300만대도 전기차 등 친환경 차량으로 대체할 예정이다. 즉, 미국의 교통 시스템 자체를 전기차 중심으로 재설계하겠다는 계획이다.[113)]

또한 전기차 보조금 규모도 다시 확충될 가능성이 큰 것으로 분석되고 있다. 미국은 제조업체별로 20만대까지는 대당 7500달러의 보조금을 주고 20만대 초과분에 대해서는 전체 보조금의 50% 가량을 차등 제공하고 있다. 전 트럼프 정부는 GM과 테슬라 등 20만대 이상 판매한 기업들의 쿼터 확대 요구를 받아드려 오지 않았는데 바이든 정부는 이를 긍정적으로 검토하고 있는 것으로 전해졌다.

113) 美본토서 전기차 大戰 예고…현대차, 100만대 新시장 눈독 / 매일경제

뿐만 아니라, 바이든 정부는 전기차 충전소 설치, 그리고 전기차 충전소의 안전에도 각별히 신경을 쓰는 모습이다. 기존 '전기차 인프라 트레이닝 프로그램(Electric Vehicle Infrastructure Training Program)'을 최고 수준으로 끌어올리고 이와 관련된 전문 인력을 확보하는 것이 바이든 정부의 목표다

또한 전기차 배터리 분야 연구 강화도 바이든 정부가 뽑고 있는 중요 사항 중 하나다. 미국 내 전기차 관련 연구개발능력을 키우기 위한 조치다.[114)]

이외에도 △미 전역에 공공 전기차 충전소 50만개 설치 △농촌과 도시의 에너지 격차 해소 △농촌 지역 친환경 발전 인프라 설치 지원 확대 △완성차 업체의 전기차 브랜드 전환 지원 △전기차 스타트업 육성 △수입 전기차 관세 조정이 이루어질 것으로 예상되고 있다[115)]

114) 전기차 시대 여는 바이든, 美 전역 50만개 충전소 설치한다 / ZD Net Korea
115) '스쿨버스 전기차로'…바이든 시대, 美 전기차 정책 변화? / THE GURU

나) 중국[116]

중국 신에너지차 시장은 2009년부터 10년간 빠르게 성장했다. 중국자동차산업협회(中國汽車工業協會)에 따르면 2009년 500대에 불과했던 신에너지차 연간 판매량은 정부의 보조금과 탄소저감 정책 추진에 힘입어 2021년 11월 기준 약 300만 대를 돌파하고, 전체 승용차 판매량 내 비중이 13.9%에 달했다. 이 추세대로라면 중국 정부가 2025년까지 설정한 신에너지차 판매량 목표 '전체 자동차 판매량 중 20%'를 1~2년 앞당겨 달성하고, 2030년에는 중국이 세계 최대 신에너지차 시장이 될 것으로 전망된다.[117]

또한, 중국의 IT대기업을 중심으로 신에너지 자동차 투자를 확대하면서 미래 자동차 산업을 선도하는 중국기업이 점차 늘어나고 있다. 일찍이 중국 전기자동차 시장을 선도하는 BYD(比亚迪) 외에도 텐센트, 바이두, 알리바바 등에서 투자를 받아 NIO(蔚来), Li Auto(理想汽车), Xpeng(小鹏汽车) 등 중국기업들이 두각을 나타내고 있다.

KOTRA 해외시장뉴스 '중국 신에너지자동차 시장 동향 및 전망' 보고서에 따르면 2021년 기준 중국 내 전체 자동차 판매량은 2억 9700만 대를 기록했으며, 이중 신에너지 자동차 판매량은 678만 대로 전체 자동차 판매량의 약 2.28%를 차지했다.[118]

현재 중국 내 생산·판매되는 신에너지 자동차는 순전기자동차(纯电动汽车, EV)과 플러그인 하이브리드자동차(插电式混合动力车, PHEV)가 대부분이며, 전기차 비중이 약 80%, 플러그인 하이브리드 자동차의 비중이 약 20%를 차지하고 있다. 신에너지 자동차는 상용차와 승용차 모두 보급이 확대되는 추세를 보이며 그 규모를 확대해 가고 있다..

최근 중국의 전 세계 판매량의 절반에 달하는 332만8301대를 팔았다. 전년(124만8362대) 대비 166.6% 증가했다. 2022년까지 연장된 보조금과 홍광 미니 등 보급형 모델의 판매 호조가 전기차 판매량을 늘린 것으로 분석됐다.[119]

이러한 성장추세에 발맞춰 정부도 적극적인 지원을 아끼지 않고 있는 모습이다.
앞서 2017년 1월에 발표한 "기업 내부 전기차 충전 인프라 가속화에 관한 통지"를 보면 2020년까지 공공기관의 신규와 기존 주차장의 충전기 배치 비율은 10%이상, 베이징시의 중앙정부기관은 30%이상, 베이징시의 중앙기업은 30%이상 차지해야했다.

116) 중국 전기자동차 발전 현황과 시사점
117) KITA.net 무역뉴스 '떠오르는 중국 신 에너지차 시장에 기회 있어'
118) KOTRA 해외시장뉴스 '중국 신에너지 자동차 시장 동향 및 전망'
119) 한겨레 '지난해 전기차 키워드는 테슬라·중국·7.9%'

또한 2017년 5월에 발표한 "자동차 산업 중장기 발전계획"에서는 2020년까지 전기차의 연간판매량은 200만 대를 돌파할 수 있도록 육성해 2025년까지 중국 자동차 판매 시장에서 전기차가 차지하는 비중은 20%를 넘을 것으로 전망했다. 2017년 9월 27일 발표한 "승용차 기업 평균 연료소모량과 전기차 적분 병행 관리 방법"에서는 2019년 전기차 적분 비율 규칙이 도입되어 연간 3만 대 이상 생산이나 수입 자동차 기업은 전체 판매량 중에서 전기차 적분 비율이 10%(2019년), 12%(2020년)에 도달해야 한다고 규정했으며, 2035년까지 신에너지차 비율을 50%까지 확대하여 순수 전기차가 신차 판매의 주류를 차지하는 것을 목표로 한다. 또한 코로나19로 인해 위축된 신에너지자동차 소비를 촉진하기 위해 구입 보조금을 기존 2020년까지에서 2년 더 연장하여 2022년까지 지급하기로 결정했다.

최근 전기차 배터리 스와핑 사업도 본격적으로 육성하기로 했다. 배터리 스와핑이란 배터리 교환 충전 서비스를 가리킨다. 전기차의 배터리에 직접 충전하는 방식이 아닌, 지정 스와프 스테이션에서 방전된 배터리팩을 충전이 완료된 것과 맞교환하는 방식이다.

중국 재정부, 공업정보화부, 과학기술부 등은 전기차, 수소연료전지차, 플러그인 하이브리드카를 지칭하는 신에너지차(NEV) 보조금 지급 방안을 발표했다. 2020~2022년 3년 동안 신에너지차에 대한 보조금을 지급하되, 보조금 지급 규모는 해마다 단계적으로 전년도 대비 10,20,30% 삭감하기로 한 것이다. 지급 대상은 판매가 30만 위안(약 5300만원) 이하 차량으로 제한해 중국 전기차 기업에 혜택이 집중될 수 있도록 했다. 보조금 지급 차량 규모도 연간 200만대로 제한했다.[120)]

이에 따라 선전시, 상하이시, 톈진시 등지에서 지방정부 차원의 보조금 지원정책을 내놓았으며 광둥성 정부는 향후 5년간 고속도로에 신재생에너지 자동차 충전소 인프라를 확충하겠다고 발표했다.

KOTRA '중국 신에너지 자동차 시장 동향 및 전망' 보고서 자료에 따르면 2021년 기준 신설한 공공 충전기는 28.4만 대, 누적 109.2만 대로 전년 동기대비 57.1% 증가했고, 신설한 개인 충전기는 42만 대, 누적 129.3만 대로 전년 동기 대비 53.3% 증가했다.

또한, 2020년 3월 베이징에서 열린 국무원 코로나19 대응 합동 기자회견에서 공신부(工信部) 신궈빈(辛国斌) 부부장은 '2021~2035 신에너지산업 발전계획'에 따라 2025년까지 신에너지 자동차 보급률을 25%까지 확대할 계획이라고 밝힌 바 있다.

120) 중국 전기차 보조금 연장안 발표, 배터리 스와프 지원 눈길 / 뉴스핌

다) 유럽

유럽에서는 이산화탄소 배출을 줄이기 위한 내연기관 차량 규제가 이루어지고 있는데, 유럽 주요국은 구체적인 수치를 내놓으며 활발한 논의가 이루어지고 있다. 다음은 표는 유럽의 내연기관 자동차 판매 금지 정책을 정리한 것이다.

국가	추진현황
노르웨이	●2025년부터 내연기관 차량 판매 금지 법안 합의(2016.06) -수도 오슬로에서 2017년부터 디젤 자동차의 일시적 운행 금지 조치 -일반승용차, 단거리버스, 경량 트럭은 무공해 차량만 등록하는 방침
네덜란드	●2025년부터 내연기관 차량 판매 금지 법안 하원 통과(2016.04) -신차에 대해서만 휘발유 및 경유 자동차의 판매금지를 추진 -법안의 최종 가결 시, 2025년부터 하이브리드 모델을 포함한 내연기관 자동차의 판매금지를 포함하고 있으나, 민주당의 강력한 반대로 실현가능성에 주목
영국	●2040년부터 휘발유 및 경유 차량의 판매를 금지하는 정책 발표(2017.07) -예산 지원(30억파운드)과 함께 경유 차량에 대한 높은 부담금을 부과할 예정
프랑스	●2040년부터 내연기관 차량의 판매를 금지하는 정책 발표(2017.07) -1997년 이전에 생산된 경유차와 2001년 이전에 생산된 휘발유 차량을 친환경차로 바꾸면 인센티브를 주는 방식으로 내연기관 차량을 점차 퇴출
독일	●2016년 10월 결의안이 통과되었으나 연방하의원 통과를 이끌어내지는 못함 -자동차 산업이 독일 산업의 중추라는 점을 감안하여 신중한 태도

표 17 내연기관 자동차 판매 금지 정책 동향

현재 유럽연합(EU) 집행위원회는 탄소 배출을 크게 줄이는 것을 목표로 광범위하고 야심찬 대책을 수립하고 추진 중이다. 재생 에너지원의 개발 촉진 및 통합, 에너지 집약적 산업의 탈탄소화, 섬유와 같은 자원 집약적 산업을 대상으로 한 지속가능한 제품 생산과 소비 등의 정책을 만들었다. 특히 2050년에는 교통수단의 탄소 배출량을 90%까지 줄이는 것을 목표로 삼았다. 이를 위해 2021년 중반부터 디젤 및 가솔린 차량의 배기가스 배출 제한을 강화해 시장에서 퇴출시키는 등 전기차 분야의 성장을 지원하고 있다.[121]

또한 전기차 보급의 활성화를 위해 EU는 전기차 충전 플러그를 단일화하여 통합규격으로 채택하였으며, 유럽의회, EU 집행위, EU회원국 내 합의를 이뤄 관련 법규 발효 예정이다. 충전 플러그 단일화 역시 유럽뿐만 아니라 전 세계 전기차 시장에 큰 영향을 미칠 것으로 전망된다.

이 외에도 유럽연합(EU)은 과감한 친환경 정책으로 전기차 육성에 앞장서고 있으면서도, 독일 정부가 2023년부터 전기차 보조금을 삭감하는 방안을 추진했다. 영국에 이어 독일도 보조금 삭제 수순에 들어가면서 로버트 하벡 독일 경제부 장관은 "전기차의 인기가 점점 높아지고 있고 가까운 미래에 정부 보조금이 필요하지 않게 될 것"이라고 밝혔다.

독일 외에 다른 유럽 국가들은 이미 보조금을 삭감하기 시작했다. 영국은 2011년부터 시행해온 전기차 보조금 지급을 최근 종료했다. 노르웨이도 2022년 5월 전기차에 주는 통행료 및 주차료 할인 등 각종 혜택을 대폭 줄이기로 했다.

이에 이항구 자동차연구원 연구위원은 "2021년 글로벌 완성차업계가 프리미엄 전기차를 중심으로 막대한 이익을 봤다"며 "유럽 각국 정부가 이미 잘 팔리는 전기차에 대해 보조금을 줄 필요가 없다는 메시지를 보내는 것"이라고 밝혔다. 이어 "코로나19 이후로 바짝 오른 전기차 보조금이 정상화하는 과정"이라며 "완성차업계가 가격 정책을 바꿀 필요가 있다"고 덧붙였다.[122)]

나아가 EU는 전기자동차의 핵심 부품인 '배터리'산업 육성에도 아낌없이 투자하고 있다. 배터리는 반도체와 함께 4차 산업혁명 시대에 가장 중요한 기술로 주목받고 있는데, 현재 배터리 셀 분야에서는 한국·중국·일본 등 아시아 국가들에 대한 의존도가 높은 게 현실이다.

이에 2017년 10월 마로스 셰프코빅(Maros Sefcovic) EU 집행위원회 부위원장은 80개 이상의 기업·연구소 등이 대거 참여하는 EU 배터리연합(EU Battery Alliance)의 출범을 선언하고 배터리산업 육성을 위해 EU 차원의 산업정책을 수립할 계획임을 천명했다.

따라서 유럽의 배터리시장도 2025년에 약 200GWh, 연간 2,500억 유로 규모로 성장할 것으로 전망되는 등 수요가 급증하고 있다.[123)] 현재 유럽은 세계 최대 자동차업체인 폭스바겐이 주도가 돼 여타 전기차 부품과 배터리 간 '수직계열화'를 꾀하고 있는데, 유럽연합(EU) 또한 34개 파트너사와 손잡고 미래 배터리 시장 선점을 위한

121) 바이든 효과?…미국-EU 경제권 '친환경 정책' 잰걸음 / 이로운넷
122) 머니투데이 '독일도 전기차 보조금 삭감 추진 아이오닉5·EV6타격'
123) 원료확보에서 규제정비까지…배터리산업 육성에 적극 나서는 EU / KDI경제정보센터

기술 개발 프로젝트인 '빅-맵(BIG-MAP)'을 가동하며 폭스바겐의 움직임에 힘을 실어 주고 있다.[124]

라) 인도[125]

전기차의 보급 증대를 위해 인도 정부는 정부 정책을 적극적으로 도입하고 민간기업과 협력을 강화하고 있으며, 주요 내용은 다음과 같다.

World Pollution Report에 따르면 2022년, 인도는 대기오염이 가장 심한 나라 3위를 기록하였다. 이에 인도 정부는 대기오염을 줄이기 위하여 내연기관(ICE) 차량에 대한 정책을 시행하였으며 2030년까지 내연기관 차량의 신규 판매를 전기 자동차로 전환한다는 목표를 발표했다. 인도 정부는 또한 인도를 전기 자동차 제조의 세계적인 중심지로 바꾸는 것을 목표로 한다고 밝혔다.

인도 정부 산하 중공업부는 2015년 4월 1일부터 전기·하이브리드 차량 선택을 촉진하기 위해 FAME India 계획을 시행하였다. FAME India 2단계 계획은 2019년 4월 1일부터 3년간 시행되고 있으며 총 예산 지원액은 1000억 루피(약 12억8000만 달러)이다. 이 지원액의 약 86%는 7000대의 전기 버스, 50만 대의 3륜차, 5만 5000대의 승용차와 백만 대의 이륜차 제작에 지원하여 수요 창출을 위한 수요 인센티브에 할당된다.

또한 FAME India를 통해 정부는 인센티브를 통해 소비자들의 전기차 구매를 독려할 것이며 전기차 충전소 등의 인프라를 구축할 것이다. FAME India가 제시한 인센티브는 GST체제 하에 EV에 대한 세율을 내연기관 자동차에 비해 12%에서 3%로 낮추는 세금 인센티브를 포함하고 있으며 전기차 구입을 목적으로 금융기관으로부터 받은 대출에 대한 이자 공제를 포함한다. 또한 델리 및 타밀나두와 같은 주에서는 EV에 대해 약 4%의 도로세를 면제하였다.

인도 정부의 석유에 대한 세금 인상으로 인해 점차 전기차 구매자들의 관심이 높아지고 있으며, 기존 자가용 자동차 소유자들의 약 90%가 전기차 인프라가 구축되면 전기차로 전환할 의향이 있다고 밝혔다.

124) 중국·유럽의 배터리 돌진…근심 깊어지는 'K 배터리' / 서울경제
125) 국토교통부 smart city korea '인도 전기차, 2027년까지 600만 대 판매 예상'

인도의 Olectra, Mihindra&Mahindra, JBM Auto, Ather 등은 전기차 개발뿐만 아니라 전기차를 위한 인프라를 구축하는 것에 집중하고 있다. 이외의 다른 주목할 만한 전기차 제조사는 Bajaj Auto, Hero Electric, Tata Motors, Hyundai India가 있다.

인도의 주 이동수단은 이륜차이다. 그렇기에 전기 이륜차가 EV 시장을 지배하고 있다. 2021 회계연도에 판매된 EV의 60.74%가 이륜차이다. 일정기간 동안 EV 시장을 주도해 나갈 것이지만 포화상태로 인해 성장률은 감소될 것으로 예상된다. 반면 상업용 4륜차, 자가용 자동차, 3륜차(오토릭샤 종류)는 꾸준히 성장할 것으로 예상된다.

인도에서의 전기차 판매량은 FY 2021에 약 110조 루피(약 1419억 달러)에 달하는 약 23만 6000대 이다. 2027년에는 연간 판매 대수가 600만 대를 넘어설 것으로 예상되며 2027년까지 연평균성장률은 약 66.19%로 증가할 것으로 예상된다.

이러한 인도 정부의 정책에 대하여 배터리 제조업체 Trontek Electronics사의 설립자 Samrath Kochar은 “정부는 EV 산업이 번창할 수 있도록 인프라 개발을 위한 최적의 환경을 조성해야 한다. 현재 도로 위의 EV 수가 증가하여 배터리의 수요도 증가된 상황에서 EV 산업 개발을 위한 인프라를 구축하는 것은 매우 중요하다.” 라고 말했다.

최근 인도 정부는 Make in India를 장려하고 있으며 EV 산업에도 영향이 있을 것으로 예측된다. 인도 정부는 EV 제조에 필요한 리튬 이온 배터리 수입에 대해 2021년 4월부터 수입관세를 5%에서 10%로 인상하였으며 조립식 배터리팩의 수입에 대하여 5%에서 15%로 수입관세를 인상하였다. 또한 인도 EV 충전기, 리튬 이온 배터리 제조사 Ingar Electrics사의 이사 Rishabh Ahuja는 “FAME India 1,2단계 계획과 인센티브 정책은 EV 발전을 위한 올바른 방향이지만 국내 부품 제조에 대한 정책과 인센티브가 더 많이 필요할 것이다.” 라고 강조했다.

인도 정부가 2030년까지 전기차 판매를 극대화 시키는 목표에 따라 인도 상공회의소(FICCI)는 2030년에 이동수단 관련 에너지 수요의 64%와 탄소 배출량의 37%를 절약할 수 있다는 의견을 발표했다.

또한 현재 인도 정부에서는 수출경쟁력이 있는 통합 배터리 및 셀 제조의 대규모 프로젝트를 지원하기 위해 단계별 제조업 육성정책(PMP, Phased Manufacturing Program)을 추진하고 있는데, 향후 5년간(2019-2024) 전체 전기차 가치사슬에서 핵심 부품인 전기차 및 배터리의 현재 생산을 목표로 하고 있다.

또한 인도 전력부에서는 전기차 인프라 개발을 위해 향후 5년간(2020-2025) 70개 도시와 20개 고속도로에 걸쳐 약 7억 달러를 투입할 계획이며, 주요 부품의 관세율을 낮추는 등의 인센티브 전략도 추진 중에 있다. 기타 다른 나라들에 비해 현저히 부족한 공용 전기차 충전소 및 인프라 구축에도 지원을 아끼지 않고 있는 모습이다.

코로나19 봉쇄로 인해 나아진 공기질을 통해 소비자들은 전기차의 필요성을 느꼈으며 전기차에 대한 수요가 계속 늘 것은 분명하다. 이와 같은 정부의 적극 장려와 소비자들의 수요 증가는 전기차 제조업체들의 전기차 부품 수요도 증가할 것이다. 참고로 한국은 2021년 인도로 리튬이온 배터리(HS코드 850760)를 3800만 달러 수출하여 우리 기업들은 전기차 부품, 배터리 시장에 주목할 만하다. 하지만 최근 Make in India 정책으로 인해 2021년 4월부터 리튬이온 배터리에 대한 수입관세를 5%에서 10%로 인상되었으며 조립식 배터리팩의 수입에 대하여 5%에서 15%로 수입관세를 인상하였으므로 현지화 경쟁이 필요한 점도 고려하여야 한다.

마) 일본

일본은 정부의 막대한 지원을 기반으로 전기차(PHEV포함)는 누적보급대수 약 14만대를 보급하고 있으며, 「일본재흥전략개정 2015」에서 2030년까지 차세대자동차에서 신차 판매대수 중 전기차 판매비율을 20~30% 목표로 정책 추진 중이다. 정부는 이를 위해 아파트 등 공동 주택에 EV인프라를 구축하여 충전기 설치 비용을 보조하는 등 무료 설치를 통해 주민의 심리적 거리를 줄인다는 계획이다. 우선 도쿄에서 먼저 진행하며, 2040년까지 도쿄 내 엔진차 판매를 중단할 계획이다.

일본의 경제산업성 EV·PHV로드맵은 향후 5년을 대비하기 위해서 마련한 것으로, 2008년 4월 「EV·PHV타운 구상 추진 검토회」를 설립하였고, 2009년 8개 도부현, 2010년 10개 부현을 「EV·PHV타운」으로 선정했었다.

이후 일본 국토교통성과 경제산업성은 <탄소중립을 향한 자동차 정책 검토회>를 주최해 2035년까지 승용차의 신차판매를 친환경 자동차로 제한하는 목표를 반영한 <2050년 탈탄소 그린성장전략>의 자동차 분야에 대한 대처 검토를 시행했다. 본 회의는 총 5회에 걸쳐 진행됐으며 자동차공업회를 비롯해 자동차 및 부품 개발사, 신차、중고차 판매사, 정비업체, 친환경차와 관련된 인프라 업체 등 다양한 업계의 협회 및 단체가 참석했다.

일본 경제산업성은 산업계의 의견 청취 결과에 대해 '자동차 산업은 아직 이노베이션의 여지가 크며 기술적인 가능성을 추구하면서 일본의 강점을 살릴 수 있는 방안을 추진하고 싶다. 탈탄소는 10년, 20년이 걸리는 장기 미션이 될 것이다. 일관성 있는 방침을 가지고 확실하게 정책을 추진하겠다.'라고 발표하고 회의결과를 다음과 같이 정리했다.[126)]

과제	정부의 대응 방안
친환경차 도입 확대	- 친환경차 구매 지원 (보조금 등) - 제도 개선(과세/시설 이용료 감면) - 연비규제 설정 - 전기자동차(EV) 공공조달 추진
경차 친환경차/상용 친환경차/ 이륜 친환경차의 생산 지원	- 경차 친환경차/상용 친환경차/이륜 친환경차의 개발 및 생산 지원 - 관련 규제 완화 - 인프라 설비 지원
인프라 도입 확대	- 인프라 정비 지원(충전시설 설치 및 정비) - 관련 규제 완화 - 사업성 향상(충전 과금 시스템 통일화) - 배터리 방전 문제 해결을 위한 인프라 정비 - 설비기술 개발 및 규격 표준화
서플라이체인/밸류체인 강화	- EV 사업전환 지원 - 인재 채용 지원 - 사업 재구축에 따른 기업 간 연대 및 재편 등의 환경 정비 - 중고차 친환경차 및 배터리 잔존가격의 적정 평가
친환경차 규모 확대 시 로드 서비스 대응	- 석유업계 지원 - 배터리 산업의 경쟁력 강화 - 부자재 및 배터리 서플라이체인 투자 지원
배터리 원료(Li, Ni, Co, 천연흑연, LiPF6 등)	- 배터리/자재/리사이클 관련 연구개발 지원 - 국제표준화 활동 지원

그림 60 탄소중립을 향한 자동차 정책 검토회의 결과 정리

126) KOTRA 해외시장뉴스 '일본의 전기자동차 산업동향'

과거 일본 정부는 2030년까지 2013년 대비 26% 감축, 2050년까지 온실가스 배출량을 80% 감축하고, 2050년경 탈탄소화 사회가 되기 위한 노력 등 자체 목표를 세운 바 있다. 하지만 탄소중립 달성을 목표로 하는 구체적인 시기를 명시하지 않아 비판받아왔는데, 스가 총리는 소신표명연설을 통해 기존의 소극적인 모습이 아닌, 탄소중립을 위해 적극적인 에너지전환 정책을 펼치겠다는 입장이다. 스가 정부는 온난화 대책을 경제성장 전략 중 하나로 보고, 기존 온실가스 배출량 감축 목표 기준을 높이면서 산업구조를 전환시켜 탈탄소사회를 조기에 실현할 계획을 밝혔다

일본 내 기관 및 각료들도 이러한 움직임에 동참했다. 고이즈미 신지로 환경성 장관은 일본경제신문과의 인터뷰를 통해 재생에너지 도입 확대를 위해 국립공원 내 재생에너지 발전설비 설치 규제를 완화할 방침이라고 밝혔다. 또한, 2050년 탄소중립 방침을 선언한 지자체를 대상으로 재생에너지 인프라 투자 및 전기자동차(EV)의 보급 확대를 지원한다.[127)]

또한 일본의 요미우리 신문의 보도에 따르면, 일본 정부는 전기자동차(EV)용 고성능 전지 개발 촉진을 중요 전략으로 추진하기로 방침을 굳혔다고 밝혔다. 보도에 따르면 일본 경제산업성은 2050년까지 이산화탄소 등 온실가스 배출량 제로라는 목표 달성을 위해 연말까지 마련한 실행 계획에서 전기차용 전지 개발을 중요 전략으로 담을 계획이다. 일본 정부가 차량용 전지를 전략사업으로 육성하는 것은 결국 이 분야에서 두각을 드러낸 한국·중국 기업과의 경쟁을 가속하겠다는 의미로 풀이된다. 또한 일본 정부는 전기차 보급 확대를 위해 소비자가 전기차를 구매하는 경우 지급하는 보조금을 확대하려는 방안도 검토중이다.[128)]

---

127) '2050년 탄소중립' 선언한 일본, 재생에너지 및 전기차 도입 확대 / 인더스트리뉴스
128) 일본 전기차 차세대배터리 집중지원...한·중과 경쟁 가속 / 연합뉴스

바) 노르웨이

노르웨이는 인구 1인당 전기차 보급률이 세계 1위이며, 오슬로 시는 세계의 전기차 수도(EV capital)로 불릴정도로 전기차의 천국이다. 2014년 6월 노르웨이는 세계 최초로 자동차 보유대수 중 전기차 비중이 1%를 상회하는 국가가 되었으며, 2015년 6월에는 2%를 기록하여 전체 유럽 내 전기차 판매의 1/3을 차지하였다. 2017년에는 출시된 신차 중 52%가 하이브리드와 전기차였고, 2021년 기준 자동차 누적 등록대수 14만435대에서 전기차는 8만8674대(63.1%), 플러그인 하이브리드는 3만807대(21.9%)로 85%에 달한다.

노르웨이가 이처럼 전기차보급률이 높은 이유는 국민들이 전기차를 선택할 수밖에 없도록 유도하는 정부의 강력한 인센티브 정책 때문이다. 노르웨이에서는 지난 1990년부터 전기차에 대해 소비세를 부과하지 않고 있다. 1996년부터는 주행세를 인하하는가 하면, 2000년부터는 영업용 차로 전기차를 구매할 경우 자동차세를 50%낮춰주고 있다. 이와 더불어 2001년부터는 25%에 달하는 부가가치세까지 면제해주고 있다. 당초에 부가가치세 면제는 2018년까지 5만 대의 전기차 보급을 목표로 시행되었으나 보급목표가 조기에 달성된 후에도 면세가 그대로 유지되고 있다.

이외에도 노르웨이에서는 무료 충전과 공공주차장 이용요금을 받지 않는다. 노르웨이의 주요 교통수단 중의 하나인 페리선 이용료도 무료로 유로도로 통행료까지 면제다.

충전 인프라 문제에 있어서도, 전기차의 대중화를 위해 노르웨이 정부는 도심에 수많은 충전소를 확충하고 중심도로에 50km마다 멀티스테이션을 설치하며 '전기차는 도심 전용'이라는 이미지에서 탈피해 모든 Life cycle에 부담 없이 활용할 수 있게 했다.

그러나 최근 경제불황탓에 전기차에 대한 세제감면 혜택을 줄여야 하는 것이 아니냐는 지적이 나오고 있다. 서구 최대 산유국인 노르웨이가 유가가 폭락하면서 이 같은 의견이 나온 것이다.

당초 전기차를 8만대까지 보급하면 세제혜택을 통한 지원을 중단하려고 했지만 아직까지 배터리 기술문제 등으로 인해 전기차 가격이 크게 내려가지 않고 있다. 만약 지원을 끊게 되면 전기차에 대한 소비자들의 구매욕을 떨어뜨릴 수 있고 지금까지 쌓아온 전기차 수도의 명성을 잃게 될 가능성이 크다.

노르웨이는 석유시추가 줄면서 주변 환경은 더욱 깨끗해졌고, 내연기관차가 줄고 전기차가 많아지면서 매연은 확 줄었다. 환경이 좋아지면서 복지국가인 노르웨이의 사회보장 비용도 감소하고, 탄소배출권은 남아돌아 주변 국가에 판매하며 새로운 국부 창출에 나설 것이란 전망도 있다.

노르웨이는 이 같은 추이를 바탕으로 2025년부터 하이브리드를 포함한 내연기관 판매를 완전 중단할 방침이라고도 덧붙였다. 나아가 연안을 항해하는 선박과 크루즈선에 전기 또는 수소연료전지 시스템을 탑재하는 등 대부분의 이동수단을 전동화할 것이라고도 밝혔다.[129)]

129) MOTORGRAPH '노르웨이, 전기차 판매 90% 육박...30년이 걸렸다'

3) 국가별 수소차 육성 정책

수소연료전지차와 관련하여 활발한 움직임을 보이는 국가는 일본, 미국, 유럽 등이 있으며, 여기에 최근 들어 중국의 수소차 시장도 빠르게 성장하고 있다. 각국의 수소의 생산, 저장/유통, 이용과 관련하여 정책적인 우선순위에서 차이점을 보이고 있다.

구분	일본	미국	유럽
대표 정책	-5차 에너지 기본 계획 -2050년 수소기본전략	-미국 수소경제 로드맵	-EU 수소전략
배경	-에너지효율 촉진 -재생에너지 도입확대 -천연가스 및 원자력 유지 -이산화탄소 포집 및 저장 실시	-산업용으로 1,100만 톤 이상의 수소 생산 -수소 생산, 운송 및 저장 위한 인프라 보유 -수소 활용부문에 투자 증가	-재생수소에 대한 산업수요 확대 및 이동기술 개발
정책 특징	-'3E+S' 에너지목표 실현	-미국의 실질적 경제성장 -대규모 탄소 배출량 감소	-재생 수소의 생산 및 활용 현실화 -저탄소 수소를 활용한 탄소배출 감축 및 자생력 있는 시장 형성 -재생 수소가 사용되는 사업범위 확대 목표

표 18 국가별 수소차 육성 정책 현황

130)

일본은 2017년 12월 수소 사회 실현을 위해 '수소 기본 전략'을 발표하였고, 2018년 5차 국가 '에너지 기본 계획'을 통해 수소사회 추진을 명문화하고 있다. 수소기본전략에서는 향후 2050년까지 일본 사회가 수소사회실현을 위해 민관이 공유해야 할 정책목표, 정책방향, 비전을 제시하고 이의 실현을 위한 행동계획을 수록하고 있다.[131]

130) 출처: 호서대학교, 충남 신재생에너지 산업화 발전계획과 수소경제사회 구현 전략 수립 연구용역 최종보고서, 2016.12발췌

131) 세계에너지시장인사이트(2018) '일본 수소기본전략 추진 배경과 핵심내용 분석(Ⅰ)'

미국 수소경제 로드맵은 2021년 4월에 발표했으며, 미국 내 수소 산업이 실질적인 경제성장과 대규모 탄소 배출량을 감소할 수 있는 상당한 잠재력이 있음을 시사한다. 로드맵에 따르면 실효적인 정책들이 추진되면 수소가 2050년까지 미국 에너지 수요의 최대 14%를 차지할 것으로 예상된다.[132)]

유럽은 2018년 '수소 이니셔티브', 2019년 '유럽그린딜', 2020년 EU의 '신산업전략'에 기반을 두고 수소 정책을 수립해 왔다. EU가 계획하고 있는 '지속가능한 산업 밸류체인'이 재생수소에 대한 산업 수요의 확대 및 이동기술 개발을 전제로 하고 있어, 2020년 7월에 EU 수소전략을 발표하여 투자, 규제, 시장 형성, 연구개발 등을 통한 재생수소의 생산 및 활용의 현실화에 초점을 두고 있다.

구분	정책 내용
1단계 (2020~2024)	- 최소 6GW의 재생에너지 기반 수전해 시설 설치 - 최대 1백만 톤의 그린수소 생산
2단계 (2025~2030)	- 최소 40GW의 재생에너지 기반 수전해시설 설치를 통해 최대 1천만 톤의 그린수소 생산 → 통합된 에너지 시스템의 핵심 요소화
3단계 (2030~2050)	- 탈탄소화가 어려운 모든 분야에 그린수소를 대규모로 활용

표 19 단계별 그린수소 활용 정책

결국 유럽의 수소 정책은 대용량의 수소 생산 및 공급 인프라 구축을 뒷받침하는 데 초점을 두고 있고, 이를 통해 수소의 생산성과 경제성을 확보하고 자생적인 수소 생태계를 조성하는 데 목적을 두고 있다.[133)]

마지막으로 중국을 살펴보겠다.
최근 중국의 수소연료전지차 시장은 당국의 적극적인 지원에 힘입어 빠르게 성장하고 있다. 향후 10년 안에 한국과 일본 등을 넘어 세계 1위가 될 것이란 전망도 나온다. 사실 중국의 수소차 지원 정책 역사는 10년을 넘어섰다. 다음은 연도별로 중국에서 시행됐던 수소차 지원과 관련한 정책들이다.

132) 월간수소경제 '프랭크 월락 미국 연료전지 수소에너지협회 회장'
133) KICT「수소산업 육성을 위한 국내외 정책동향」

년도	주요 정책 내용
2009년	중국 에너지국은 13개 지역에 20만~60만 위안(약 3450만~1억300만원)의 보조금을 지급하는 지원책을 발표.
2011년	공신부가 신에너지 자동차에 대한 세금을 감면하는 정책을 발표.
2012년	국무원이 신에너지 자동차 연구 개발을 지원해 주는 정책을 발표.
2014년	중국 국무원이 수소에너지 기술을 중점 육성대상으로 지정.
2015년	국가발전개혁위원회와 재정부, 과학기술부 등이 수소 전기차 보조금 제도를 확정.
2016년	중국의 차세대 첨단산업 육성 국가 정책인 '중국제조 2025'를 통해 연료전지기술 개발, 수소전기차 산업 육성 촉진, 수소에너지 기술개발 제시 등 관련 기술 개발에 총력을 기울임.
2017년	'13.5 신에너지 기술 발전 규획'을 통한 한층 더 발전된 기술개발.
2018년	'신에너지 자동차 보급 및 재정보조금 정책 조정에 대한 통지'를 통해 한층 발전된 보조금 정책을 제시.
2019년	'수소에너지 설비와 충전소 건설 추진'에 대한 내용을 정부 업무보고에 포함하면서 범정부 차원의 수소산업 육성을 본격화.
2020년	'에너지 자원법'에서 위험 화학품으로 분류됐던 수소를 에너지의 범주로 포함.
2022년	'수소에너지산업 중장기규획' 발표

표 20 중국의 연도별 수소차 지원과 관련한 수소정책

이런 가운데 시진핑 주석이 탄소중립을 천명하면서 수소가 중국 에너지산업 구조 전환의 핵심으로 부상했다. 중국 당국은 수소산업 발전을 위한 중장기계획을 수립하며 수소경제에 본격적으로 시동을 걸었다. 그동안 중국은 수소차 보조금 지원 등 부분적 정책은 시행해왔지만 산업 전반에 적용되는 수소 중장기계획을 발표한 것은 이번이 처음이다.

이 계획에 따르면 중국은 2025년까지 수소전기차 보유량을 5만 대, 그린수소 연간 생산량을 10만~ 20만 톤까지 끌어올리고 이산화탄소 연간 배출량을 100만~ 200만 톤 낮출 계획이다. 또 2030년까지 완전한 수소산업 기술혁신체계와 그린 수소 공급체계를 구축하고 2035년까지 다양한 수소 활용 생태계를 구축하여 수소 소비 비중을 끌어올린다는 목표를 제시했다.

이와 함께 수소 저장과 운송에 필요한 기술개발에도 박차를 가한다. 중국은 현재 알루미늄 라이너를 탄소섬유 복합재료로 보강한 타입3 수소저장용기 늘리기에 주력하고 있으며 뒤처져 있는 타입4 수소 저장용기의 기술력 격차를 좁히기 위해 산·학·연 협력을 강화한다.[134]

134) 월간수소경제 '中 탄소중립 위해 수소굴기 강력 드라이브'

나. 국내 정책 동향

1) 온실가스 감축 계획

정부가 2030년 온실가스 감축목표(NDC)를 현행 2018년 대비 26.3% 감축에서 40% 감축으로 대폭 상향 조정해 추진하기로 했다.

NDC(Nationally Determined Contribution)는 기후변화 파리협정에 따라 당사국이 스스로 발표하는 국가 온실가스 감축목표를 말한다. 우리나라는 지난 2015년 6월 최초로 2030 NDC를 수립했으며 이후 국내외 감축 비율 조정, 목표 설정 방식 변경 등 부분적인 수정은 이뤄졌으나 대대적인 목표 상향은 이번이 처음이다.

이는 2050 탄소중립 선언에 따른 후속 조치로 최근 '탄소중립녹색성장기본법'의 입법 취지, 국제 동향 등을 고려해 감축목표를 설정했다고 밝혔다. 탄소중립기본법에는 2030년 온실가스 배출량이 2018년 대비 35% 이상 감축돼야 한다고 명시돼 있다.

아울러 기준연도에서 2030년까지의 연평균 감축률을 고려할 때 2018년 대비 40% 감축목표는 매우 도전적인 것으로 이는 정부의 강력한 정책 의지를 반영한 것이라는 게 정부 관계자의 설명이다. NDC 상향안은 감축목표를 기존보다 대폭 상향된 '2030년까지 2018년 온실가스 배출량 대비 40% 감축'을 목표로 전환·산업·건물·수송·농축수산·폐기물 등 부문별 감축량을 산정했다.

NDC 상향을 위해 정부는 전환·산업·건물·수송·농축수산 등 온실가스가 배출되는 모든 부문에서 감축 노력을 극대화했으며 국내외 감축 수단을 모두 활용하되 국내 수단을 우선 적용했다.

먼저 온실가스 배출 비중이 가장 높은 전환·산업 부문은 석탄발전 축소, 신재생에너지 확대, 기술 개발 및 혁신을 통한 에너지 효율화, 연료 및 원료 전환 등의 감축 수단을 적용했다. 건물 부문은 에너지 효율 향상 및 청정에너지 이용 확대, 수송 부문은 무공해차 보급 및 교통 수요관리 강화, 농축수산 부문은 저탄소 농수산업 확대, 폐기물 부문은 폐기물 감량과 재활용 확대 및 바이오 플라스틱 대체 등의 감축 수단을 활용한다.

아울러 온실가스 흡수 및 제거량 확대를 위한 수단으로는 산림의 지속가능성 증진, 도시 숲, 연안습지 및 갯벌 등 신규 탄소흡수원 확보, 탄소 포집·저장·활용 기술(CCUS) 확산 등을 적용했다.[135]

---

135) 대한민국 정책브리핑 '2030년 온실가스 감축목표 26.3%→40% 대폭상향'

정부가 국제사회에 국가 온실가스 감축목표(NDC)를 상향 조정하겠다고 제시한 것과 관련해 국제감축사업을 통한 이행 강화 전략이 모색됐다. 그 일환으로 정부는 국제감축사업을 통합지원하는 플랫폼 신설하고 민감 참여 리스크가 큰 사업에 대한 공공기관 참여도 확대하기로 했다.

최근 기획재정부는 추경호 경제부총리 주재로 '제230차 대외경제장관회의'를 열고 온실가스 국제감축사업 추진전략 등을 심의 의결했다. 정부는 2021년 10월 NDC를 상향 조정해 2030년 국가 온실가스 배출량을 2018년 대비 40% 감축하겠다고 국제사회에 약속했다.

하지만 국내 여건상 신재생에너지 확대 보급 등 다양한 온실가스 감축 수단을 동원해도 NDC 목표를 달성하기가 어렵다는 현실적 한계가 지적되면서 국제감축사업에 관심이 쏠렸다.

국제감축사업은 정부나 국내 기업이 개도국 등 해외에서 온실가스 감축하고 그 실적을 이전받는 메커니즘으로 폐기물 자원화, 태양광 보급, E-모빌리티(mobility) 교체, 산림흡 수원 증진 등이 대표적인 사례가 꼽히고 있다.

일본은 2013년 이후 총 17개국과 파트너십을 체결해 194건의 온실가스 저감 관련 시범 사업을 수행 중이고 스위스 등 상당 수 국가들이 국가 온실가스 저감 실적을 달성하기 위해 보충적 수단으로 국제사업을 활용하고 있다. 우리 정부도 온실가스 국제감축을 기후변화 문제 해결을 위한 중요한 수단으로 주목하고 NDC 달성에 보충적 수단으로 활용하겠다고 공식 선언한 상태다.

정부가 계획 중인 온실가스 국제 감축 목표는 33.5백만 톤CO2eq으로 전체 감축 목표의 11.5%에 달한다. 민간이 확보하는 국제 감축실적 외에 순전히 정부가 확보해야 하는 몫이다.

문제는 감축실적 확보 원천인 국제 감축사업이 세계적으로도 초기 단계에 머물러 있어 국내외 실적 확보 경로가 불확실하다는 점이다. 파리협정에서도 국제 감축사업과 관련한 세부 이행규칙 후속 논의가 아직 진행 중이다.

일부 국가를 중심으로 시범사업이 추진 중이지만 우리나라는 초기 단계로 국제 감축 경쟁이 본격화되기 이전에 비용 효과적으로 실적을 확보할 수 있는 사업을 선점 추진하는 것이 시급하다는 것이 정부 판단이다.
우수한 온실가스 감축 기술을 보유한 기업들은 새로운 시장 참여를 넓히는 기회로 활용할 수도 있다.

기획재정부에 따르면 NDC 제출 당사국 194개 나라 중 122개국 이상이 국제 감축 활용 가능성을 언급하고 있어 향후 유망한 신산업 분야로 기대되고 있다. 이와 관련해 정부는 국제 감축사업과 관련된 사업을 심의, 조정하는 국제 감축심의회 산하에 국제 감축 활성화를 지원하는 역할의 통합지원 플랫폼을 신설하기로 했다.

플랫폼에서는 국제 감축심의회 참석 부처, 일선 지원을 담당할 전담기관, 국제기구 등이 참여해 세부 정책과제를 논의·조정하게 된다. 또한 월 1회 정기적으로 진행상황을 점검하고 추가 과제 발굴 등을 통해 국제감축 지원 정책의 추동력 확보한다는 계획이다. 플랫폼 내 협업, 지식공유 기능도 구축한다.

국제 감축사업 개발 경험이 풍부한 국제기구와 협업해 디벨로퍼로서 사업 기획, 자금 조달 역량을 강화하는 한편 환경공단 등 시범사업 추진 경험이 있는 기관의 사업관리 경험과 협력국 정보를 전담기관끼리 공유한다. 국제 감축사업 절차 등과 관련한 규범과 체계 정비 작업도 마무리한다.

정부는 하반기 중 기업의 신속한 국제 감축사업 추진 지원과 절차상 불확실성을 해소할 수 있는 고시를 마련하고 구체적인 사업 지침을 수립하겠다고 밝혔다. 국제 감축등록부 등 사업 등록·관리를 위한 시스템 구축도 추진된다.

2023년 상반기 중에는 국제 감축사업 경로방식에 근거해 연차별 국제 감축 목표를 수립하고 구체적인 사업을 도출한다는 계획이다. 또한 국제 감축사업 투자, 구매 지원과 관련한 모델를 구축해 국산 기자재 사용 비율이 높은 사업에 인센티브 부여 등 부수적인 경제효과 기회를 제공한다. 장기구매계약, 경쟁 입찰, 선도거래, 옵션 등 다양한 구매 지원모델의 현장 적용 가능성도 검토하기로 했다.

현재 우선 협력대상국으로 선정된 18개국을 중심으로 양자협정 체결을 위한 협상은 속도를 낸다. 대상국의 양자협정 체결 의향을 파악하고 협력 의지가 높은 국가부터 전략적으로 협력 체계를 확대하겠다는 전략이다. 협력대상국의 협력 유도를 위해 ODA 등 협력 사업을 연계 추진하고 부처별 ODA 간에도 연계를 강화해 시너지 창출을 모색한다. 국제 감축 경험이 풍부한 국제기구 네트워크를 활용해 국제 감축사업과 연계한 협력사업도 추진한다.

기획재정부는 기존 신탁기금을 통해 국제 감축과 연계한 협력사업 활성화를 유도하고 기구별 협력 성과 등에 따른 신규재원 출연을 추진하겠다고 밝혔다. 이외에도 국내 기업 국제 감축사업 참여 기회를 확대하고 정부의 실적 확보 경로 다변화를 위해 ADB 펀드에 EDCF 출자를 검토하기로 했다. WB 기후마켓클럽 등 국제 감축 관련 해외 지식교류 협의체에 참여해 협력국과 네트워킹도 강화한다.

한편 정부는 국제협력사업 모델 설계와 관련해 내년부터 정부 부처-전담기관-기업 간 협력모델을 설계하고 이를 통한 사업 발굴·개발을 지원하겠다고 밝혔다.

특히 사업 기획 과정에서 현지 정보 및 네트워크가 풍부한 수출입은행, 코트라 등 전담기관의 역량을 적극 활용하기로 했다. 그린수소, CCUS 등 아직 활성화되지 않은 국제 감축사업 유망 분야의 신류 방법론 개발도 선제적으로 지원한다.

이외에도 수출입은행에서 여신상품을 개발하고 무역보험공사에서 지원 요건을 개선하는 등 민간 투자자금 확보를 위한 공적금융 지원도 강화하기로 했다. 그 일환으로 국제 감축사업 전용상품을 개발해 기업 규모별 최대 100bp 우대금리 지원 등을 검토한다. 컨소시엄을 통한 사업 추진 활성화를 위해 현지 정부, 디벨로퍼, EPC, 컨설팅 기업 등과 매칭도 지원하는데 2024년 이후 코트라 해외무역관 내 현지 '탄소중립 지원센터'도 개설하기로 했다. 민간의 국제 감축사업 투자 불확실성이 높은 상황을 감안해 대규모 장기 투자 사업에 대한 공공기관 참여도 유도한다.

이를 위해 공공기관 국제 감축사업 예비타당성조사를 현행 연 3회에서 수시 개최로 확대하고 조사 기한은 4개월 이내인 것을 2개월 이내로 단축하기로 했다.[136]

외교부와 환경부는 우리나라의 상향된 '2030 국가 온실가스 감축목표(NDC)를 유엔 기후변화협약 사무국에 제출했다고 밝혔다.

정부는 탄소중립 선언이후 관계부처 합동으로 '2030국가 온실가스 감축목표' 상향에 대한 검토를 진행해왔으며 국무회의 심의를 거쳐 2018년 대비 2030년까지 40%감축으로 최종 확정되었다.

상향된 '2030국가 온실가스 감축목표(NDC)'는 배경, 상향된 감축 목표, 주요 갱신내용, 적응 노력 및 이행체계로 구성되어 있다. 또한, 파리협정 제4조제 8항 및 파리협정 세부 이행규칙에 따라 명확성, 투명성 및 이해 제고를 위해 필요한 정보를 부속서로 제공했다.

향후 정부는 '2030 국가 온실가스 감축목표'를 달성하기 위해 구체적인 로드맵을 수립하는 한편, 관련 제도 개선, 정책적 재정적 지원 등을 적극 추진할 계획이다.[137]

---

136) 에너지플랫폼뉴스 '국가온실가스 감축목표(NDC), 국제사업서 추진력 강화'
137) 외교부 보도자료 '상향된 2030국가 온실가스 감축목표(NDC) 유엔기후변화협약 사무국 제출'

<2030년 국가 온실가스 감축목표 제출본 구성>

1. 배경
- INDC 제출('15) → 수정로드맵('18) → 절대값 변경('20) → NDC 상향('21)
2. NDC 목표
- 2018년 대비 40% 감축('30년 배출량 436.6백만톤)
3. NDC 갱신 핵심사항
- 목표 대폭 상향, 전 부문 노력, 국내감축 + 자발적 협력(국제감축 등) 포함
4. 적응 노력
- 제3차 기후변화적응대책('21~'25) 수립 등
* ①기후리스크 적응력 제고, ②감시예측 및 평가 강화, ③적응 주류화 등 과제 포함
5. NDC 이행체계
- 탄소중립기본법 시행
- 탄소중립위원회 운영
- 그린뉴딜·기후대응기금 등 재정 지원 등

[부속서] 대한민국 NDC의 명확성, 투명성 및 이해도 제고를 위해 필요한 정보

①정량정보, ②이행 기간, ③포함 범위, ④계획 과정, ⑤가정 및 방법론,
⑥NDC의 공정성 및 의욕성, ⑦NDC의 기후변화협약 목표달성 기여

2) 전기차·수소차 보급 확대 정책

2022년까지 전기차와 수소차 보급 목표는 다음과 같다.

구분		'18	'19	'20	'21	'22
전기차	전기차	56.5(26.5)	98.5(42)	156.5(58)	236.5(80)	350(113.5)
	급속충전소	3.7(1.5)	5.2(1.5)	6.7(1.5)	8.2(1.5)	10(1.8)
수소차	수소차	0.9(0.7)	2(1.1)	5(3)	9(4)	15(6)
	충전소	39(18)	80(41)	130(50)	200(70)	310(110)

표 22 2022 보급 목표

정부가 '2030 미래차 산업 발전전략'을 새롭게 발표하였다는 소식이 전해졌다. 내용은 2030년 수소·전기차의 국내 신차 판매 비중을 33%, 세계 시장 점유율을 10% 달성하고, 2027년 전국 주요 도로의 완전자율주행(레벨4)을 세계 최초로 상용화하겠다는 것이다.

이를 달성하기 위해 △친환경차 기술력과 국내보급 가속화를 통해 세계시장 적극 공략 △2024년까지 완전자율주행 제도·인프라(주요도로)를 세계 최초 완비 △민간투자(60조원) 기반 개방형 미래차 생태계로 신속 전환한다는 '3대 추진전략'도 제시했다.

친환경차 부문에 있어서는 전기·수소차의 라인업을 확충할 계획을 전했다. 자세하게는 2030년까지 모든 차종의 친환경차 라인업을 구축하고, 전기차는 고급세단, 소형 SUV, 소형트럭(5톤미만) 등, 수소차는 SUV, 중대형 트럭(5톤 이상) 등을 중심으로 모든 차종을 확충한다는 내용이다.

전기차는 성능 중심의 보조금 개편으로 주행거리를 400km에서 600km로 확대하고, 충전속도는 현재 대비 3배 향상할 것이며, 수소차는 내구성을 16만km에서 50만km로 강화하고, 부품 국산화율을 100% 달성 및 4,000만원대로 차량 가격인하를 추진한다.

글로벌 전기차 생산기지 육성을 위해서는 국내 전기차 생산시 부품업계와 연계하여 생산부품 R&D를 지원한다. 이를 위해 기존 부품단위 기술개발에서 벗어나 핵심차종을 목표로 맞춤형 부품생산 지원을 추진한다.
기술표준과 관련해서는 수소충전소 안전기술, 수소생산 기술, 수소상용차 표준 등 2030년까지 10여건의 국내 기술을 국제표준으로 제안하고, 수소기술총회 및 국제표준포럼 등을 개최해 국제협력도 본격화 할 계획이다.

보조금 정책은 생산규모, 배터리, 수소연료전지 가격, 성능 등 시장상황, 미래차 경쟁력 등을 감안해 2022년 이후 구매 보조금의 지급여부, 수준을 검토하며, 수소 가격은 2030년 현재의 50%수준으로 인하하고, 개별소비세 및 취득세 인하는 일몰 도래시 세제지원 연장을 적극 검토한다.

더불어 버스, 택시, 트럭 등 수소·전기차의 대량 수요를 발굴 및 확산할 계획이며, 충전인프라는 수소충전소를 2030년까지 660기, 전기충전기는 2025년까지 1만5,000기를 구축한다.

미래차 생태계 구축을 위해서는 핵심인력 2,000명 양성을 추진하고, 수출연계형 부품 R&D 및 마케팅 등을 지원한다.

설비투자는 산업구조 고도화 프로그램(10조원, 산·기은), 시설투자 특별온렌딩(1조원, 산은) 등을 활용해 적극 지원한다. 컨설팅, 기술, 자금, 인력 등 맞춤형 지원을 위한 컨트롤 타워로서 '부품기업 사업재편 지원단'을 가동한다.

사업재편 지원단은 자동차연구원이 총괄하고 한국산업기술진흥원(KIAT)과 한국산업기술평가관리원(KEIT)이 연구개발(R&D) 참여를 지원하고 신용보증기금과 기술보증기금은 금융지원을, KOTRA는 판로개척, 자동차부품산업진흥재단은 컨설팅과 교육, 완성차기업은 수요발굴과 부품기업 연계를 지원한다.[138)]

138) ZD Net Korea '산업부, 자동차 부품기업 미래차 전환 지원... 올해 예산 50억 원 확보'

더불어 핵심소재·부품의 자립도를 50%에서 80%로 제고하고 단기 국산화 품목은 수요연계형 기술개발, 신뢰성 시험 등을 지원하고, 중장기 개발 품목은 해외 M&A, 투자자금 지원, 소재·부품 전용 펀드 지원 등을 추진할 계획이다.[139)]

업계에 따르면 환경부는 2023년부터 전기·수소차를 일정 비율 이상 판매하지 않은 기업에 기여금을 부과하는 제도를 시행한다. 저공해차(하이브리드, LPG 포함) 보급 목표제와 무공해차(전기·수소차) 보급 목표제는 원래부터 있던 제도인데, 기여금 명목으로 기업에 벌금을 부과하는 것이 2023년에 새로 도입된다.

2019~2021년 3년간 연평균 판매량이 4500대 이상인 기업이 2022년에 보급 목표 대상기업으로 정해졌다. 현대차(187,000원 ▼ 6,500 -3.36%)와 기아(77,400원 ▼ 1,500 -1.9%), 르노코리아, 쌍용차, 한국지엠, BMW, 메르세데스-벤츠, 아우디폭스바겐, 도요타, 혼다 등 10개 기업이다. 연평균 판매량이 10만대 이상인 현대차와 기아는 전체의 12%, 나머지 8개 기업은 전체의 8%를 전기·수소차로 팔아야 한다.

목표를 달성하지 못한 기업은 미달 차량 1대당 60만원의 기여금을 내야 한다. 기여금은 2026년부터 1대당 150만원, 2029년 이후 300만원으로 부담이 커진다. 기여금 규모 상한은 해당 기업의 총매출액의 1%를 넘지 않도록 제한된다. 전기차 충전소 설치와 같은 사업이 보급 실적으로 인정되고, 타 기업의 초과 실적을 구매할 수 있다. 보급 실적은 판매 수량을 단순 합산하지 않고, 전비와 주행거리 등을 고려해 차종별로 1.2~3점이 매겨진다. 보급 목표를 초과 달성할 시 실적을 다음 해로 이월할 수 있다.[140)]

---

139) 2030년 수소·전기차 비중 33%/신소재경제
140) 조선비즈 '전기차 부진한 르·쌍·쉐 내년부터 수십억 벌금 낼 듯'

대세는 전기차 수소차다. 2021년 기준, 국내 전기차 보급대수는 23만1,443대로 전년대비 71.5% 증가했고 수소차는 1만9,404대로 전년대비 77.9% 증가하는 등 급격한 증가 추이를 나타내고 있다.[141)]

이에 정부는 전기차 보급을 5년 안에 10배로 늘리는 등 자동차 부문의 국가·산업 경쟁력을 높여 저탄소 경제로의 전환을 적극적으로 견인하는 다양한 정책을 펼치기로 했다.

환경부는 그린뉴딜 주관부처로서 친환경 미래 모빌리티 보급 확대를 위한 재정투자와 제도 개선을 통해 자동차 부문의 녹색 전환을 완성하겠다고 밝혔다. 그리고 2024년까지 노후 경유차는 한 대도 운행되지 않게 하겠다는 강한 의지를 보였다. 환경부는 이에 20조3000억 원을 들여 15만1000개의 일자리도 창출하겠다는 목표도 발표했다. 정부는 과감한 재정투자로 자동차 산업구조의 녹색 전환을 가속화하고 동시에 우리나라 자동차 산업이 전 세계 미래차 시장을 선점하고 경쟁 우위를 확보할 수 있도록 이끈다는 계획이다. 이를 통해 녹색 일자리를 창출하고, 수송 분야에서 발생하는 온실가스와 미세먼지를 획기적으로 저감할 수 있을 것으로 환경부는 기대하고 있다.

먼저 환경부는 전기자동차 대중화 시대를 열어 온실가스와 미세먼지 걱정 없는 친환경 교통체계를 구축할 계획이다. 2025년까지 전기자동차는 승용·버스·화물차 누적 113만대를 보급하고, 충전 기반시설은 누적 4만5000기를 확충한다. 현재 우리나라 전기차 대수는 11만3000대고, 전기충전기는 2만2000기가 있다. 환경부는 친환경차 확산을 위해 보조금 지원시한을 최대 2025년까지 연장하고 지원물량을 대폭 확대할 예정이다. 세제 혜택 연장과 함께 충전요금 부과체계 개선 등도 적극적으로 추진한다. 2025년까지 전시·체험 시설을 복합적으로 갖춘 랜드마크형 전기차 충전소(장소 미정)도 4곳 구축한다.

아울러 국산 전기자동차 기술개발에 약 1300억 원을 투자하고 신규 공동주택의 충전기 의무대상 범위·설치 수량을 확대하는 등 각종 제도를 개선해 2025년까지 113만대 보급을 뒷받침한다는 방침이다. 저공해차 보급목표제(자동차 판매사가 저공해차를 일정 비율 판매하도록 의무화하는 제도)를 강화해 미래차 수요에 대응하는 공급 물량도 안정적으로 확보할 계획이다.

환경부 관계자는 "전기차를 2030년에는 300만대(전체 판매차의 33%), 2040년에는 830만대를 보급한다는 장기적인 계획하에 국내 기술 개발 동향 및 수요 등을 종합적으로 고려해 보급 전략을 구체화했다"고 설명했다.

---

141) 투데이에너지 '주요소,2017년 이후 매년 200여개 폐업'

수소차는 중·대형 스포츠실용차량(SUV) 중심의 승용차와 함께 중·장거리 버스, 중·대형 화물차 등으로 보급 차종을 늘려 2025년까지 누적 20만대를 보급할 계획이다. 수소 버스는 올해 시내버스 보급을 시작으로 차량 특성에 맞게 중·장거리 버스까지 확대해 2025년까지 4000 대를 보급한다. 중·대형 화물차는 내년부터 수도권-충청권 내에서 시범사업(5대) 후 2025년까지 총 645대를 보급한다. 사업용 수소차에 대해서는 전기 충전요금 수준까지 비용을 낮출 수 있도록 연료 보조금을 지급하고, 2025년까지 수소충전소 누적 450기를 구축할 계획이다.[142)]

정부가 전기차와 수소차 등 미래차의 대중화 시대를 열기 위해 '미래차 추진단'을 구성하고, 본격적인 활동에 나섰다.

환경부는 우선 수소충전소 확대가 가장 시급한 과제라는 판단 하에 관련 대책을 중점적으로 추진할 예정이다. 오는 2025년까지 수소충전소 450기(누적)를 구축하는 것이 목표다. 환경부는 애초 올해 안에 100기의 수소충전소를 구축하는 것이 목표였으나, 72기 정도만 구축할 수 있을 것으로 예상하고 있다. 또 수소충전소 구축을 지원하기 위해 실무자들이 참여하는 TF도 구성했다. 이 TF에서는 수소충전소 관련 규제 등 제도 개선을 추진하고, 구축사업 공정 관리 및 신규 부지 발굴 등의 역할을 한다.

환경부는 수소충전소가 지역 곳곳에 있는 만큼 유역·지방환경청의 역할도 강화하기로 했다. 8개 환경청별로 '청장 담당제'를 도입해 연내 준공해야 하는 과제 등 중요사업을 책임감 있게 관리하도록 하고, 지역 차원에서 홍보 및 소통도 하도록 했다. 또 환경청별로 수소충전소 실무 담당자를 지정해 관할 지역의 수소충전소 구축 현황도 점검하고 관리하도록 했다.

환경부 관계자는 "친환경 미래 모빌리티 보급 정책의 여러 분야 중 수소충전소 보급이 가장 시급하다고 판단해 '미래차 추진단'에서 먼저 다룰 예정"이라며 "향후 전기충전소 확대 등 다른 분야로도 논의를 확대할 것"이라고 말했다.[143)]

142) 전기차 대중화 시대 활짝 열린다...5년 안에 113만대 보급 / 데일리 이코노미
143) 정부, 전기차·수소차 보급 확대 위해 '미래차 추진단' 출범 / 지피코리아

3) 국내 도시별 정책 추진 방향

가) 서울시

서울시가 2026년까지 전기차 10% 시대 달성을 위해 하반기 다양한 차종의 전기차 1만 278대를 추가 보급한다. 시는 지난 2월부터 전기차 1만 4,166대를 보급해 왔으며, 이번 하반기 추가 예산을 확보·보급함으로써 올해 총 2만 4,400대 이상의 전기차를 보급한다.

서울시가 2009년부터 2021년까지 보급한 전기차는 총 5만 2,400대이며, 2022년 한 해에 지난 13년간 보급한 전기차의 47%에 해당하는 2만 4,400대 이상을 보급해 누적 7만 7,000대를 돌파할 전망이다.

전기차에 대한 시민들의 높은 관심으로 2022년 상반기에는 보급물량 1만 4,166대를 120% 초과한 1만 7,027대가 접수됐다. 또한 서울에서만 2만 7,000여명의 전기차 구매 계약자가 차량 출고를 대기 중인 상황으로, 서울시는 차량 생산 추이 등을 분석해 최대한 많은 시민에게 보조금 혜택이 돌아갈 수 있도록 추가보급 계획을 세웠다.

이번 추가 보급물량은 각 차종별로 ▲승용차 7,022대 ▲화물차 444대 ▲이륜차 1,000대 ▲택시 1,500대 ▲버스 312대다. 이 중 민간 공고물량은 총 8,410대, 대중교통 보급물량은 1,800대다.

먼저, 전기 승용은 다양한 신차 출시에 따른 시민들의 수요를 반영하여 상반기 6,300대 보다 많은 7,000대를 하반기에 추가 보급한다. 전기승용차의 보조금은 차종에 따라 최대 900만 원(국비 700, 시비 200)까지 지급되며, 8,500만원 이상 차량은 보조금 지원대상에서 제외된다.

또한, 택배·마을버스 등의 경유차 조기 퇴출과 주행거리가 길어 온실가스를 다량 배출하는 시내버스(승용대비 온실가스 30배 이상 배출)를 전기차로 전환하기 위해 화물 400대와 버스 300대를 추가 보급한다. 전기화물차의 경우, 차종에 따라 900만 원에서 최대 2,628만 원까지 보조금을 지원한다.

전기이륜차는 주택가 대기오염 배출과 소음의 주요 원인으로 지목되는 배달용 내연기관 이륜차를 2025년까지 전기이륜차로 100% 조기 전환하기 위해 1,000대를 추가 보급한다. 전기이륜차 구매보조금은 최대 300만원(국비 150, 시비 150)까지 지원한다.

또한, 2022년 상반기 보급물량 1,500대 대비 300% 이상의 접수율을 보인 전기택시도 1,500대를 추가 보급하기로 결정했다.

전기택시, 전기버스의 보조금 신청 접수 및 지원 대상 선정 등은 도시교통실의 별도 계획에 따라 추진할 예정이다.

2022년 최초로 시범보급을 시작한 의료·복지시설의 순환·통근 버스(승합)도 약자와의 동행의 일환으로 상반기 10대에 이어 하반기에도 10대를 추가 보급함으로써, 몸이 불편한 환자와 어르신들이 보다 편리하게 이동할 수 있을 것으로 예상한다. 보조금은 최대 1억까지 지원한다.[144]

144) 내손안에 서울뉴스 '전기차 보조금 1만대 추가 지원 승용·화물·이륜차 보급'

나) 인천시

인천시가 수소전기자동차 구매자에게 대당 보조금 3250만원(국비 2250만원, 시비 1000만원)을 지원한다. 시는 2022년 수소전기자동차 총 500대를 보급할 계획이다. 시는 환경 친화적 자동차 보급을 확대하고 대기환경을 개선하기 위해 '2022년 수소전기자동차 민간보급사업'을 추진한다고 밝혔다.

보조금 신청대상은 구매신청서 접수일 기준으로 인천시에 30일 이상 거주한 모든 시민이다. 접수 전날 시에 사업자등록을 한 개인과 법인, 단체, 공공기관도 신청 대상이다. 지원을 원하는 구매자는 2개월 이내 출고 가능한 차량에 한해 자동차 제조·판매사와 구매계약을 체결하고 지원신청서를 제출해야 한다. 보조금은 차량 소진 시까지 차량 출고·등록 순으로 지원한다.

수소전기자동차를 이용할 경우, 휘발유차 대비 연료비 약 20%(넥쏘 17인치 기준)를 절감할 수 있다. 또한, 공영주차장 주차료와 고속도로 통행료 50% 할인 혜택도 받는다. 개별소비세 최대 400만원과 교육세 최대 120만원, 취득세 최대 140만원 등 세제 감면 혜택도 받을 수 있다.

2021년 12월 기준 인천에 보급된 수소차량은 총 1009대다. 시민들이 이용 가능한 수소충전소는 ▲남동구 H인천수소충전소 ▲중구 인천국제공항공사 T1·T2 ▲중구 인천그린수소충전소 ▲서구 태양수소충전소 등이다.

시는 2025년까지 관내 수소충전소를 20개소로 늘려 수소차 보급을 지속적으로 확대해 나갈 계획이다.

유준호 시 에너지정책과장은 "기후 위기를 극복하기 위해 승용차는 물론 대중교통, 화물차 등의 연료를 친환경 에너지로 바꾸는 것이 중요하다"며 "수소전기자동차 보급을 확대하기 위해서는 충전 인프라 구축이 필요한 만큼 수소충전소 확충에도 주력하겠다"고 말했다.[145]

145) 인천투데이 '인천시, 올해 수소차 500대 보급...1대당 3250만원 지원'

다) 광명시

경기 광명시가 기아 오토랜드에 수소복합충전소를 준공한 데 이어 수소전기자동차 구매 보조금을 추가 지원하기로 하는 등 친환경 교통수단 확대에 나선다고 밝혔다. 수소차 등 친환경 교통수단에 대한 시민들의 관심과 구매 문의가 늘어나는 데 대응하기 위한 조치다.

시는 2022년 4월 선제적으로 추경예산 총 10억 원을 확보했다. 이 예산은 2022년에 총 30대의 수소전기자동차 구매 보조금을 지원하기 위한 예산이다. 시는 현재 수소전기차 구매 시 3250만원의 보조금을 지원하고 있다. 광명시에 1개월 이상 주소를 둔 만 18세 이상 시민 및 지역기업, 법인 등이 수소전기자동차 제작·수입사와 구매계약을 체결하면 시가 접수된 신청서를 검토한 뒤 2개월 내에 출고가 가능한 차량에 한해 순차적으로 보조금을 지원한다.

시 관계자는 "수소전기자동차는 배출가스와 소음이 없어 친환경 교통수단으로 주목받고 있다"며 "수소차를 구매하고자 하는 시민이 늘어날 것으로 예상되는 만큼 이에 대한 지원을 지속적으로 확대 하겠다"고 말했다.[146]

라) 수원시

수원시민이 2022년 수소전기자동차를 구매하면 보조금 3250만 원을, 전기승용차를 사면 최대 1050만 원을 지원받을 수 있다.

수원시는 2022년 12월 9일까지 '2022년 수원시 수소전기자동차 보급사업'을 전개한다. 수소전기자동차 150대, 전기자동차 1380대(승용차 1200대, 화물차 180대)를 보급할 계획이다. 보조금 신청일 기준 수원시에 60일 이상 연속으로 거주한 수원시민, 수원시에 주소를 둔 사업자·단체·법인이 신청할 수 있다.

수소전기자동차 넥쏘(승용)을 구매하면 3250만 원을 지원받을 수 있다. 환경부 무공해차 구매보조금 지원시스템(http://www.ev.or.kr/ps)으로 신청 서류를 제출해야 한다. 자동차 출고·등록순으로 지원 대상자를 선정한다.

전기승용차는 차종별로 보조금이 다르다. 전기승용차는 최대 1050만 원, 전기화물차는 최대 2547만 원을 지원받을 수 있다. 보조금 지원 차량은 무공해차 통합누리집(https://www.ev.or.kr)에서 볼 수 있다.

146) 한경사회 '광명시, 수소전기차 보조금 늘린다'

구매 희망 차종의 자동차 판매지점에서 구매계약을 체결하고, 2개월 이내에 차량 출고·등록이 가능할 경우 신청서를 작성·제출하면 된다. 무공해차 통합누리집에서 신청할 수 있다. 자동차 출고·등록순으로 지원 대상자를 선정한다.

수원시는 2021년 말 기준으로 시민들에게 수소차 287대를 보급했다. 지난해 3월 영통구 동부공영차고지에서 수원시 1호 수소충전소인 '수원영통 수소충전소'를 준공하는 등 '수소생태계 구축'에 앞장서고 있다. 또 권선구청 인근 녹지대에 '수원시 2호 수소충전소(서부권)'를 설치할 예정이다. 수원시 동·서·남·북부권에 수소충전소를 설치해 수원 어디에서나 20분 안에 수소충전소를 갈 수 있는 환경을 만드는 것을 목표로 한다.

전기자동차는 2021년 한 해 동안 1332대를 보급하는 등 보급을 꾸준히 늘려가고 있다.

전기자동차는 일산화탄소, 질소산화물, 미세먼지 등 대기오염 물질을 배출하지 않는다. 1대 운행으로 1년 동안 온실가스 1.4t을 감축할 수 있다. 연 2만km를 운행하면 동급 휘발유 차량 대비 유지비용 250여만 원을 절감할 수 있다.

수원시 관계자는 "수소전기자동차와 전기자동차 등 '탈내연기관 자동차'를 적극적으로 보급해 '친환경 에너지 전환'에 앞장서겠다"며 "친환경자동차가 늘어날수록 대기질은 개선될 것"이라고 말했다.[147)]

---

147) 수원특례시 보도자료 '수원시, 친환경 수소·전기 자동차 구매하는 시민에게 보조금 지원'

마) 세종시

세종시가 2022년에 전기차, 수소차 등 무공해차 1010대를 보급한다. 이 중 전기차는 910대, 수소차 100대며 전체 보급규모는 전년 657대 대비 50% 이상 증가했다. 보급대수가 확대된 만큼 보조금 신청은 상·하반기 2회에 걸쳐 진행된다.

주요 차종별 지원금액은 일반승용 전기차의 경우 최대 900만 원이며, 1톤 화물 전기차는 최대 1800만 원, 수소차 구입 시에는 3250만 원을 지원한다. 시는 무공해차 보급 확대에 이어 2022년부터 무공해 대중교통체계 구축에 나선다.

먼저 전기택시 67대, 전기버스 20대를 최초로 보급하고, 점진적으로 보급대수를 확대할 방침이다. 대중교통의 경우 운행거리가 길고, 시민 노출 빈도가 높다는 점에서 시는 이번 무공해차 대중교통체계 구축이 대기환경 개선과 무공해차 대중화에 기여할 수 있을 것으로 보고 있다.

박판규 시 환경정책과장은 "2022년도에는 시민들의 무공해차 구매 수요에 충족하고자 보급대수를 대폭 확대했다"라며 "보급차종 확대와 충전인프라 조기 구축을 통해 무공해차 시대 개막을 위해 시가 선도적으로 노력할 것"이라고 말했다.[148)]

바) 충북도

충북도는 수소사회를 선도하고 녹색교통 전환을 통한 대기질 개선을 위하여 2025년까지 수소충전소 24개소, 수소차 8000대를 보급한다.

도에 따르면 무공해 미래자동차인 수소차 보급 확대를 위해서는 촘촘한 수소충전소 구축이 무엇보다 중요한 만큼 2025년까지 24개소의 충전소를 구축할 계획이다.

특히 청주를 시작으로 수소충전소가 3개소가(청주 2, 충주 1) 본격적으로 가동되면서 그동안 불편을 겪었던 수소차 이용자들의 편이성과 접근성이 향상되어 수소차에 대한 관심도가 크게 증가했다. 음성, 제천 수소충전소가 추가로 준공하는 등 수소차 이용에 불편을 조기에 해소하기 오는 2022년까지 11개 시·군 모두에 수소 충전소를 설치한다는 방침이다. 이어 수소충전소 구축으로 안정적 충전 서비스 체계가 점차 개선되고 친환경차 보급 중심의 정부 정책변화에 따라 2025년까지 8000대 수소차를 확대 보급할 계획이다.[149)]

---

148) 세종포스트 '세종시, 올해 전기차 910대 수소차 100대 보급한다'
149) 충북도, 수소사회로 가는 디딤돌 수소차 보급에 박차 / 동양일보

사) 김해시

경남 김해시가 새로 바꾸는 공공부문 차량을 모두 전기·수소차로 구매·임차하고 2030년 까지 모든 시내버스를 전기·수소버스로 바꾸는 등 친환경차 보급을 적극 추진한다. 김해시는 '김해형 그린뉴딜 사업'의 하나로 공공·대중교통 분야 내연기관 차량을 모두 없애고 민간부문은 전기차와 수소차 등 미래형 친환경차 보급을 확대한다고 밝혔다

시는 2025년까지 전기승용차 4600대, 수소승용차 1290대, 전기버스 160대, 수소버스 15대, 전기택시 60대 등 친환경차 6125대를 보급할 계획이다. 이를 위해 새로 구매·임차하는 공공부문 차량은 100% 전기·수소차 등 친환경차량으로 전환한다. 시 산하기관 공용차량도 의무적으로 친환경 차로 전환한다.
대중교통도 전기버스로 운행하고 수소버스도 도입해 운행한다. 2021년부터 폐차하고 새로 구입하는 시내버스는 전기·수소버스로만 보급해 2030년에는 내연기관 버스가 모두 없어진다. 택시의 경우 전기·수소택시로 전환하면 우선 지원 자격을 부여해 친환경택시 보급을 확대한다.

민간에도 노후 경유차를 빨리 폐차하면 전기·수소차 구매보조금 우선 지원 자격을 준다. 배달용 내연기관 이륜차를 전기이륜차로 바꿀때도 우선해서 지원한다.

시는 전기·수소차 보급과 함께 2025년까지 공공급속전기충전기 250기를 구축한다. 수소충전소는 현재 설치 중인 김해수소충전소(김해시 안동)를 시작으로 권역별로 확대한다. 시는 고농도 미세먼지 비상저감조치 발령 때 노후 경유차 운행제한으로 배출가스 5등급 노후차량 조기폐차를 유도하고 노후차량 조기폐차 지원범위를 농기계까지 확대한다고 밝혔다..지게차, 굴삭기 등 건설기계는 엔진교체 및 매연저감장치(DPF)를 부착하고, 어린이 통학차량은 액화석유가스(LPG)차로 바꾸어 친환경차량으로 전환한다.[150)]

150) 김해시 공공부분 차량 모두 전기·수소차로 구입 / 서울신문

아) 영천시

영천시가 전기 저상버스 2대를 도입해 정식 운행을 시작했다. 영천시는 전기저상버스 운행을 위한 안전점검 및 시범운행을 실시하고, 전기저상버스 2대를 승객이 많은 55번 노선에 배차해 운행한다고 밝혔다.

영천시가 도입한 전기 저상버스는 현대자동차의 일렉시티다. 지난 2017년 처음 출시된 일렉시티는 2021년 10월 페이스리프트를 거치면서 290kWh의 리튬이온 배터리로 업그레이드를 해 환경부 인증기준(시속 73km 정속주행) 68분 충전으로 420km 주행이 가능하다.

이 버스는 도심형 저상버스 구조로 제작돼 휠체어를 탄 교통약자도 도움 없이 탑승할 수 있으며, 실내에는 교통약자를 위한 전용공간도 마련돼 있다. 현재 경유 저상버스 2대를 운행하고 있으며, 앞으로 도입하는 모든 버스를 친환경차로 전환할 계획이다.[151]

자) 전주시

전주시(시장 우범기)는 전기차 충전 편의성을 높이기 위해 2022년 말까지 공공기관과 공영주차장 등 55개소에 전기차 충전시설 165기(급속 48기, 완속 117기)를 추가 설치한다고 밝혔다.

이로써 전주시내 전기차 충전시설은 1,755기(급속 179기, 완속 1,576기)에서 1,920기(급속 227기, 완속 1,693기)로 늘어나게 됐다. 전기차 충전시설 확충은 점점 늘어나는 전기차와 그로 인한 충전 수요에 부응하기 위해 추진된다. 특히, 이번에 설치되는 충전시설 가운데에는 교통약자 배려충전소 4기가 포함됐다. 전주에 교통약자 배려충전소가 설치되는 것은 이번이 처음이다.

전주시는 민간사업자와 함께 비용을 분담해 전기차 충전시설을 설치하기로 했다. 민간사업자는 충전기 설치와 유지 관리를 맡기고, 시는 기반시설 설치비용을 부담할 계획이다. 충전시설 설치 업체를 모집 후 충전시설을 설치해 2023년 1월부터 이용할 수 있도록 한다는 계획이다. 나아가 충전을 기다리는 다른 이용자에게 불편을 주지 않도록 충전완료 안내문자 서비스를 도입하는 등 전기차 충전 편의를 높이는데 공을 들인다는 방침이다.

---

151) 교통뉴스 '경북 영천시, 전기 저상버스 2대 도입'

‘환경친화적 자동차의 개발 및 보급 촉진에 관한 법률’ 개정에 따라 총 주차면수가 50면 이상인 공영주차장이나 공공건물 부설주차장은 충전시설 의무설치 대상이어서 2023년 1월 27일까지 충전시설 설치가 완료돼야 한다.

이와 함께 공중이용시설은 2024년 1월 27일까지, 100세대 이상 아파트는 2025년 1월 27일까지 전기차 충전시설을 구축해야 한다. 해당 기간까지 충전시설이 설치돼 있지 않으면, 관련법에 따라 이행강제금이 부과된다.

전주시 민선식 복지환경국장은 “전기차 충전시설 확충을 통해 전기자동차를 이용하는 시민들의 불편을 최소화하고 전기차 보급을 확산해 온실가스 감축 및 미세먼지 저감에 힘쓰겠다”며, “탄소중립 사회로 나아가기 위해서는 친환경 차량 확대 등 수송부분의 변화가 필요하며, 친환경 차량 및 충전시설 보급 사업을 적극 추진하겠다”고 말했다.[152)]

차) 부안군

부안군이 전기자동차 충전소를 대폭 확대해 대기환경 개선에 앞장서고 있다. 군은 민선 7기 들어 대기환경 개선을 위한 정부의 친환경 자동차 보급 정책 및 전기자동차를 소유하고 있는 주민들의 의견을 수렴해 전기자동차 충전소를 확충하기 시작했다.

이를 통해 대기오염을 유발하는 내연기관 자동차 운행을 감소시키고 친환경 전기자동차 확대에 기여했다. 실제 부안군 전기자동차는 지난 2017년 18대에서 2021년에는 193대로 크게 증가하면서 충전편의 제공을 위한 주민들의 의견이 많았다.

이에 따라 군은 지난 2017년 8면에 불과했던 전기자동차 충전소를 2018년 23면, 2019년 25면, 2020년 51면, 2021년 55면 등 민선7기 들어 무려 154면을 지속적으로 확대해 총 162면으로 크게 늘었으며 2022년에도 추가적으로 전기자동차 충전소를 확충할 계획이다.

이 중 급속충전소는 51면, 완속충전소는 111면이다.

152) 인더스트리뉴스 ‘전주시, 전기차 충전시설확대... 급속 48기, 완속 117기 55곳에 165기 설치’

특히 2021년에는 부안읍 자연마당·사회복지회관·매창공원, 행안면 스포츠파크, 변산면 누에타운·변산해수욕장·모항해수욕장·물소리휴게소·변산반도국립공원 내변산분소·고사포야영장·변산자연휴양림, 보안면 청자박물관, 줄포면 줄포생태공원·줄포면사무소, 계화면 계화면사무소, 하서면 새만금환경생태용지, 백산면 백산면사무소 등 18개소에 34면의 급속충전소를 설치했다. 부안읍 상설시장 주차장(2면)과 하서면 신재생에너지테마파크 주차장(4면)에도 충전소가 설치 중이다.

앞으로 군은 설치된 지 5년이 경과된 노후 충전소를 초 급속 충전소 교체 등으로 충전시간 단축을 통해 전기자동차 소유 주민들의 편익을 증진시킬 예정이다.

군 관계자는 "전기자동차 충전소 확대 보급을 통해 관내 전기자동차 소유자 및 부안을 찾는 전기자동차 보유 관광객에게 충전편의를 제공할 것"이라며 "대기오염이 없는 전기자동차 보급 확대에 기여해, 대기환경 개선을 통한 삶의 질 향상 및 정주여건 조성에 큰 효과가 기대된다"고 말했다.[153]

---

153) MiMiNT뉴스 '부안군, 전기자동차 충전소 대폭 확대 대기환경 개선 앞장'

4) 세부 추진 방향

가) 차량보급 활성화

정부는 2022년까지 전기승용차는 35만대, 수소승용차 1.5만대, 수소버스(대형) 1천대(잠정) 를 목표로 특성 및 인프라 현황을 감안하여 전기 승용차는 중·단거리 위주로 보급할 계획이다. 전기승용차 같은 경우 도심 주행 등 단거리 이동수단에 유리(배터리 용량에 따라 주행거리가 결정되며 장거리로 갈수록 많은 배터리 필요)하기 때문이다.

전기승용차는 2022년까지 보조금을 유지하되, 내연기관 차와의 가격 차이, 핵심 부품 발전 속도, 보급 여건 등을 고려하여 지원 단가를 조정할 계획이다.

수소승용차는 아직 개발 초기 단계이기 때문에 가격 경쟁력을 충분히 확보해야한다는 이유로 수소차는 대량 생산에 따른 규모의 경제가 실현될 때까지 보조금 유지하되 단계별 단가를 인하하기로 했다.

또한 초기 시장 형성을 지원하기 위해 전기충전 요금 및 수소충전 가격을 적정수준으로 관리한다. 수소차 역시 등급 내연기관차량 대비 경제성을 확보할 수 있는 수준으로 수소가격 기준을 관리한다.

또한 보조금 지원 단가 조정에도 소비자 부담이 증가하지 않도록 기술개발, 대량생산 등을 통해 전기·수소차의 가격 인하를 유도한다.

대기환경 개선효과가 높은 상용차의 무공해차 전환을 가속화하기 위한 지원도 강화한다. 전기택시에 지원하는 추가 보조금 200만 원을 유지하고, 승용 전체 물량의 10%를 택시에 별도 배정하고, 화물차 보급물량의 20%를 법인·기관 물량으로 별도 배정해 배달용 화물차 등 영업용 화물차의 무공해차 대량 전환을 지원한다.

아울러, 정차시간이 길고 공회전이 많은 어린이 통학차를 전기승합차로 구매할 경우 보조금을 500만 원 추가 지원하고, 초소형 승용·화물차를 특정 지역 내에서 환승용, 관광용 등으로 구매하는 경우 보조금을 50만 원 추가 지원한다.

앞으로 사용 후 배터리가 급격히 늘어날 것으로 예상되기 때문에 정보제공을 통해 성능평가 시간이 단축되면 사용 후 배터리의 수급 및 매각이 촉진되는 등 재활용 활성화에 도움을 줄 것으로 보인다. 수출 등의 경우 의무운행기간을 2년에서 5년으로 연장해 보조금을 지원받은 전기차의 해외 반출을 최소화할 계획이다.[154]

---

154) 대한민국 정책브리핑 '전기차 보조금 지원대상 2배 확대...대당 보조금 지급액은 낮춰'

친환경차 개발 · 보급 중장기('21~'25) 기본계획 발표[155)]

- **(보급) 친환경차를 25년까지 283만대, 30년까지 785만대 보급**
  자동차 온실가스를 30년까지 24% 감축

- **(기술) 내연기관차와 동등수준의 전기차 · 수소차 성능 확보**
  그린수소 · 메탄 등 탄소중립 시대를 개척하는 미래기술 개발

- **(생태계) 25년까지 500개, 30년까지 1000개의 부품기업을 미래차 전환**
  미래차 분야 중소 · 중견 유망기업 육성

산업부와 환경부가 발표한 '공공부문 친환경차 2021년 구매실적과 2022년 구매계획'에 따르면, 2021년 공공부문 609개 기관에선 총 7458대의 신규 차량을 구매·임차했고, 이중 73.8%인 5504대가 무공해차로 확인됐다. 2020년 1806대에 대비 3배 수준으로 증가한 수치다. 무공해차(전기·수소차)를 포함한 저공해차는 전체 7458대 중 90% 이상인 6927대를 차지하며 전년 대비 14.3% 증가했다. 기관장 차량으로 전기차나 수소차를 운용하는 기관은 120개로 2020년 39개 대비 3배 이상 증가했다.

친환경차 의무구매 임차 대상 609개 기관 중 2021년 저공해차(무공해차+하이브리드 등) 의무비율을 달성한 기관은 510개로, 2020년 422개 대비 20.9% 증가했다. 달성률 또한 2020년 69.3%에서 83.7%로 14.4%포인트 늘었다.

환경부는 올해 의무비율을 달성하지 못한 기관 99개 중 지자체·공공기관 74개에 대해 '대기환경보전법'에 따라 300만원 이하의 과태료를 부과할 계획이다. 정부 등 공공부문은 올해 구입할 차량 6538대 중 무공해차를 5510대(84.2%) 도입할 계획을 세운 것으로 확인됐다.

국가기관이나 지자체, 공공기관은 '대기환경보전법'과 '친환경자동차 개발·보급 촉진법'에 따라 신규 차량을 도입할 때 저공해차(친환경차)와 무공해차를 일정비율 이상 구매하거나 임차해야 한다.

산업부와 환경부는 공공부문의 전기·수소차 전환을 가속화하기 위해 현행 80%인 전기·수소차 의무 구매비율의 상향을 적극 검토할 계획이다. 이를 위해 2022년 하반기 중 대기환경보전법 시행규칙 및 친환경자동차법 시행령 개정 작업에 착수할 예정이라고 산업부 관계자는 설명했다.[156)]

---

155) KDI 경제정보센터 경제정책자료 '친환경차 개발 보급 중장기(21~25)기본계획 발표'

정부가 발표한 '미래 자동차 확산 및 시장선점 전략'에서 전기차 보조금 상한선을 적용하기로 하면서 주요 완성차 업체의 이해득실 계산이 시작됐다. 정부는 산업통상자원부·환경부 등 관계부처 합동 발표에서 미래 차 산업 발전을 위한 다양한 정책을 내놨다.

전기 택시의 경우 차종별 보조금에 추가 인센티브(200만원)를 주고, 전기버스·전기트럭은 최소 자기부담금으로 살 수 있게 한다. 일반 소비자와 관련된 부분은 전기 승용차다. 이날 발표에선 일단 가격 인하와 성능향상 촉진을 추진하고 가격 구간별 보조금 상한을 둬 보조금 '역진성'을 완화하겠다고 밝혔다. 역진성이란 조세 용어로는 소득이 낮은 사람이 더 많은 세금 부담을 갖는 것을 의미한다. 보조금은 혜택을 주는 것이어서 보조금의 역진성은 '비싼 차가 더 많은 보조금 혜택을 보는 것'을 말한다.

결론적으로 저렴한 전기차가 보조금 혜택을 더 많이 보게 하겠다는 의미다. 정부는 업계 의견 수렴과 부처 협의를 거쳐 내년도 보조금 지침에 반영할 예정이다. 전비(전력당 주행거리)나 저온 성능(저온에서도 주행거리가 덜 줄어드는 경우)에 따라 보조금을 차등하겠다는 계획도 내놨다.

156) 조선비즈 '작년 공공 신규차량 10대 중 7대는 전기 수소차'

나) 충전인프라 확충

(1) 전기차

정부는 급속충전소를 2025년까지 교통거점에 빅 데이터를 활용해 전국 주유소 수 만큼인 1만 2000곳 이상 구축하기로 했다. 전국 고속도로 휴게소 226곳(도로공사 199, 민자 27)에 1곳 당 평균 15기를 세우고, 국도휴게소 284곳, 졸음쉼터 53곳에 1곳 당 평균 4기를 만들기로 했다.

또한 전국 주유소·LPG충전소 1만 2000곳 중 국도변 접근성(100m이내)이 우수한 1500곳에 급속충전기 복합충전소를 구축하고, 공영주차장 1만 2000곳에 1곳 당 평균 2기를 만들기로 했다. 아울러 전기차 제작·수입사의 충전소 구축 인센티브를 제도화해 전기차 제작·수입사의 충전기 설치실적을 차량 보급실적으로 전환 가능하도록 유연성 확보 제도를 신설한다.

다음으로 정부는 완속 충전기를 오는 2025년까지 주거지·직장 등 걸어서 5분 거리 생활권에 50만 기 이상을 구축하기로 했다. 100세대 이상 아파트(1만 7656단지, 1073만면)에 주차공간의 4% 이상, 상업·공공시설(43만동, 475만면)에 주차공간의 3% 이상 구축하기로 했다. 연립·단독주택 등 충전 취약지역에는 주차공간(69만동, 223만면) 활용, 거주지 인근 공공·편의시설 충전기 확대 및 상시 개방, 가로등 충전기 보급 등을 추진하기로 하고 도농지역은 마을회관·경로당·복지시설 등 공동이용시설 중심으로 설치한다.

이와 함께 정부는 오는 2025년까지 전국 636개 버스차고지에 충전기 2500기(1곳당 평균 4기), 전국 1672개 택시 차고지에 충전기 6600기를 구축(1곳당 평균 4기)한다. 또한 '2030 무공해차 전환 100(K-EV100)' 및 친환경차구매목표제 사업장 등에 우선 설치를 지원한다. 렌트·리스, 물류·운수, 금융·제조, 대기업 등 대규모 업체를 대상으로 전기차 전환 목표와 연계 설치하고, 상용차 주요 제작사 전문 정비업체(104개사)에 충전기 구축을 지원한다.

대기관리권역 내 특정용도차량 전환을 위한 전용 충전기도 지원한다. 국공립 유치원·어린이집·초등학교 차량 우선 전환을 위한 시범사업을 실시하고, 물류센터 내 소형차량(1~2.5톤) 대상 2000여개 물류창고(냉동배송, 냉장 등 근거리 운송용)에 전용충전소를 구축·운영한다.[157)]

157) 대한민국정책브리핑 '전기차 급속충전소 2025년 주유소만큼 늘린다...1만2000곳 목표'

오는 2025년까지 거주지와 직장 등에 누적 50만기의 전기차 충전기가 설치될 계획이다. 2022년 이후 신축되는 건물에는 전기차 충전기를 5% 이상 의무 구축해야 한다. 고속도로 휴게소 197곳 등 이동거점에는 2025년까지 급속충전기를 누적 1만5000기를 구축한다. 정부는 이 같은 내용을 골자로 한 '미래자동차 확산 및 시장선점전략'을 발표했다.

정부는 2022년을 '미래차(전기·수소차) 대중화 원년'으로 삼고, 2025년까지 미래차 친화적 사회·산업 생태계를 구축할 방침이다. 정부는 앞서 한국판 뉴딜을 통해 2025년까지 전기·수소차 누적 133만대를 보급하겠다는 목표를 발표한 바 있다. 이번 계획은 전기·수소차 보급목표를 차질없이 이행하는 한편, 산업생태계를 미래차 중심으로 신속하기 전환하기 위해 마련한 것이다.

2021년 6월 기준 전국 전기차 충전기는 7만2105기로 2017년 대비 5.3배로 늘었다. 하지만 같은 기간 전기차 보급 대수는 2만5593대에서 17만6523대로 6.9배 증가하며 충전기 보급 속도를 뛰어넘었다.

전기차 충전기는 완속 충전기와 급속 충전기로 나뉜다. 2021년 6월 기준 완속 충전기는 전국에 5만9316기, 급속 충전기는 1만2789기(충전소 기준 약 8000개) 설치돼 있다. 정부는 전국 아파트와 상업·공공시설을 중심으로 2025년까지 완속 충전기를 50만 기 이상으로 늘릴 계획이다. 급속 충전기는 같은 기간 고속도로 휴게소와 주유소를 중심으로 충전소를 1만2000개까지 확충할 방침이다.

전체 부품기업 중 미래차 전장 부품기업이 4%에 불과한 점도 걸림돌이다. 반면 내연기관 전용부품 기업은 31.4%(2800곳)에 달해 산업 생태계 전환이 필요한 상황이다.[158)]

158) 2025년까지 전기차 충전기 50만기 이상 구축 / 한경경제

김휘강 산업통상자원부 신산업분산에너지과 서기관은 "국내 전기차 규모는 작년 23만8000대, 충전 인프라는 10만7000기"라며 "2025년이 되면 전기차 규모가 120만대 및 충전 인프라는 61만9000기로, 2030년은 전기차 362만대 및 충전 인프라 136만기가 될 전망이다"고 밝혔다.

2021년 국내 전기차 1대당 충전기가 2.2대였다면 2025년엔 1.9대, 2030년은 2.7대 수준이 될 것이란 예상이다.

우리 정부뿐 아니라 세계 각국이 탈탄소 정책을 추진하면서 전기차 시장도 빠르게 커지는 만큼 이를 뒷받침하는 충전 인프라도 갖춰나가야 한다는 의미다. 소비자 불편을 해소하는 한편, 기존 내연기관차용 주유소를 재활용하는 차원에서도 필요한 조치다.

최웅철 국민대 자동차공학과 교수는 "에너지원의 탈탄소 전략을 달성하기 위해 다양한 신재생 에너지 도입이 필요하다"며 "기존 전력망과 조화를 이룰 수 있는 체계적인 분산 에너지 활용은 최우선 추진 과제"라고 말했다.

부족한 충전 인프라를 확충하려면 △선제적 분산 에너지 인프라 구축 △지역 특성 반영 △지방자치단체 역할 강화 △민간 시장 활성화 △요금 체계 개편 등이 요구된다는 게 전문가들의 지적이다.

특히 분산 에너지의 확대가 요구된다는 목소리가 높다. 분산 에너지는 전력을 사용하는 공간·인근에서 전력을 생산·공급하는 체계를 말한다. 예를 들어 기존 주유소를 자가발전이 가능한 에너지 수퍼 스테이션으로 전환하는 방안이 대표적이다.

에너지 수퍼 스테이션은 내연기관 주유뿐 아니라 태양광 발전, 소규모 연료전지 발전 등을 통해 전기차 충전도 할 수 있는 개념으로 고안됐다.

전기차 충전 인프라를 신규로 충분히 구축하면 이런 방식의 체계를 도입할 필요는 없다는 지적도 가능하다. 그러나 노후 아파트, 회사 건물 등 전국 곳곳에 충전 인프라를 빠르게 구축하는 것이 현실적으로 쉽지 않다. 무엇보다 전기차 시대로 전환하면서 쓸모 없어질 기존 내연기관차용 주유소를 폐기하는 것보단 재활용하는 것이 친환경적이면서 에너지 인프라의 효율적 사용이란 해석이다.

또 급증하는 전기차의 전력 수요뿐 아니라 전반적 전력 사용이 증가할 것으로 고려하면, 이같은 분산 에너지 시스템 구축을 통한 효율적 전력 사용 체계를 구축하는 게 필요하다는 분석이다.

김 서기관은 "정부는 전력 수요의 지역적 분산을 유도하기 위해 ESS(에너지저장장치) 설치와 함께 전기차 충전기를 지속적으로 확충해 자가발전이 가능한 주유소인 '에너지 수퍼 스테이션'도 확대해 나갈 것"이라며 "현재 에너지 수퍼 스테이션은 정부뿐 아니라 SK에너지가 추진하고 있다"고 말했다.[159]

159) BUSINESS Watch '전기차 충전인프라 늘릴 대안은...'

(2) 수소차

향후 그린벨트 안에 수소충전소 설치가 가능해진다는 소식이 전해졌다. 그동안 수소충전소 설치 규제가 없던 일반 지역과 달리 그린벨트 안에서는 버스 차고지와 CNG(천연가스) 충전소에만 수소연료공급시설을 허용해왔다. 그런데 이에 더 나아간 규제개선을 통해 그린벨트 안의 수소충전소 설치 요건을 완화함으로써, 친환경 자동차의 충전 인프라가 더욱 개선될 전망이다. 보조금 또한 수소충전소 설치시 15억 원 한도 안에서 설치비용의 50%까지 지원받을 수 있다고 알려졌다.

한편, 수소전기자동차를 승용전기자동차로 품명을 등록해 다수공급자 계약 시스템에 등재할 수 있는 방안도 마련된다. 현재는 차량의 경우 세부품목별 2개 업체 이상인 경우에만 등재가 가능하게 돼있어 경쟁이 없는 차종의 나라장터 쇼핑몰 등록이 불가능韓전기차 주행거리 벤츠 앞서지만…충전인프라는 中 30분의1하다. 규제개선에 따라 앞으로는 수소차도 MAS 쇼핑몰 판매가 가능해진다.[160]

도심 주유소와 가스충전소가 주유·세차·정비 외에도 전기차·수소차 충전을 할 수 있는 곳으로 탈바꿈한다. 환경부와 한국환경공단은 정유·가스 공급 6개사와 '미래차(전기·수소차) 충전시설 확대를 위한 업무협약·을 체결했다. 이번 협약은 정부와 업계가 한국판 그린뉴딜 대표 과제인 미래차 보급 목표를 하루빨리 달성하자는 차원에서 접근성이 좋은 도심 주유소에 미래차 복합충전시설을 구축하기 위해서다.

이 협약에는 SK에너지, GS칼텍스, 현대오일뱅크, 에스-오일, SK가스, E1 등 정유·가스 공급 6개사가 참석했다. 환경부는 도심 내 주유소와 가스충전소를 전기차와 수소차 충전이 가능한 미래차 복합충전소를 구축해 미래차 생활거점의 충전여건을 대폭 개선할 계획이다.

먼저 2025년까지 협약에 참여한 업체의 주유소와 LPG충전소에 전기차 급속충전기 750기, 수소차 충전소 114개를 구축해 실생활 주변에 미래차 충전시설을 대폭 늘린다. 이에 앞서 환경부는 수소차 충전소 구축 가속화를 위해 환경부 차관 주재의 '범부처 수소충전소 전담조직(T/F)'을 출범했다. 범부처 수소충전소 전담조직은 관계 부처의 모든 역량을 집중해 수소충전소를 차질없이 구축할 계획이다.

---
160) 그린벨트 내 주유소에도 수소충전소 들어선다 / 머니투데이

수소차 구축 관련 인·허가권을 기초 지방자치단체에서 환경부로 한시 상향하는 방안을 추진하고, 복합충전소 활성화를 위해 그린벨트 내 수소충전소 입지 규제도 대폭 완화할 계획이다. 또 그동안 운영 적자 발생을 우려해 수소충전소 구축에 소극적이었던 지자체와 민간 사업자들의 참여를 이끌기 위해 수소연료 구입비를 한시적으로 지원하는 방안도 추진 중이다.[161)]

161) 전국 주유소, 전기·수소차 충전하는 복합충전소로 변신한다 / 뉴스1

6. 기업별 제품분석 및 기술현황

6. 기업 별 제품분석 및 기술현황[162]

가. 전기차

글로벌 기업들의 전기차 시장 선점 경쟁이 치열하다. 글로벌 완성차 업체들은 앞다퉈 전기차를 선보였으며 가격 경쟁력 확보를 위해 전기차 배터리 부품 및 소재 등을 외부에서 조달하고 있다. 테슬라를 비롯하여 벤츠, 도요타, BMW 등 다국적 자동차회사들은 전기자동차 생산에 올인하며 회사의 사활을 걸고 있다. 구글과 같은 IT업체들도 전기차 시장 진입을 시도하고 있어 향후 전기차 관련 기업들의 시장선점을 위한 경쟁이 치열할 것으로 보인다. **다음으로는 2022년 1분기 기준 세계 전기차 판매 순위를 우선적으로 확인하고자 한다.**

<2022년 1분기 세계 전기차 판매 5순위>[163]

Global Top 5 EV Brands Shipments Share, Q1 2022

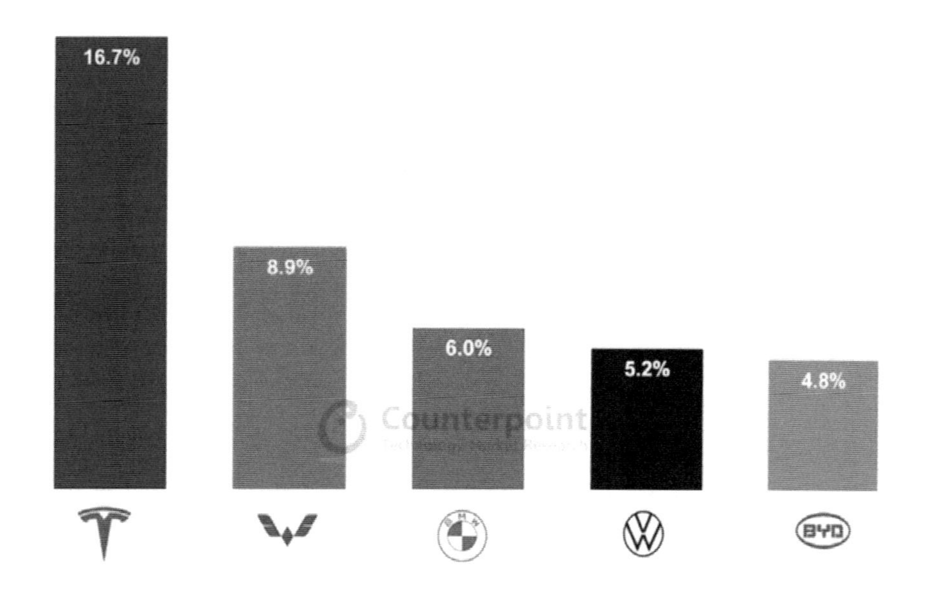

162) 카운터포인트 리서치 '2022년 1분기 글로벌 전기차 출하량, 전년 동기 대비 79% 증가, 테슬라 선두 유지'
163) 카운터포인트 리서치 '2022년 1분기 글로벌 전기차 모델별 출하량 트래커'

1) 테슬라

그림 63 테슬라 로고

2003년 설립된 테슬라는 여타 완성차 기업들과 달리 순수전기차(BEV)만을 제조하고 있다. 테슬라의 첫 번째 상용 전기차 모델은 2012년 출시된 프리미엄세단 '모델S'로 6만3750달러(약 7188만원)부터 시작된다. 2015년 출시된 '모델X'는 SUV 모델로 13만3000달러가 최저 사양의 가격이다. 2016년 출시한 '모델S'는 2012년 모델의 반값으로 3만5000달러부터 시작한다. 우리 돈으로 약 4000만원, 유사한 성능의 타사 제품이 5000만원을 훌쩍 넘는 것과 비교하면 파격적인 가격이다.

2017년 7월부터 3만 5000달러 수준의 보급형 전기차인 모델3의 양산도 개시했다. 모델3는 저렴한 가격과 우수한 성능을 갖추고 있어 전기차 시장에 큰 역할을 할 것으로 주목을 받았으며, 출시 전부터 32만 5000대가 예약되는 등 업계 호응이 높았다.

테슬라의 최대 강점은 타사 전기자동차에 비해 연료비가 매우 적거나 없다고 무방하다는 점이다. 미국 기준 테슬라의 완전충전에 드는 전기료는 9달러로 340km를 달릴 수 있다. 게다가 테슬라 급속 충전 스테이션인 슈퍼차저는 테슬라 차량 전용으로 운영되었으나 2021년 말 부터 시범적으로 유럽 일부 수퍼차저 스톨에 한정해 다른 전기차량에도 충전 할 수 있게 하였다.

상세한 계약 조건은 공개된 바 없지만 설치 부지를 땅/건물 주인에게 무상으로 제공받는 대신 설치 비용, 운영 비용(전기요금 등)은 모두 테슬라가 부담하는 방식으로 설치/운영하고 있는 것으로 알려져있다. 따라서 테슬라 수퍼차저를 도입한 땅/건물 주인은 주변에 복합시설을 설치한다거나 주차료를 받는 방식 등으로 수익을 창출하고 있다. 이와 반대로 테슬라 데스티네이션 차저의 경우 부지, 설치비용, 전기요금 등을 모두 땅/건물 주인이 부담해야 한다.

2022년 현재 슈퍼차저는 V3 충전기로 최대 250 kW 속도로 충전 할 수 있으며 최대 15분 충전으로 200 마일 (320 km)을 충전 할 수 있다. 다만 이건 2019년 이후에 출시/생산 된 차량에 한정이고 그전에 출시 된 테슬라 차량은 150 kW 혹은 그 이하로 충전이 제한된다.
향후 250kW V3 충전기를 300kW로 업그레이드할 계획이라고 한다.[164]

일반적으로 알려진 테슬라의 비즈니스 모델은 전기차 충전시스템의 유료화이다. 즉, 차량판매보다는 전기 에너지의 중개를 통한 수익모델인데, 이를 위해 테슬라는 전기차 충전시스템과 관련한 다양한 특허를 외부에 공개했다. 이를 통해 전기차 충전에 대한 표준과 인프라를 선점하고 테슬라 외의 전기차도 이 충전시스템을 도입해 사용하도록 함으로써 수익을 확보할 수 있다. 일반 차량의 주유비, 스마트폰의 통신비처럼 전기차의 충전은 사용자가 차량을 이동하는 동안은 평생 지불해야하므로 이에 대한 표준과 인프라를 주도적으로 구축함으로써 차량 판매보다 더 큰 전기 에너지 시장을 장악할 수 있다.

테슬라는 이를 위해 '기가팩토리'로 불리는 세계 최대 규모의 리튬 이온 배터리 공장을 건립하고, 그 규모를 늘려가고 있다. 공장의 이름인 '기가'는 10억을 나타내는 측정단위인 "giga"에서 기인한다. 현재 테슬라의 기가팩토리는 네바다, 뉴욕, 상하이, 베를린, 텍사스에서 가동·건립 중이다. 또한 테슬라의 엘론 머스크CEO는 지난 7월 트위터를 통해 테슬라가 중국 이외의 아시아 지역에 기가팩토리 설립을 검토하고 있다고 밝혀 배터리업체들이 몰려 있는 한국과 인도, 일본 등이 유력한 후보지로 거론되고 있는 상황이다. 테슬라는 공장에서 배터리를 대량으로 생산하여 전기자동차의 가격에서 큰 비중을 차지하는 배터리의 가격을 낮추겠다는 의지이다.

또 테슬라 차량 내에서 서드파티(소프트웨어나 주변 기기를 개발·공급하는 외부의 전문기업)의 콘텐츠를 사용하도록 하고 스마트폰 애플리케이션(앱)과 연동되는 서비스들을 외부에서 개발할 수 있도록 애플리케이션 개발 지원 도구(API)를 제공하는 방식으로 애플의 앱스토어와 같은 수익화 모델을 고려할 수도 있다. 차량 특성상 사용자에게 돈을 받는 모델에 있어 스마트폰과 비교도 되지 않을 정도의 고가로 책정할 수 있고, 서드파티에 비용을 받는 형태의 수익 모델 고려도 가능하다. 물론 수백만 대의 차량이 이동하면서 만들어내는 데이터를 기반으로 교통, 광고 등과 연계된 새로운 수익 모델을 발굴해 수익을 극대화하는 것도 생각해볼 수 있다.

기존의 차량 판매와 보수, 수리를 통해 소비자에게 돈을 받는 B2C(기업 대 개인) 비즈니스 모델을 넘어 콘텐츠와 서비스에 대한 B2C 수익 모델과 에너지와 API, 데이터 등을 기반으로 한 B2B(기업 간 거래) 비즈니스 모델에 이르기까지 다양한 형태의 수익 모델이 테슬라 자동차를 통해 보이게 될 것이다.

---

164) 나무위키 「테슬라 수퍼차저」

한편, 테슬라가 전기차 배터리를 직접 만들겠다는 계획을 밝혀서 화제가 되고 있다. 이를 위해 국내 배터리 장비 업체에 전자석탈철기를 수십 대 주문한 것으로 알려졌다. 테슬라가 주문한 탈철기는 전기배터리 핵심소재 중 하나이며, 양극재에서 철을 포함한 각종 비철금속을 제거하는 역할을 한다. 또한 테슬라가 제작을 주문한 부품업체는 국내의 대보마그네틱이며, 장비는 연말부터 미국 네바다주 소재 기가팩토리에 공급될 예정이다. 기가팩토리는 양극재 생산시설이 없기 때문에 습식 탈철기가 테슬라에 공급된 것으로 보인다.

이어 테슬라가 전기차 배터리 제조를 위해 캐나다 배터리 장비 업체를 인수했다는 소식도 전해졌다. 이로 인하여 테슬라의 전기차 배터리 자체 생산 여부는 명확하게 진행될 것으로 보여진다. 캐나다의 하이바시스템스는 배터리 조립공정 장비를 만드는 업체로도 잘 알려졌다. 이 업체는 전해액 주입 장비 부문에서 경쟁력이 높은 편이다.

그동안 테슬라에 배터리를 단독으로 공급했던 파나소닉과의 협력은 사실상 종지부를 찍었다는 것이 업계 내의 분석이다. 테슬라 뿐 아니라 전기차 배터리를 자체 생산하려는 움직임은 폭스바겐그룹에서도 추진되고 있다. 전기차 원가 30% 이상을 차지하는 배터리를 한국, 중국, 일본 업체에 의존하면 수익 확보가 어렵다는 이유에서다.[165]

테슬라는 놀라운 성장을 기록했다. 테슬라의 2022년 1분기 출하량은 전년동기대비 68% 증가했으며, 2022년 말에는 130만 대를 넘어설 것으로 예상된다. 2019년 상하이 기가팩토리(Gigafactory)가 가동을 시작한 이래로 테슬라의 중국 출하량은 급증했다. 베를린 기가팩토리가 3월에 가동됨에 따라 2022년 2분기에는 유럽 매출이 증가할 것으로 보인다. 테슬라는 현재 글로벌 전기차(EV) 시장의 선두주자이다. 2022년 1분기에는 BEV 부문에서 2~4위 업체 판매량을 합친 것보다 더 많은 차량을 판매했다. 테슬라는 중국에서 BYD, NIO, XPeng과 경쟁할 것이며, 폭스바겐은 글로벌 시장에서의 경쟁을 준비하고 있다. 이러한 경쟁에도 불구하고, 테슬라는 향후 몇 년 간 BEV 시장의 선두 주자를 유지할 것으로 보인다.

165) 테슬라, 전기차 배터리 직접 만든다…국내 장비 조달/The elec

2) BYD

중국 선전시의 작은 배터리 작업장에서 시작한 BYD는 혁신과 도전을 거듭하며 중국의 전기차 대표기업으로 성장했다. 초기 BYD는 휴대폰 배터리 OEM으로 기술력을 키우다 전기차 사업에 진출해 세계 최초 양산형 플러그인 하이브리드 전기차(PHEV) 개발에 성공했다. 그 후 중국 전기차 시장의 급성장에 힘입어 글로벌 최대 전기차 제조사로 부상했다.

BYD는 자동차, 배터리 구동 자전거, 버스, 지게차, 충전식 배터리, 트럭 등을 제조하는 중국 기업으로, 중국 정부의 전폭적인 지원을 받고 있다. 이와 같은 중국 정부의 지원과 기술력을 바탕으로 전기차 시장에서 좋은 성적을 낼 수 있었으며, 세계적으로 배터리, 모터, 전자제어장치의 '전기차 3대 핵심기술'을 보유한 기업으로도 유명하다.

최근 중국 제조사 비야디(BYD)에서 만든 전기세단 비야디씰(BYD Seal)이 출시예정이다. 2022년 4월 베이징모터쇼를 통해 데뷔했으며, 2021년 비야디가 선보인 완전 전기 4도어 세단인 오션엑스(Ocean-X) 콘셉트카의 양산 모델이다. 비야디 씰의 판매가격은 현지기준 22만 위안~28만 위안으로, 한화 약 4200~5330만 원이다. 한편 비야디 측은 씰이 2023년부터 애토(Atto)라는 이름으로 호주 시장에서 먼저 판매될 예정이며, 이후 다양한 시장으로 확대될 예정이라고 밝힌 바 있다.

비야디 씰은 비야디가 개발한 e-플랫폼 3.0을 기반으로 제작되었다. 길이 4800㎜, 너비 1875㎜, 높이 1460㎜, 휠베이스 2920㎜의 씰은 경쟁자로 지목한 테슬라(Tesla)의 모델3(Model3)와 비엠더블유(BMW)에서 중국 전용으로 선보인 3시리즈 전기차 I3 등과 비슷한 크기다.

비야디 씰에 탑재된 전기모터는 두 가지 출력을 뽐내는 싱글모터(201마력, 308마력)와 고성능 듀얼모터 조합으로 이뤄진다. 특히 상위 트림에 적용되는 듀얼모터는 전륜과 후륜에 각각 214마력, 308마력 모터가 장착돼 시스템 출력만 500마력 이상을 뽐낼 전망이다.

그리고800V 초고속충전을 지원하는 배터리는 최대 435마일(약 700㎞)를 한 번 충전만으로 달릴 수 있다. 씰의 몸무게는 배터리 용량, 전기모터 조합에 따라 1,885~2,150㎏다.[166]

이어서 BYD는 미국과 영국, 일본, 인도, 칠레 등에 전기버스 5만대를 공급하고 있다고 밝혔다. BYD의 시안 신에너지 공장은 2014년 9월 생산을 시작했으며 연간 30만대 이상의 승용차 생산능력을 갖추고 있는 최대 자동차 생산 기지로, 네덜란드, 미국과 브라질을 포함해 중국 이외의 지역에 전기버스 공장과 연구소를 갖추고 있다.

시안 공장 관계자에 따르면 BYD의 전기버스는 미국, 영국, 일본, 인도, 칠레 외에도 수십 개의 국가와 지역에 진출해있는 상태이며, 유럽의 90여개 도시에 순수 전기 버스를 제공해 유럽 지역 전기 버스 시장 점유율이 약 20%에 이른다고 덧붙였다.

또한 아시아태평양지역에서는 한국과 일본, 싱가포르, 인도에서 중국 전기 버스가 통행되고 있다. 특히 인도에서는 주행 중인 전기 버스의 절반 이상이 BYD에서 생산한 전기버스라고 덧붙였다.

---

166) 해시넷 '비야디 씰'

한편, BYD는 2015년 일본 버스 회사에 대형·중형 전기 버스 23대를 납품한 데 이어 소형 전기버스를 출시할 계획이라고 밝혔다. 한국에서는 BYD의 전기버스가 서울시가 노선버스에 투입할 전기버스 106대에 대한 우선공급협상대상자로 현대자동차 등과 함께 선정한 6개 업체에 중국 업체 3곳과 함께 포함됐다고 전했다.[167]

BYD는 2022년 1분기 중국의 전기차 판매 1위로 부상했다. BYD의 전기차 출하량은 전년 동기 대비 무려 433% 증가하며 28만 대를 넘어섰다. BYD가 내연기관 엔진 사업을 전면 중단하고 BEV와 PHEV의 생산량을 늘리면서 이와 같은 성장을 보였다. 2022년 1분기 BYD의 BEV와 PHEV 출하량은 전년 동기 대비 각각 271%, 857% 성장했다.

167) [글로벌-Biz 24]중국 BYD, 순수 전기버스 공급 5만대 넘어...한국,일본, 미국 등/글로벌비즈

3) 도요타

앞서 도요타 자동차는 중국의 전기 자동차 선도 기업인 BYD와 전기자동차(EV)의 연구 개발을 담당 합작 회사를 설립하고 5월 중을 목표로 사업을 시작한다고 발표한 바 있다. 신 회사의 출자 비율은 50 %씩 출자 금액은 공개되지 않았다. 도요타의 전기 자동차 기술과 BYD의 EV 개발 실적을 가지고 EV의 시장 출시를 가속화한다. 20년에 도요타 브랜드로 EV2 차종을 중국 시장에 투입하는 것 외에 자동차 배터리 개발에 협력 할 방침을 나타내고 있다.

양사는 지난 2019 년 7월에 EV의 공동 개발 계약을 체결했다. 새로운 회사 "BYD TOYOTA EV TECHNOLOGY 컴퍼니 '는 광동성 심천시에 본사를 두고 이사장은 도요타의 岸宏 히사시 씨가 취임하고 이사와 감사는 양사에서 절반 씩 파견한다.[168]

수소자동차 원조로 불리는 일본 토요타가 전기자동차를 출시한다는 소식을 전했다. 주요 완성차 업체들이 전기차를 중심으로 친환경차 시장을 공략하고 있는데 따른 영향으로 보여진다.

관련 업계에 따르면 도요타는 르노 트위즈급인 2인승 초소형 배터리 전기차를 선보일 예정이라고 전해졌다. 새롭게 공개할 도요타의 초소형 BEV는 환경에 나쁜 영향을 미치지 않으면서도 단거리를 이동하는데 유용한 전기차 모델이 될 것이라고 덧붙였다.

168) 중국 BYD와 토요타가 합작 EV 연구 개발 / 일간공업신문

그림 66 도요타 초소형 전기차 BEV
(출처:도요타 공식홈페이지)

도요타 초소형 배터리 전기차의 최고 속도는 60km/h이며 1회 충전시 주행가능거리는 100km이며, 초소형 전기차는 대중성은 떨어지지만 복잡한 도심을 다니는 배달, 단거리를 짧게 이동하는 라이프 사이클을 가진 사람들에게 유용성이 높은 것으로 알려졌다.

이는 고령화되고 있는 일본 사회를 타깃으로 해 노년층이 편하게 단거리 이동을 할 수 있다는 특징이 있다. 여기에 해당 초소형 전기차를 기반으로 지역사회와 연계해 차량공유 등의 모빌리티 서비스도 공개한다.[169]

도요타와 파나소닉의 합작사 프라임 플래닛 에너지&솔루션(prime planet energy & solutions)이 증가하는 전기차 수요에 대응하기 위해 2022년부터 하이브리카(HEV)용 리듐이온 배터리를 생산한다. 프라임 플래닛 에너지&솔루션은 일본 두쿠시마 현의 파나소닉 공장에서 연간 차량 50만대에 사용할 수 있는 배터리를 생산할 수 있을 것이라고 밝혔다.[170]

---

169) '수소차 원조' 토요타, 자존심 꺾다…트위지급 초소형 전기차 공개/MN매일뉴스
170) 도요타와 파나소닉의 합작사, 2022년부터 하이브리드카용 배터리 생산 / 뉴에너지 모빌리티

4) 벤츠[171]

벤츠 EQA

벤츠 EQB

벤츠 EQC

벤츠 EQS

메르세데스-벤츠의 전기차 EQ 시리즈에는 EQA, EQB, EQC, EQS 4가지로 출시되어 있다. 곧 EQE도 출시예정이다.

벤츠 EQA는 벤츠 소형 SUV인 GLA 내연기관차를 기반으로 만든 전기차로 편안함 승차감과 안정적인 주행으로 회생제동 단계도 4단계로 나누어 기존 내연기관 차종과의 이질감을 줄여 만족감이 높다.

벤츠 EQB는 가성비가 좋고 여유로운 실내 공간으로 패밀리카로 인기가 많은 모델이다. 전자식 사륜구동으로 주행 상황에 따라 초당 100회에 가변적 토크를 분배한다.

벤츠 EQC는 GLC의 기반으로 제작되어 외관과 인테리어가 비슷하면서도 전기차가 주는 미래 지향적인 이미지가 세련되게 연출되는 모델이다.

마지막으로 벤츠 EQS는 전기차 중 내연기관인 S클래스와 어깨를 나란히 하는 모델로 기존 S클래스 보다 디자인이 스포티하고 매력 있는 실내의 인테리어로 꾸며졌다.

171) Benz-all '벤츠 전기차 종류 한눈에 보기 2022'

	모델	가격
EQA	EQA 250	59,900,000
EQB	EQB 300 4MATIC 라인	77,000,000
EQC	EQC 400 4MATIC	95,900,000
EQS	EQS 350	138,900,000
	EQS 450+	157,000,000
	EQS 450+ AMG MATIC	169,000,000
	EQS 450+ AMG Line 에디션	181,000,000

그림 71 벤츠 전기차 가격

- 국고 보조금

차량 모델	국고보조금 지원금액 (단위:만원)
EQA 250	292
EQB 300 4MATIC	290

그림 72 벤츠 전기차 국고보조금

5) 닛산

닛산자동차는 일본의 자동차 빅3중 한곳이었으나, 최근에는 주춤하는 모습이다. 2021년 일본 내수시장의 점유율을 살펴보면 일본에서 팔린 전기차는 2만1139대로, 닛산이 1만여대를 팔며 점유율 50%를 넘긴 가운데 토요타 758대, 혼다 723대로 닛산 외 다른 일본 브랜드는 저조했다.

그러나 과거 '기술의 닛산'이라는 별명이 있을 정도로 기술력이 우수했던 자동차 기업이였는데, 대표적으로는 포르쉐 킬러로 개발된, GT-R, 세계 최초 가변 압축비의 VC-Turbo엔진 등 다양한 업적이 있다.

1위인 닛산의 경우 소형 해치백 '리프'가 사실상 자사 전기차 판매량의 대부분을 차지했다. 소형차의 인기에 힘입어 최근 미쓰시비와 각각 경형 전기차 '사쿠라', 'eK크로스EV'를 출시하기도 했다. 출시 한 달도 안돼 주문이 1만5000대 가까이 나오는 등 자사 신형 준중형 SUV(스포트유틸리티차량) 전기차 '아리아'나 토요타의 새 전기차 'bZ4X'의 인기를 웃돌고 있다.

1회 충전시 주행거리도 180㎞에 불과하지만 중·대형차보다는 통행·주차에 유리한 소형차를 선호하는 일본 소비자들이 구매에 나선 것으로 보인다. 실제로 지난해 일본 신차 판매량의 37.2%가 경차로, 내수 판매 1~10위 모델 역시 대부분이 해치백·박스카 등 소형차였다.

일본 내수 시장에서 타국 브랜드의 인기 모델이 성공하는 경우가 드문 이유다. 일본 자동차 시장은 자국 브랜드 판매 비중이 지난해 기준 93.4%로, 세계 주요국 중 가장 높다. 일본 브랜드라도 일본의 독자 규격에 맞는 차량이 아닌 이상 소비자에게 외면 받는다.[172)]

그림 74 2022 일본 닛산 '리프'

일본의 닛산자동차는 앞으로 출시되는 모든 신형 차종에 간이 자율주행 기능을 기본 장착하기로 했다고 니혼게이자이신문이 보도했다. 보도에 따르면 닛산차는 2016년부터 고속도로에서 전방 차량을 자동으로 따라가는 간이 자율주행 시스템인 '프로파일럿'을 일부 차종에 도입해왔다.

닛산차는 앞으로 고가 신형 차종에는 프로파일럿2.0을, 저가 신형 차종에는 프로파일럿을 각각 기본 탑재할 계획이다. 아울러 2023년까지 간이 자율주행 기능이 장착된 20종 이상의 신형 차종을 전 세계에서 출시하기로 했다.[173)]

172) 머니투데이 '격전지 된 일본 전기차 시장... 역전 노릴 호기'
173) 日닛산, 모든 신형차에 간이 자율주행 기능 기본 장착 / 연합뉴스

나. 수소차

업계에 따르면 수소차 시장 선점을 위한 글로벌 자동차 브랜드들의 짝짓기가 이어지고 있다. 수소차 시장선점을 위한 경쟁이 그 어느 때보다 치열한데, 개발비용을 줄이고 규모의 경제를 실현하기 위한 업체 간 합종연횡이 활발해지면서 수소전기차 출시 계획도 점차 구체화 되고 있다.

현대차는 글로벌 업계에서 수소차 개발에 가장 앞장선 회사다. 2013년 세계 최초로 수소차 양산 체제를 구축해 관련 기술 역시 가장 앞서 있는 것으로 평가받는다.

2025년까지 80종의 친환경차 모델을 출시하겠다고 밝힌 폭스바겐 역시 한 축이 될 수소차 양산 모델 개발을 위해 속도를 내고 있다.

아우디는 2016년 수소차 콘셉트카 'h-트론 콰트로'를 선보인 바 있디. 아우디는 폭스바겐 그룹 내 수소차 관련 연구·개발을 총괄하고 있다. [174] 디젤 자부심으로 똘똘 뭉쳤던 독일의 자동차 명가들은 2016년 일어난 아우디·폭스바겐의 디젤게이트의 영향으로 수소전기차 개발에 적극적으로 나서고 있는 것으로 분석된다.

현재 수소차 개발과 시장 확대에 가장 적극적인 곳은 **현대차와 토요타·혼다** 등이다.

1) 현대자동차

현대자동차 수소연료전지차(FCEV) 넥쏘는 내연기관차를 기반으로 개발한 첫 양산형 FCEV인 투싼 FCEV와는 달리 디자인, 차체, 플랫폼 등을 수소차 전용으로 구성한 최초의 현대차이다.

넥쏘는 길이 4,671㎜, 너비 1,859㎜, 높이 1,630㎜, 휠베이스 2,790㎜의 SUV 형태다. 길이는 시중에 나온 수소차와 비교했을 때 짧은 편으로, 너비, 높이의 여유가 있는 SUV인 점을 감안하면 오히려 거주성이 뛰어나다. 모터는 최고 163마력(120㎾), 최대 40.1㎏·m의 힘을 발휘한다. ㎏당 96.2㎞의 효율(국내 복합 기준)로, 1회 충전 후 595㎞(미국 EPA 기준, 국내 기준 609㎞)를 달릴 수 있다.

---

174) 디젤 자부심으로 똘똘 뭉쳤던 독일의 자동차 명가들은 2016년 일어난 아우디·폭스바겐의 디젤게이트의 영향으로 수소전기차 개발에 적극적으로 나서고 있는 것으로 분석된다. 특히 유럽이 배출가스 규제 등 친환경차 보급에 앞장서고 있는 데다 독일 역시 이런 흐름을 따르고 있다. 독일 자동차공업협회에 따르면 2018년 1분기 독일 자동차 판매량에서 디젤차는 32.3%를 차지하는 데 그쳤다. 2015년까지만 해도 디젤차 판매가 절반에 달했던 것과 비교하면 3년 새 급감한 셈이다.

수소 저장밀도와 용량을 높여 글로벌 시장에서 판매중인 수소차 중 주행 가능거리를 가장 길게 만들었다.

편의 및 안전기능을 살펴보면 넥쏘는 통합형 디스플레이를 통해 수소차에 특화한 사용자경험(UX)컨텐츠를 제공한다. 주행가능거리, 수소충전소 위치, 수소탱크 온도/압력 상태, 공기정화량, 이산화탄소 절감량 등을 확인할 수 있다. 안전품목은 원격 스마트 주차보조, 차로유지보조, 고속도로주행보조 등 레벨 2 수준의 반자율주행 시스템을 적용했다.

넥쏘의 1회 충전주행거리는 국내 기준 580km이다. 이전 세대인 ix35(투싼 수소전기차)의 415km보다 165km늘었다. 이는 도요타 미라이의 1회 충전 주행거리인 502km(미국 환경보호청 기준)를 앞지르는 것이다.

그림 75 현대 수소차 '넥쏘'

현대차그룹 수소차 진영에 힘이 실리기 위해서는 현대모비스의 주도적 역할이 절대적이라는 분석이 나오고 있다. 수소 전기차 경쟁력은 연료전지 스택, 수소공급·저장장치 등 핵심부품의 성능 및 기술력이 결정하기 때문이다. 현대차 그룹의 수소차 시장 선점 여부는 사실상 현대모비스에 달려있다.

현대모비스는 주요 친환경 부품의 설계 및 양산능력을 갖추고, 현대차 그룹의 수소 전기차 경쟁력을 뒷받침하고 있다. 실제 현대모비스는 지난 2013년 세계 첫 양산형 수소전기차인 투싼 ix FCEV에 독자 개발한 핵심부품을 공급해 현대차가 일본 경쟁사보다 2년 앞서 수소차를 내놓을 수 있었다.

현대모비스는 2017년 충북 충주 친환경산업단지 내 친환경차 핵심부품 공장인 충주 공장인근에 수소전기차 부품 전용공장을 증설했다. 연산 3000대 규모의 '수소전기차 연료전지 파워트레인' 생산 설비를 갖췄고 시장 수요에 따라 수만 대 규모로 생산을 확장할 수 있게 설계됐다. 독자 기술력을 바탕으로 핵심부품 생산부터 시스템 조립까지 전용 생산공장에서 일관 양산하는 것은 업계 최초로 규모 면에서도 글로벌 경쟁사 대비 최고 수준이다.[175)]

2018년에는 연료전지 스택, 수소·공기공급장치, 열관리장치로 구성된 연료전지시스템과 구동모터와 전력전자부품, 배터리시스템 등 친환경차 공용부품을 결합한 연료전지모듈(PFC)을 완성한 것을 바탕으로 본격 양산에 돌입했다. 수소차 전체 핵심부품의 일관 종합생산체제를 구축한 것은 전세계적으로 현대모비스가 유일하다. 현대차그룹은 이번 아우디와 파트너십 협약으로 현대모비스의 친환경차 핵심부품 기술 경쟁력이 한층 강화될 것으로 내다봤다.

현대자동차가 수소 전용 대형트럭 'HDC-6 넵튠(Neptune)' 모델의 티저 이미지를 공개했다. '넵튠'의 이름은 대기의 80%가 수소로 이뤄진 해왕성(Neptune)과 로마신화에 나오는 바다의 신 넵투누스(Neptunus)에서 따왔으며, 수소에너지가 가지고 있는 친환경 이미지를 표현했다.

전체적으로 유선형 디자인으로 1930년대 미국 기관차의 형상을 현대적으로 재해석했다. 차세대 수소전기차의 존재감을 극대화하기 위해 최첨단 이미지와 미래 지향적 조형을 구현했다.

한편, 현대차는 이를 통해 수소전기차 리더십을 상용 부문으로 확장하겠다는 포부를 드러냈다. 또한 엑시언트 기반 수소전기 대형트럭과 HDC-6 넵튠을 바탕으로 미래 친환경 상용차 시장으로의 전환과 수소 모빌리티 실현을 선도하겠다고 덧붙였다.[176)]

현대차그룹이 수소차를 중심으로 자율주행차 전략을 세울 것이라는 계획을 밝혔다. 이를 위해 현대차는 미국 뉴욕에서 앱티브와 합작법인 계약을 진행했다는 소식도 전했다.

---

175) <'현대차 vs. 도요타·혼다' 수소차 동맹 양분>, 파이낸셜 뉴스(2018.06.20)
176) 현대차, 수소 대형트럭 'HDC-6 넵튠' 티저이미지 공개/뉴스토마토

현대차가 수소차 플랫폼으로 자율주행차 전략을 세우는 이유는 수소전기차가 장거리를 운행할 수 있다는 장점을 자율주행차에 접목하기 위해서다. 또한 향후 자율주행차가 레벨 4,5수준으로 가면 전력소모가 클 것이기 때문에 지금과 같은 배터리 전기차로는 한계가 있다며 수소차는 자율주행차의 좋은 플랫폼으로 서로 맞물려 개발하는 것이 좋다는 의견도 밝혔다.

현대차는 자동차 시장이 내연기관에서 전기동력으로 전환하면서 친환경차 시장은 배터리전기차(BEV)와 수소연료전지차(FCEV)로 양분된다고 덧붙이며, 현대차의 전동화(electrification) 전략을 '투 트랙'으로 가지고 갈 것이라고 전했다. 전기차 분야는 후발주자에서 선두권과 격차를 좁히고, 수소차 분야는 앞선 기술을 보유한 만큼 미래 시장 확대를 이끌 계획이다.

앱티브와 합작한 조인트벤처의 목표는 자율주행차 소프트웨어 및 플랫폼 개발이다. 2022년 말 완성차에 장착해 시범운영에 돌입, 2024년 본격 양산에 돌입하는 것이 목표다.

한편, 현대차는 향후 '플라잉카'의 개발 가능성도 내비쳤다. 비행 자동차가 레벨5 자율주행차보다 오히려 상용화가 먼저될 수도 있다며 공중은 지상보다 자율주행에 더 적합한 면이 있다고 덧붙였다.[177]

현대자동차의 수소차 모델 '넥쏘'가 2022년 들어 판매실적이 크게 늘며 월 판매 1위를 기록했다. 다만 정부의 2022년 수소차 보급 목표량엔 여전히 한참 못 미치고 있는 것으로 나타났다.

에너지전문 시장조사기관 SNE 리서치에 따르면, 현대차 넥쏘는 2022년 1월 388대를 판매하며 토요타 미라이(322대)를 제치고 선두를 차지했다. 2021년 1월엔 넥쏘 판매량이 183대에 그치며 미라이(438대)에게 뒤졌지만, 2022년 1월 판매량이 전년 동월 대비 112.0% 증가하며 순위 역전을 이뤘다. 넥쏘의 시장 내 점유율은 지난해 25.6%에서 41.7%로 늘었다.

다만, 이러한 성장에도 불구하고 넥쏘 판매량은 정부의 2022년 보급 목표량엔 한참 못 미치고 있다. 정부는 앞서 친환경차 확대 계획을 밝히며, 수소차 신규 2만8000대 보급을 목표로 잡았다.

---

177) 현대차 자율주행차 전략은 바로 '수소차'/!T Chosun

수소차 시장에선 아직까지 버스나 화물차에 비해 승용차 비중이 압도적인데, 목표치 달성을 위해선 2022년에 2만7000대 이상의 넥쏘를 판매해야 한다. 2021년에 넥쏘 내수 판매는 총 8502대였다. 보조금이 확정되지 않은 1월임을 감안해도 388대 판매는 저조한 수준이다.

정부는 현재 수소차 보급을 위해 넥쏘에 국고보조금 2250만원을 지급하고 있다. 이와 더불어 각 지자체는 1000만원 수준의 보조금을 추가로 지원한다. 서울시 보조금은 1100만원이다. 국고보조금과 서울시 보조금을 모두 적용한 넥쏘(6765만원)의 실구매가는 3415만원이다. 정부는 2022년 수소차 예산안으로 6795억500만원을 책정했다. 전기차 예산안 1조7190억 원의 40% 수준에 이른다.[178)]

현대자동차가 미국시장 친환경차 라인업을 대대적으로 손본다. 미국 내 인기가 높은 스포츠유틸리티차량(SUV) 중심으로 제품군을 재정비해 2022년 10종으로 늘리는 내용이 골자다.

현대차 미국판매법인(HMA)에 따르면 현대차는 2022년 말까지 미국시장에서 세단 3종과 SUV 7종 등 총 10종의 친환경차 라인업을 완성한다. 현재 하이브리드(HEV), 플러그인 하이브리드(PHEV), 전기차(BEV) 모델 등이 시판 중인 아이오닉을 모두 단종하고 그 자리를 투싼과 싼타페의 친환경 모델로 채운다. BEV 모델로는 현재 판매하고 있는 코나와 더불어 전기차 전용 플랫폼 E-GMP를 기반으로 한 아이오닉5、6 모델을 내놓을 예정이다.

새로운 전동화 전략은 SUV 중심의 라인업 재편과 친환경차 제품군 확대로 요약된다. 이 계획에 따르면 2022년 말 현대차의 친환경차 라인업은 ▲HEV 4종(엘란트라、쏘나타、투싼、싼타페) ▲PHEV 2종(투싼、싼타페) ▲BEV 3종(코나、아이오닉5、아이오닉6) ▲FCEV 1종(넥쏘) 등이다. 올해 기준 코나, 넥쏘 등 두 개 차종에 불과하던 친환경 SUV는 2년 만에 7종으로 늘어나는 셈이다. 특히 투싼과 싼타페는 현대차의 현지 판매실적을 주도하는 주력모델인 만큼 미국 친환경차시장에 승부수를 띄운 것으로 풀이된다.

현대차가 서둘러 북미 전동화 로드맵을 발표한 배경엔 내년 초 출범하는 조 바이든 미국 대통령 당선인의 새 행정부가 친환경 정책에 힘을 싣고 있다는 점이 고려됐다는 평가다.[179)]

---

178) 시사저널e '현대차 넥쏘 판매량 큰 폭 증가... 정부 목표엔 아직 먼'
179) 현대차, 미국 친환경車 라인업 재정비…2022년 10종 완성 / 아시아경제

2) 도요타

그림 76 도요타

도요타는 전기 자동차 상품화 계획을 논한 적 없는 몇 안되는 자동차 제조업체 중 하나로 그만큼 수소연료전기차 보급을 중요시생각하고 있는 기업이다.

도요타는 세계 최초로 양산형 세단 수소연료전지차량 '미라이'를 개발했다. 국내에 최초로 공개한 미라이는 미래라는 뜻으로 2014년 처음 출시돼 그 해 12월 일본에서 판매가 시작됐고 유럽과 미국에선 2015년 9~10월 판매에 돌입했다. 그러나 2년 후 수소연료전지 시스템의 출력전압과 관련한 소프트웨어 결함을 이유로 리콜을 결정했고 2014년 11월에서 2016년 12월 생산된 차량 2천 843대를 회수했다.

이후 도요타는 장기적으로 내연기관의 최고 대안으로 충전시설에서 공급받은 수소와 공기 중의 산소를 결합해 만든 전기로 구동하는 수소차에 힘을 쏟았다. 수소탱크 2개와 전기모터로 움직이는 미라이는 물만 배출한다. 550km를 주행할 수 있으며 탱크에 수소를 채우는 데는 3분밖에 걸리지 않아 전기차 배터리 충전에 20분에서 몇 시간 필요한 것과 비교된다.

현재 도요타는 반도체 배터리 신기술을 사용하는 대량 판매용 자동차를 개발 중이다. 반도체 배터리는 일반적으로 액체를 이용하는 전통적인 배터리와 달리, 고체 전해질을 사용한다. 이 배터리는 현재 리튬이온 배터리보다 탁월한 성능을 보일 것으로 예측된다.

그림 77 도요타 미라이

도요타가 수소차 미라이의 2세대 콘셉트카를 공개했다. 2세대 콘셉트카의 명칭은 '미라이'로 동일하나 외관은 기존 제품과 매우 다르다. 가장 큰 변화는 '세그먼트'로 해치백 형태였던 1세대 미라이와 달리 정갈한 세단 느낌이다.

토요타 2세대는 기존의 1세대 미라이와 비교했을 때 성능과 효율면에서 전반적으로 새로운 변화가 필요했기에 크로스오버나 SUV보다는 세단 형태로 탈바꿈되었다.

또한 길쭉한 보닛과 날렵한 헤드 램프가 특징이며, 뒤는 공기역학을 고려한 디자인으로, 완만하게 내려앉은 지붕과 치켜 올린 범퍼도 독특하다. 테일 램프는 가로로 길게 이어 미래지향적인 모습을 표현했다.

한편, 렉서스 LS와 LC에 사용한 GA-L 플랫폼이 공유되면서, 이로 인해 차의 디자인은 한층 크고, 길어졌으며 길이 4,975㎜, 휠베이스 2,920㎜로 1세대보다 각각 85㎜, 144㎜ 길며, 너비는 70㎜ 넓은 1,885㎜로 날렵한 세단의 느낌을 살렸다.

실내는 입체적인 구조를 지녔으며, 와이드 모니터와 계기판이 일체형이다. 조수석으로 살짝 치우친 센터페시아에는 작은 변속레버가 있고 휴대폰 무선충전패드 등의 편의품목도 갖췄다.

구동방식은 연료전지 및 하이브리드 기술을 융합한 '토요타 퓨얼셀 시스템'으로 기존과 같다. 다만 전기모터의 힘을 키우고 수소탱크 저장용량을 늘려 성능과 주행거리 등 두 가지를 다 잡았다.

도요타는 앞으로 수소 충전단가와 함께 수소차의 가격이 빠르게 내려가 경쟁력을 갖출 것으로 내다봤다. 여기에 발맞춰 다양한 수소차를 개발하는 한편, 미라이는 실용성에 초점을 둔 기존 컨셉트에서 벗어나 프리미엄 수소차로 방향을 틀 예정이며, 신형 미라이는 일본과 북미, 유럽시장을 시작으로 판매에 들어갈 예정이다.[180]

그리고 도요타는 2030년 글로벌 전기차 판매 목표를 연간 350만대로 잡은 것과 동시에, 렉서스(도요타그룹의 고급차 브랜드) 신차 판매를 2035년까지 100% 전기차로 바꾸겠다고 밝혔다. 또한 2030년까지 렉서스 모든 라인업에 전기차를 도입하고, 특히 유럽·미국·중국 판매분을 2030년까지 100% 전기차로 판매할 것으로 밝혔다. 그러면서 2030년 기준 렉서스 전기차 100만대 판매량으로 목표 설정하였다.[181]

3) 혼다

그림 78 혼다 로고

혼다는 2015년 양산형 수소연료전지차를 선보인 바 있다. 혼다의 첫번째 수소연료전지차 클라리티(Clarity)는 먼저 출시된 도요타 미라이보다 조금 더 뛰어난 성능을 자랑한다. 클라리티의 수소연료전지 파워트레인은 일반 자동차와 동일하게 차체 앞쪽에 위치했다. 최고출력은 177마력에 달한다. 3분이면 충전이 완료되며 최대 700km까지 달릴 수 있다. 도요타 미라이의 경우 최대 650km까지 달릴 수 있다. 또 클라리티는 수소연료를 통해 일반 가정집에서 일주일 동안 사용할 수 있는 전력을 생산할 수도 있다. 모터쇼 현장에서 혼다는 클라리티를 이용한 발전기를 가동하기도 했다.

180) 토요타, 완전히 새로워진 2세대 미라이 컨셉트 공개/Auto Times
181) 조선일보 '도요타, 수소승용차 포기하나... 렉서스, 100% 전기차 선언의 의미는?'

그림 79 혼다 수소연료전지차 클라리티

혼다는 2010년대 수소연료전지차 FCX 클라리티 콘셉트를 선보인바 있다. 혼다는 이를 꾸준하게 발전시켜 양산에 성공했다. 한편 GM과 합작법인을 설립해 수소전기차에 탑재되는 연료전지시스템을 공동생산 할 계획이다.

GM과 혼다는 이미 10년 가까이 긴밀하게 협업관계를 구축해 오고 있다. 양사는 최근 몇 년간 전기차와 자율주행 기술 분야에 초점을 맞춰 다양한 공동 프로젝트들을 진행해 온 바 있다. 2013년도에는 차세대 연료전지(Fuel Cell) 시스템과 수소 저장 기술의 공동개발을 진행해 온 것은 물론, 2018년도에는 배터리 모듈에 대한 공동개발도 진행한 바 있다. 또한 2024년 초 풀시를 목표로 개발 중인 혼다 프롤로그(Prologue)와 아큐라(Acura) 브랜드로 출시하게 될 2종의 SUV 전기차 신차 2종도 포함되어 있으며, GM크루즈(GM Cruise)와 함께, 무인 배차 및 무인 배송 서비스 등에 활용 가능한 완전 자율주행 기술의 공동개발도 진행하고 있다.

GM과 혼다 양사는 먼저 각사의 기술력과 설계역량, 그리고 다양한 소싱 전략을 활용함과 동시에 세계 최고 수준의 품질과 높은 생산성, 그리고 더 낮은 가격을 실현하기 위해 양사의 설비 통합을 진행한다. 그리고 2027년도부터 수백만 대 규모의 전기차를 생산할 계획이다. 양사가 새롭게 개발하게 될 차종은 'SUV'다. 따라서 새롭게 개발될 전략 차종은 SUV가 될 가능성이 높다.

GM과 혼다 양사는 내연기관 차량의 전동화 과정에서 발생하는 비용을 절감하면서도 전기차의 성능과 지속 가능성 향상을 목표로, 향후의 전기차용 배터리 기술과 관련된 영역에서의 협업도 검토 중이라고 밝혔다. GM의 경우에는 이미 리튬 배터리와 실리콘 배터리, 전고체 배터리 등의 신기술을 확보하고, 이들의 신속한 상용화 방안의 연구개발을 가속하고 있고, 혼다의 경우에는 독자적인 전고체 배터리 기술의 연구개발을 추진하고 있다.[182)]

4) 폭스바겐(아우디)

그림 80 폭스바겐 아우디

독일 볼프스부르크에 본사를 두고 있는 폭스바겐 그룹은 독일에서 가장 규모가 큰 자동차 회사로 세계에서는 2위 자동차 회사이다. 유럽 20개국, 미국, 아시아 및 아프리카 11개국에 121개의 생산공장을 갖추고 153개국에 수출하고 있다. 현재 폭스바겐 그룹 산하에는 12개 브랜드가 있다. 브랜드로는 폭스바겐(Volkswagen), 아우디(Audi), 벤틀리(Bentley), 부가티(Bugatti), 람보르기니(Lamborghini), 세아트(SEAT), 스코다(SKODA), 스카니아(Scania), 만(MAN), 폭스바겐 상용차(Volkwagen Commercial Vehicles), 두카니(Ducati), 포르쉐(Porche)가 있다. 폭스바겐 차량 모델로는 시로코, 골프 GT1, 골프 GTD, 폴로, 제타, 더비틀, 파사트, 티구안, 투아렉, CC, 페이톤, 더 XL1 등이 있다.

2015년 9월 미국 환경보호청(EPA)이 폭스바겐 디젤차에서 배출가스 저감장치 조작 소프트웨어를 발견했다는 사실이 드러나면서 그룹 이미지에 큰 타격을 입게 된다. 폭스바겐의 디젤 엔진에서 디젤 배기가스가 기준치의 40배나 발생한다는 사실이 밝혀졌고, 주행시험으로 판단이 될 때만 저감장치를 작동시켜 환경기준을 충족하도록 엔진 제어장치를 프로그래밍했다는 사실이 드러났다. 이어 폭스바겐측도 동일한 소프트웨어가 깔리 디젤차가 전세계적으로 1100만대에 이른다고 고백했다. 결국 폭스바겐 그룹 마르틴 빈터고른 최고 경영자가 자리에서 물러나고 리콜과 배상, 벌금 등에 300억 달러라는 천문학적 비용을 부담했다.

한편 한국에는 폭스바겐 코리아가 있어 2005년 1월 1일 한국에 폭스바겐의 공식 수입 및 판매사인 폭스바겐코리아를 설립해 국내 수입차 시장에 진출했다. 국내 9곳의 딜러 네트워크를 보유하고 있으며 서울, 분당, 부산, 대전, 대구 등지에 36개의 전시장과 29개의 서비스 센터를 운영한다.

182) MOTOYA 'GM,혼다와 함께 보급형 전기차 공동개발 나선다'

한국의 현대자동차, 일본의 도요타·혼다가 수소에너지 기반 차량 기술 우위를 주도하는 상황에서 폭스바겐그룹은 수소차가 다른 에너지원 대비 기술적 한계가 비현실적으로 높다는 점을 강조했다.

허버트 디스 폭스바겐 최고경영자(CEO)는 영국 파이낸셜타임스(FT)와 인터뷰에서 "시장에서 폭스바겐이 만든 수소전기차를 (소비자가) 보게 되는 상황은 없을 것"이라는 말로 수소 연료전지 전기차 시장에 뛰어들 생각이 없음을 분명히 했다.

그는 "심지어 10년 내 (장기적) 시점에서도 폭스바겐은 수소차를 만들지 않을 것"이라며 "이는 수소차를 뒷받침하는 물리학이 매우 무리한(unreasonable) 수준이기 때문"이라고 덧붙였다.

CEO의 발언을 해석해보면, 연료원의 친환경성과 더불어 화석연료 기반 자동차의 전통적 핵심 가치인 성능·연비 측면에서 수소 연료전지 기반의 전기차는 기술적 장벽이 높다는 뜻으로 풀이된다.

그는 "수소 연료전지는 기존 내연기관 엔진처럼 (동력을) 늘리거나 줄일 수 없다"라며 "이로 인해 별도의 배터리를 추가하고 전기모터와 연료전지를 필요로 한다"고 덧붙였다. 기술적 난도는 높은 반면 현재의 전기차 대비 효율성과 비용 측면에서 수소차가 갖는 변별력이 크지 않다는 뜻이다.

이는 완성차 업계에서 동일하게 인식하는 문제로, 수소 기반 전기차는 매우 비싼 값 대비 연비가 소형차보다는 중장거리를 운행하는 대형트럭에 그나마 유리한 것으로 평가되고 있다.[183)]

183) 매일경제 '독일 폭스바겐, 수소차 안 만든다... 물리학적으로 무리'

하지만 독일 폭스바겐(VW)의 고급차 부문 아우디에 따르면, 폭스바겐 그룹 전체에 수소차를 연구하는 100여명의 전문가 팀을 구성, 시제품 차량을 몇 대 제작했다고 한다.

다임러 트럭 부문인 볼보 트럭과 현대차 등 세계 유수의 상용차 제조업체는 수소 트럭을 미래의 유망분야로 꼽고 있다. 장거리를 달리는 상용차에 전기 배터리는 너무 무겁기 때문에 수소차가 더 적합하다는 판단이다.

그러나 촉매를 사용해 수소로 전기를 만드는 연료 전지 기술은 지금까지 대중 차에서는 비용이 많이 든다는 단점이 있다. 연료 전지는 구조가 복잡하고 재료가 고가이며, 수소 충전은 배터리 충전에 비해 시간이 짧아 인프라가 부족한 실정이다.

수소 연료 보급이 늦어지고 있기 때문에 독일에서 '그린 수소'를 지지하는 세력도 탈탄소 사회의 실현이 가장 빠른 방법은 전기차라고 보고 있다. 단, 녹색당은 선박이나 비행기 분야에서 수소 연료의 사용을 지지하고 재생 가능한 자원에서만 생산되는 '그린 수소'에 집중 투자를 계획하고 있다.

2015년에 적발된 폭스바겐의 배기가스 부정 스캔들로 인해 디젤차의 인기는 급락했다. 동시에 유럽연합(EU)이 오는 2035년까지 화석 연료를 사용하는 자동차를 실질적으로 금지하는 목표를 세움으로써 일부 부문에서는 그 준비로 수소 기술에 투자하고 있다.[184]

184) 글로벌비즈 'BMW 아우디, 수소 전기차에 양다리 걸치는 이유는?

5) BMW

그림 82 BMW 로고

BMW는 프란츠요세프 포프가 1916년에 설립한 독일의 자동차 브랜드로, 세단을 포함해 컨버터블, SUV, 스포츠카 및 모터사이클 등을 제조·판매하고 있다.

BMW는 10여년 전부터 수소차에 대한 연구를 지속하면서 현행 전기차, 하이브리드, 플러그인하이브리드(PHEV)이후의 미래차로 수소차가 될 것으로 보고 있다. 1978년 이래로 수소 동력의 내연기관을 연구하기 시작하면서 1999년 세계 최초 양산 개념의 수소동력차량 750hL를 개발했다. 750hL의 차량은 5.4리터의 브이형 12기통 엔진을 탑재하였으며, 아직 수소 공급이 용이하지 않아 수소와 석유연료 양쪽을 사용할 수 있도록 개발되어 졌다.

2008년에는 하이드로젠 7을 100대만 상용차 형태로 내놓으면서 우리나라에서도 시승행사를 한 바 있다. 당시 마이클 모이러 BMW개발자는 배기관에서 나오는 물을 컵에 담아 마시는 장면을 연출했다.

그림 83 하이드로젠 7

하이드로젠 7은 기체수소를 영하 253도로 응축한 수소 연료 7.8kg으로 200km, 휘발유 74리터로 500km 등 한번 충전과 주유로 총 700km를 달리 수 있지만, 이후 양산은 되지 않고 있다.

최근 수소 생산과정에서 오염물질이 발생하는 문제를 해결하기 위해 태양에너지를 활용할 수소 생산기술로 완전 무공해 수소연료전지차량(FCEV)을 개발할 계획을 가지고 있다. FCEV는 수소와 산소를 연료로 사용해 전기화학 작용으로 발생하는 전기로 주행하는 무공해차지만 수소를 생산하는 과정에서 이산화탄소 등 오염물질이 부산물로 발생된다. 이를 해결하기 위해 BMW는 독일 프라운호퍼 연구소와 함께 태양에너지로 광화학 반응을 일으켜 물을 수소와 산소로 분해하는 태양에너지 전기분해 기술을 개발 중이다. 향후 태양에너지 외에도 물 분자를 분해할 수 있는 풍력, 파동에너지 등 다른 대체 에너지도 활용할 계획이다.

또한 BMW는 에너지업체 쉘, 자회사 디자인웍스와 함께 수소연료 펌프를 개발 중이다. 이를 통해 빠른 충전이 가능토록 하겠다는 것. 실제 독일 하노버에 시범 설치한 새 수소충전소는 기존 주유소와 같은 방법으로 운전자가 쉽고 빠르게 충전할 수 있다. 나아가 수소를 얻을 수 있는 방법 다양화에도 적극 매진중이다. 물 분자를 분해할 수 있는 풍력, 파동에너지 등 다른 대체에너지도 활용한다는 얘기다. 디자인웍스는 회사는 앞서 운전자들이 쉽고 빠르게 수소를 충전할 수 있는 수소연료 펌프의 프로토타입을 공개한 바 있다.

세계 수소전기차 시장에 BMW도 본격적으로 뛰어들기 시작했다는 소식이다. BMW는 수소전기차 양산 결정 소식과 함께, 수소전기 콘셉트 카인 'i 하이드로젠 넥스트'를 처음 공개하기도 했다. 또한 일본 업체 도요타와 함께 개발한 수소연료전지차(FCV)를 2025년에 양산할 예정이다.

그동안 BMW, 메르세데스벤츠, 폭스바겐 등 독일 완성차 업체들은 수소전기차 기술을 꾸준히 개발해왔지만, 양산 단계로 나아가지는 않았다. 유럽연합(EU) 정부들이 수소전기차보다 전기차 보급 확대를 위한 정책에 집중한 영향이 컸기 때문이다.

그러나 수소전기차가 전기차보다 주행거리가 길고, 충전시간이 짧다는 점이 떠오르면서 독일 완성차 업체들도 수소전기차 시장에 뛰어들고 있는 것이다. 현재 판매 중인 전기차의 주행거리는 약 400㎞며 배터리를 완전 충전하는 데 걸리는 시간은 30분가량인데, 수소전기차는 한 번 충전으로 약 600㎞를 달릴 수 있다.

이에 따라 BMW도 수소전기차 활성화에 총력을 기울이고 있으며, 수소연료전지로 구동되는 X5 스포츠유틸리티차량(SUV) 모델 'iX5 하이드로젠'을 2023년부터 생산할 계획이라고 했다.[185)]

외신에 따르면 도요타와 공동 개발한 이 시스템은 6㎏의 수소를 저장할 수 있는 탱크와 연료전지, 모터가 조합을 이룬다. 'T'자 형으로 구성한 두 개의 수소탱크를 차체 바닥에 넣고 앞뒤로는 모터와 배터리가 유기적으로 동력 및 충전을 담당한다. 수소연료전지는 최고 170마력을 내며, iX3에 탑재할 5세대 e드라이브 유닛이 조화를 이뤄 시스템 최고출력은 374마력에 달한다.

수소탱크의 압력은 자동차업계 표준인 700바를 그대로 따른다. 회사는 탱크를 1,000바의 압력도 견딜 수 있게 만들었지만 비용과 700바로 압축하는 데 소요되는 에너지, 해당 압력으로 저장하는 부분 등 여러 측면에서 적절한 균형점을 찾은 것으로 보인다.

이와 함께 BMW가 밝힌 새 시스템의 장점은 충전시간과 저장성이다. 탱크에 연료를 주입하는 데 걸리는 시간을 3~4분으로 획기적으로 단축했고 리튬이온 배터리팩만큼 극한 온도에도 민감하지 않아 에너지 손실이 없다. 1회 충전 시 주행가능거리는 공개하지 않았지만 소식통들은 500~600㎞ 이상 달릴 것으로 예상했다.[186)]

185) The JoongAng '독일 BMW, 일본의 도요타와 개발한 수소차 SUV 2025년 양산'
186) BMW, 수소차 개발 '성큼'…2022년 양산 / Auto Times

6) 메르세데스 벤츠

Mercedes-Benz

그림 85 메르세데스 벤츠

메르세데스벤츠는 1883년 칼 벤츠가 설립한 벤츠 앤 시에와 1890년 고틀립 다임러가 설립한 DMG가 합병하면서 만들어진 독일의 자동차 브랜드로, 세단과 컨버터블, 스포츠카, 쿠페, SUV등을 제조판매하고 있다.

메르세데스 벤츠는 2017년 독일에서 열린 프랑크프루트쇼에서 수소연료전지 플러그인 하이브리드차를 선보인 바 있다. **GLC-셀 EQ파워**가 그것인데, 벤츠의 스포츠유틸리티차량(SUV) GLC를 기반으로 만든 콘셉트카다. 수소전기차 기반을 갖췄음에도 충전이 가능하도록 플러그인 시스템을 갖춘 것이 특징이다. 한번 충전에 최대 480km까지 주행이 가능하다.

배터리는 가정 및 충전소에서 충전할 수 있으며 배터리충전은 1시간 30분 정도 소요된다. 2차 전지는 축전 용량 약 9kWh의 리튬이온 배터리로, 차체 뒤쪽에 탑재된다. 이로 인해 최대 50km의 무공해 주행을 실현할 수 있다. 2개의 수소 탱크가 플로어 아래에 배치되어 있어 강력한 탄소 섬유 탱크에는 약 4kg의 수소가 700바의 고압으로 충전된다. 수소 충전에 걸리는 시간은 약 3분, 50km의 EV모드 이외에 수소와 산소로 발전하여 GLC F-CELL은 최대 500km의 주행이 가능하다고 한다.

그림 86 메르세데스 벤츠 GLC F-CELL

벤츠는 1994년 4월 13일 유럽 최초의 수소연료전지차인 '네카'(NECAR)를 공개했다. 네카는 '새로운 전기차'(New Electric Car)라는 의미를 압축해 담은 명칭이다. 이후 다른 후속 차량과 구분하고자 '네카1'로 최종 명명됐다. 'MB 100 밴 모델'을 기반으로 제작된 네카1에는 50㎾의 출력을 발휘하는 캐나다 발라드 파워 시스템사의 연료전지 12개와 150ℓ 압축가스 주입이 가능한 연료탱크가 탑재됐다. 이를 통해 네카1은 최대 30㎾, 약 41마력의 힘을 발휘할 수 있었다. 최대 주행거리는 130㎞, 최고 속력은 시속 90㎞에 달했다. 네카1은 기존 내연기관 자동차보다 에너지 전환 효율성이 높았고 훨씬 친환경적이라는 평가를 받았다.

이후 벤츠는 수소연료전지차에 대한 연구·개발을 이어갔다. 1996년에는 V클래스 기반의 세계 최초 연료전지 승용차인 '네카2'를, 2000년에는 '네카5'를 선보였다. 또 1997년에는 연료전지 버스인 '네버스'(NEBUS)가 시속 250㎞ 주행에 성공했다.

연구를 거듭할수록 연료전지 시스템은 점점 경량화됐다. 2002년에는 A클래스에 한 층 작아진 연료전지 시스템을 장착한 연구용 차량을 개발했다. 이와 함께 연료전지 차량은 'F-CELL'이라는 새 이름을 얻었다. 'A클래스 F-CELL'은 2004년 말부터 독일·미국·일본·싱가포르에서 진행된 도로 주행 시험도 거쳤다.

벤츠는 2009년 8월 첫 번째 양산 수소연료전지차인 'B클래스 F-CELL'을 선보였고 소량 생산에 돌입했다. 'B클래스 F-CELL'은 최고 출력 136마력에 최대 토크 29.8 kg·m의 성능을 갖췄다. 또 수소를 3분만 충전하면 최대 400㎞까지 주행할 수 있었고, 영하 25도의 추위도 견뎌냈다. 일반 승용차와 같은 환경에서 총 800㎞ 이상을 달려 연료전지 기술의 실용성도 입증했다.

벤츠는 현재까지 300대 이상의 연료전지차량(연구용 포함)을 만들었다. 이들 차량은 총 1800만㎞를 주행했다. 벤츠는 이를 통해 얻은 데이터로 더욱 새로운 수소연료전지차 개발에 힘을 쏟고 있다.

벤츠는 2017년 프랑크푸르트 모터쇼에서 수소연료전지차와 순수전기차 기술을 플러그인 하이브리드 형태로 결합한 세계 최초의 '수소연료전지 플러그인 하이브리드' 스포츠유틸리티차(SUV)인 'GLC F-CELL' 모델을 공개하며 미래 자동차의 지향점을 알렸다. 쉽게 말해 수소차와 전기차가 하나로 합쳐진 형태다.

'GLC F-CELL'에 장착된 수소연료와 전기배터리 시스템은 엔진룸 안에 모두 들어갈 정도로 크기가 작았다. 수소차 가격을 높이는 원인이 되는 백금의 사용량도 90%까지 줄였다. 4.4㎏의 탱크에 수소를 채우는 데 걸리는 시간은 단 3분에 불과했다. 최대 주행 거리는 약 430㎞에 달했다. 대형 리튬이온 배터리로는 최대 51㎞까지 주행할 수 있었다.

벤츠는 2022년까지 130종의 전기 구동화 모델을 선보이는 것을 목표로 친환경 자동차 시대를 열어갈 계획이다. 현재 벤츠는 전기차 브랜드 'EQ'의 모델에 100억 유로(12조 8300억 원) 이상을, 배터리 생산에 10억 유로(1조 2,800억 원) 이상을 투자하고 있다.[187]

187) 벤츠의 수소차 개발 '벌써 25년' / 서울신문

다. 부품 회사

미래 자동차의 핵심부품 중 하나는 가격형성에 크게 영향을 주는 배터리이다. 배터리 외에도 콘덴서, PTC히터, 누수방지 부품 등도 핵심 부품이다.

국내 배터리 산업의 대표 기업은 LG화학, SK이노베이션, 삼성SDI로 세 업체가 경쟁하고 있다. 이밖에도 많은 부품회사들이 있는데 수소차부품 같은 경우 실매출로 이어지기까지는 시간이 걸릴 것으로 파악된다.

연료전지시스템의 핵심이라고 할 수 있는 스택은 여러 기업들이 공급하는 각각의 부품이 모여 하나로 탄생한다. 연료전지 스택 체결판(End plate)에 들어가는 셀전압 모니터는 현대케피코, 막전극접합체는 현대모비스, 기체확산층은 제이엔티지, 분리판은 현대제철, 스택모듈은 현대자동차와 현대모비스가 각각 납품한다.

기체 확산층을 납품하는 제이엔티지는 수소연료전지 부품, 탄소섬유 응용, 탄소필터 사업을 추진하는 중소기업이다. 독보적인 기술력으로 좋은 평가를 받는 제이엔티지는 Carbon Fiber Veil을 기체확산층의 원료로 사용하고 있다. 고분자전해질연료전지(PEMFC)와 직접메탄올연료전지(DMFC) 기술이 사용되는 연료전지의 내구성과 전기전도성을 요구하는 분야에 주로 사용된다. 자동차 전자제어시스템 개발·생산 기업인 현대케피코는 체결판에 들어가는 셀전압 모니터를 생산한다.

스택만으로 연료전지시스템이 완성되는 것은 아니다. 운전장치가 함께 있어야 가능하다. 운전장치는 연료전지 스택에 수소와 공기를 공급하고 스택이 전기를 발생할 수 있도록 한다. 운전장치에는 수소공급장치, 공기공급장치, 열관리장치가 포함된다. 수소공급장치는 전기화학반응에 필요한 연료인 수소를 공급하는 역할을 한다. 공기공급장치는 연료전지 양극에 공기를 공급함으로써 스택에서 일어나는 전기화학반응에 필요한 산화제를 공급한다. 스택에서 발생하는 열을 방출시킴으로써 내부의 온도와 습도를 조절하는 역할을 하는 곳이 나머지 한 곳인 열관리장치다. 스택의 폐열을 활용할 수 있는 공조장치는 열 및 물관리계와 밀접한 관계에 있기 때문에 부수적인 운전장치로 분류한다.

수소공급장치 부품은 세종공업과 현대모비스가 주축으로 공급하고 있다. 고압의 수소를 저압으로 감압시켜 스택의 수소측 압력과 유량을 조절해주는 부품인 수소공급밸브를 비롯해 수소가스와 섞여 있는 액적을 분리하는 워터트랩 등은 세종공업에서 납품한다. 스택에서 배출되는 수소의 압력을 상승시켜 다시 스택의 입구로 공급하는 수소재순환장치는 현대모비스가 생산하고 있다.

공기 공급장치는 공기 중의 불순물을 제거하는 에어필터, 소음저감을 위한 소음기, 고유량 공기공급용 에어블로워, 공급공기 상대습도 조절을 위한 가습기, 배압조절을 위한 압력조절 밸브 등으로 구성돼 있다. 공기공급장치의 모듈과 공기압축기는 한온시스템이, 공기 중의 수분함유량을 증가시키기 위한 장치인 공기가습기는 코오롱인더스트리가 생산해 납품하고 있다.

마지막 열관리장치는 스택에서 발생하는 열을 방출시킴으로써 스택 내부의 온도와 습도를 조절하는 역할을 한다. 수소연료전지차는 공급된 에너지의 약 50% 미만을 열로 방출하며 수소전기차는 열을 공기 중으로 방출시키기 위해 수랭식을 채택하고 있다. 연료전지의 작동온도가 과도하게 상승할 경우 연료전지 전해질막이 손상되기 때문에 적정작동온도를 유지시켜야 하기 때문이다. 열관리(열 및 물관리)는 워터펌프, COD겸용히터, 대용량 라디에이터, 전동식 3way V/V, 이온제거기 등으로 구성된다. 이중 라디에이터는 한온시스템, 전동워터펌프는 명화공업, 냉각수 압력·온도센서장치는 세종공업이 각각 공급한다. 특히 세종공업은 수소전기차의 수소공급 시스템 전문기업인 만큼 수소공급밸브와 워터트랩을 비롯한 각종 센서와 수소이젝터를 생산하는 등 수소전기차에 상당한 부품을 공급하고 있어 눈에 띈다.

수소저장장치는 내연기관의 가솔린 혹은 경유의 연료공급장치에 해당된다. 수소를 700bar로 저장하는 고압용기와 고압수소를 스택에 공급하기 위한 고압밸브 및 배관류, 고압용기에 압력이나 온도가 증가할 경우 수소를 방출하고 용기파손을 보호하는 안전장치가 속해 있다. 또한 수소충전소에서 수소충전 시 모니터링할 수 있는 수소충전 관련 부품으로 구성돼 있다.

고압용기는 개발 초기에는 메탄올 등을 개질해 수소를 사용하는 On-board 형태의 수소저장시스템이 이용됐으나 차량운전 환경조건에서 개질기 기술을 확보하기 어려워 현재는 가격, 내구성 등이 확보된 수소기체를 고압으로 압축해 사용하고 있다.

고압밸브와 배관류는 고압의 수소를 저장용기에 탑재하기 위해 수소연료 주입구, 고압배관, 압력조절밸브, 자동제어밸브, 수소센서 등 여러 가지 부품이 필요하다.

안전장치의 경우 진동, 충격, 반복사용, 온도 등에서 수소 누설이나 용기파손으로부터 운전자를 보호하기 위한 부품이다. 수소충전관련 장치는 수소전기차가 충전소에서 수소 충전 시 충전소 압축기 압력, 공급유량, 탱크용기 상태 등을 모니터링하면서 제어할 수 있는 부품들로 이뤄진 시스템이다.

수소저장장치 모듈은 동희산업, 수소저장용기는 일진복합소재, 수소충방전장치(밸브)는 영도산업, 고압부품은 모토닉, 수소센서는 세종공업에서 각각 납품한다. 연료전지의 레귤레이터와 수소공급장치의 밸브류를 생산하는 모토닉은 자동차 엔진 및 변속기 주요 부품 사업을 영위하면서 주로 현대차, 기아차, 현대케피코, 현대파워텍에 납품하고 있다.

일진복합소재는 Type4 수소저장용기를 개발해 납품하고 있으며 관련제품의 양산이 세계 최초라는 설명이다. 최근 현대차 납품 소식이 전해지면서 타 완성차업체로부터 잇단 러브콜을 받고 있는 것으로 알려졌다. 영도산업은 가스밸브를 전문적으로 생산하는 기업으로 현대차의 개발의뢰 및 공공연구를 시작으로 수소전기차 전용밸브 개발에 나선 바 있다.[188]

이들 부품은 수소전기차의 특징을 가장 잘 보여주는 핵심부품으로 언급된 기업들이 수소전기차 핵심부품 기술력을 보유한 기업이다.

본 장에서는 수소차와 전기차에 핵심부품을 공급할 수 있는 기업들의 정보를 알아본다.
[189]

188) <수소전기차 바람이 분다-수소전기차 부품, 어디에 어떤 제품 사용되나>, 월간수소경제(2017.11.03)
189) <전기차 시대, 주목할 만한 기업은?>, 이코노믹리뷰(2016.11.01)

1) LG화학

LG화학은 국내 최대 배터리 기업이자, 세계 전기차 배터리 시장에서도 또한 정상 자리를 차지고하고 있는 기업이다.

LG화학은 코발트의 안정적인 수급 체계를 구축하고자 굵직한 업체들과 공급 계약을 맺어왔다. 2018년 4월에는 세계 1위 코발트 정련회사인 중국 화유코발트와 전구체 및 양극재 생산 법인을 설립, 원재료 공급 보장을 확보했다. 2017년 11월 양극재 재료인 황산니켈 생산업체 켐코(고려아연 자회사)의 지분을 10% 매입한 바 있다. 2016년 9월에는 GS이엠의 양극재 사업을 인수했다.

LG화학은 최근 배터리 핵심 원재료인 코발트 확보를 위해 LG상사가 지분을 매입한 호주 코발트 광산업체 코발트블루와 코발트 공급을 논의했다. 코발트블루는 2016년 설립된 호주의 광산개발 회사로 호주 뉴사우스웨일스에 있는 코발트 광산을 확보해 개발 중이다. LG상사가 이 회사의 지분 6%를 600만 달러(약 65억원)에 매입한 바 있다. 양사는 코발트 공급에 대해 협업을 강화하기로 하고 코발트블루는 중장기 개발 계획을 세웠다.

LG화학은 주요 완성차 업체를 배터리 고객사로 확보하면서 2017년 대비 3배 커진 국내 전기자동차 시장에서 압도적 점유율을 보이고 있다. 2018년 상반기 국내에서 4488대가 팔려 전기차 판매량 1위를 차지한 현대자동차 아이오닉 일렉트릭과 2위 쉐보레 볼트EV(3122대)에는 모두 LG화학의 배터리가 탑재됐다. 팔린 전기차 10대 중 9대에 LG화학의 배터리가 탑재된 것이다.

LG화학이 국내에서 압도적인 점유율을 차지하고 있는 이유는 국내에서 인지도가 높은 현대차 외에도 GM과 르노 등 글로벌에서도 전기차 판매량이 높은 완성차업체를 고객사로 확보해서다.

실제로 볼트EV는 한번 충전에 한번 충전에 400㎞ 넘게 가는 최초의 장거리주행 전기차로 미국과, 유럽, 캐나다 등에서 매달 3000여대가 팔리고 있다. 르노의 초소형 전기차 트위지와 현대차의 아이오닉도 글로벌 시장에서 높은 판매고를 올리고 있다.

LG화학이 중국 전기차 배터리 시장 공략을 강화할 것이라는 방침을 밝혔다. 이는 중국이 그동안 자국 기업의 지원을 위해 지급해왔던 전기차 배터리 보조금을 2021년부터 폐지할 계획이라고 밝혔기 때문이다. 이에 따라 한국 배터리 기업의 실적은 더욱 개선될 전망이다.

LG화학은 중국 'LG화학 난징 에너지 솔루션(LG Chem Nanjing Energy Solution)'에 4억1,730만 달러(약 4,996억원)를 2025년 12월까지 분할하여 출자할 예정이라고 밝혔으며, 투자 목적은 자동차 전지 양산을 위한 것이라고 전했다.

한편, 중국 전기차 시장에서 LG화학의 존재감은 높아지고 있다. 이에 따라 테슬라의 중국 상하이 공장에도 전기차 배터리를 공급할 예정이다.

또한 테슬라 상하이 공장과 가까운 난징(南京) 신강(新港) 경제개발구에 자리한 배터리 공장 두 곳 외에 빈장(濱江)경제개발구 전기차 배터리 2공장을 추가로 짓기로 했다고 전했다.

2019년도 6월에는 중국 현지 1위 자동차 업체인 지리자동차와 각각 1,034억 원을 출자한 전기차 배터리 합작 법인 설립 계획을 밝힌 바 있고, 해당 공장을 통해 2022년부터 연간 10GWh의 배터리를 생산할 계획이다.

한편, 시장조사업체 SNE리서치에 따르면 LG에너지솔루션은 2022년 1분기 중국을 제외한 글로벌 전기차(EV, PHEV, HEV)에 탑재된 배터리 사용량 순위에서 1위를 확정했다. LG에너지솔루션의 점유율은 32.7%로 전년 동기 대비 성장률은 59.9%에 달했다. LG에너지솔루션과 함께 'K-배터리'를 이끌고 있는 SK온과 삼성SDI도 14.6%, 8.3%의 점유율을 기록하며 탑5에 안착했다.

특히 SK온의 국내 배터리 3사 중 가장 높은 성장세를 보였다. SK온 배터리 사용량은 6.2GWh로 점유율로 5%p 이상 올라갔다. 이에 따라 국내 3사의 점유율은 55%로 상승했다.[190)]

LG화학이 2021년 초부터 중국에서 생산되는 테슬라의 SUV 전기차 '모델Y' 배터리 전량을 수주했다. 업계에 따르면 LG화학은 최근 테슬라와 계약을 맺고, 중국 상하이 공장에서 양산되는 테슬라의 모델Y에 배터리를 납품하기로 했다. 모델Y는 모델X의 하위 기종으로 보급형 SUV에 해당한다. 세단인 모델S의 하위 기종인 모델3에 대응하는 모델인 셈이다.

테슬라로선 모델3에 이어 중국 상하이 기가팩토리에서 생산하는 두 번째 모델이다. 테슬라는 모델Y에 탑재될 배터리로 원통형의 NCM(니켈·코발트·망간) 배터리를 채택했는데, 유력 경쟁사였던 중국 CATL, 일본 파나소닉을 제외하고 LG화학의 배터리를 채택했다.[191)]

---

190) 뉴데일리경제 'LG엔솔 중국빼 전기차 배터리 시장 1위... 中맹추격에 위협 여전'
191) LG화학, 中생산-테슬라 모델Y 배터리 전량 수주 / 노컷뉴스

2) 삼성 SDI

삼성SDI 역시 글로벌 배터리 시장을 선도하고 있는 기업 중 하나이다. 최근에는 '전고체 배터리' 개발에 주력하고 있는 삼고 있다. 삼성SDI가 개발하고 있는 전고체 배터리는 폭발 위험이 없고, 고용량·고효율 등의 장점을 갖춰 글로벌 배터리 업계에서 '꿈의 배터리'로 불리고 있다. 삼성SDI는 전고체 전지 기술 분야에서 가장 앞서있다는 평가를 받고 있다. 삼성SDI는 2027년 상용화를 목표로 삼성전자 종합기술원, 일본 연구소 등과 협력해 전고체 배터리 개발에 박차를 가하고 있다.[192]

삼성SDI는 지난 2016년 RMW i3에 배터리 팩을 적용한 바 있다. i3에 탑재된 배터리는 전지용량이 시간 당 94암페어, 전체 용량 33kWh이다. 최대 300km의 주행거리를 가졌으며 악천후에서 에어컨 또는 히터를 켜고 주행 시 200km를 주행할 수 있다. 전기 모터의 출력은 170마력(125kW)으로 이전 60Ah배터리 모델과 동일하다. 더 많은 주행거리를 원하는 소비자를 위해 새로운 배터리팩과 2기통 엔진을 함께 사용하는 '레인지 익스텐더(Range Extender)' 모델도 선택할 수 있다. 이 모델은 배터리 충전량이 일정량으로 떨어지면 2기통 엔진을 통해 150km 정도의 주행 거리를 늘려준다.

삼성SDI가 전기차 배터리 핵심 소재인 양극재의 안정적인 확보를 위한 작업에 착수했다. 삼성SDI는 자사와 에코프로비엠이 설립한 합작 법인인 에코프로이엠의 신설 공장을 경북 포항 영일만 산업단지에 짓기로 하고 2020년 11월 착공식을 열었다.

에코프로이엠은 차세대 양극재 생산을 위한 합작 법인으로 삼성SDI가 40%, 에코프로비엠이 60%의 지분을 보유하고 있다. 포항 공장은 총 1800억 원이 투입돼 연간 3만1000톤 규모의 차세대 하이니켈 양극재를 생산할 예정이다. 이는 전기차 35만 대에 들어갈 배터리를 제조할 수 있는 물량으로, 2022년 1분기부터 본격 양산에 돌입했다.

에코프로가 배터리 핵심소재 탈중국에 속도를 낸다. 양극재 원료 가운데 하나인 니켈매트 물량을 늘리는 것이 핵심이다. 양극재 사업을 하는 에코프로비엠, 삼성SDI와의 합작사 에코프로이엠에 공급하는 프리커서(전구체)의 약 30%를 자체적으로 생산한다는 계획이다. 2024년 4만톤 가량을 조달할 것으로 보인다.

니켈매트는 배터리 원가의 40%를 차지하는 양극재 원료다. '황산니켈→전구체'로 만들고 리튬, 망간, 알루미늄 등을 더해 양극재가 된다. 니켈매트를 가공하려면 제련 설비가 필수적이다. 업계에선 에코프로가 사실상 고려아연과 같은 제련업에 진출했다는 평가를 내린다.

---

192) "전기차 패권 잡겠다"... 삼성SDI, '전고체 배터리' 상용화 박차 / 시장경제

또한 에코프로비엠, 에코프로이엠 등 에코프로 산하 양극재 법인의 자체 전구체 내재화율을 30% 정도로 예상한다. 순도 99.9% 이상의 배터리용 고순도 니켈로 만드는 황산니켈이 제한적인 상황이라 니켈매트 확보가 동시에 이뤄져야 한다. 니켈매트의 니켈 함량은 70~75% 수준이다. 철을 제거해 니켈 순도를 높이는 탈철공정과 니켈 정제 설비에 별도의 투자가 예상되는 부분이다.

이로써 업계 전문가는 "미국의 인플레이션법 대응을 위해서라도 탈중국은 필수적"이라면서도 "중국 자본과의 협력까지 미국이 규제하기는 어렵고, 에코프로 입장에서 필요한 황산니켈을 모두 조달할 수 없기 때문에 현실적인 선택"이라고 설명했다.[193]

3) 현대모비스

현대모비스는 현대차 그룹 내에서 친환경차 관련 부품의 연구개발 및 생산을 담당하고 있으며 독자기술로 개발해 공급하고 있다. 현대모비스가 친환경차에 공급하고 있는 부품은 하이브리드 6종, 전기차 5종, 플러그인하이브리드 8종, 수소연료전지차 9종이다. 대표적으로 구동모터, 배터리시스템(BSA), 수소공급장치와 연료전지통합모듈 등이다.

[194]현대모비스는 전기차의 저장된 전기를 국가 전력망으로 보내 에너지저장장치(ESS)처럼 활용할 수 있는 양방향 충·방전 기술을 확보했다. 이 기능을 장착한 전기차가 집단으로 모이면 대규모 석탄·화력발전소 역할도 감당할 수 있어 활용가치가 뛰어나다.

V2G는 배터리전기차(BEV)·플러그인하이브리드(PHEV) 등 전기차의 저장된 전기를 국가 전력망에 보내 전력 의존도를 줄이고 가정·사업장 등 수용가의 전기 사용을 줄이는 전력 역전송 기술까지 적용됐다. 전기차가 마치 움직이는 에너지저장장치(ESS)처럼 전기를 저장했다가 필요할 때 쉽게 꺼내 쓸 수 있다. 전기차 4대면 20가구가 하루 동안 사용할 수 있는 에너지와 맞먹는다. 이에 전기차가 집단으로 V2G를 이용하면 국가차원 대규모 정전사태를 방지할 수 있다.

---

193) THEELEC '中 흔적 지우는 에코프로... 배터리 핵심소재 내재화 추진'
194) <현대모비스, 전기차의 전기 맘대로 뽑아쓰는 양방향 충전기술 확보>, 전자신문(2017.08.16)

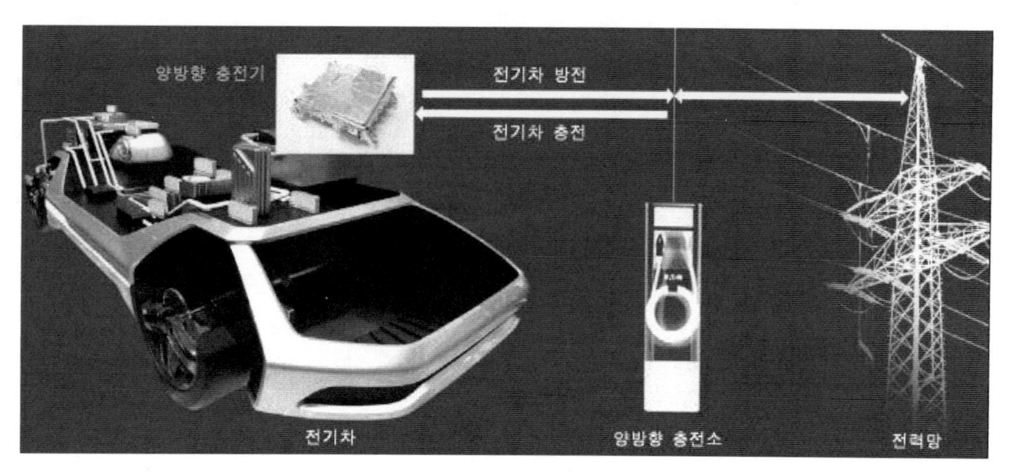

그림 87 전기차용 V2G(Vehicle To Grid) 개념도

V2G는 전기차를 포함해 양방향 OBC와 양방향 충전기, 충·방전 요금체계 등이 필요하다. 현대모비스는 한국전력이 2015년부터 추진한 'V2G 실증사업'에 참여해 양방향 OBC 개발해 왔다. 양방향 OBC를 친환경차에 탑재해 안전성능 검증과 실증사업을 통한 상용화 수준의 개발은 현대모비스가 처음이다.

'양방향 OBC'에는 직류·교류를 양방향으로 변환하고 전압·전력 주파수 등을 전력망과 동기화하기 위해 AC(교류)↔DC(직류) 컨버터, 승압·강압 컨버터 등 '양방향 전력제어 회로'가 적용됐다. 현대모비스는 가상 전력 시나리오에 따른 실차 검증을 올 초부터 시작해 지난달 완료하고, 한전 실시간 전력데이터와 연동한 실차 검증을 이달부터 실시한다. 검증은 전용 충전소가 배터리 효율과 용량 등 차량의 전력 상태 진단과 전력 공급량·비용·부하량 등을 분석한 가상의 시나리오에 따라 V2G 스케줄을 완성한다. 이후 차량은 이 데이터 신호를 받아 정해진 일정에 따라 충전과 방전을 반복하게 된다.

현대모비스 '양방향 OBC'는 에너지 효율을 높이면서 부품 크기는 현대차 '아이오닉' 친환경차의 기존 단방형 충전기와 동일 크기로 개발됐다. 충·방전 출력은 모두 전기차에 적합한 6.6㎾급을 구현한다.

[195]2017년에는 48V 마일드 하이브리드 핵심 기술을 독자 개발했다. 컨버터 통합형 배터리시스템은 개발을 완료했고 시동 발전기와 전동식 컴프레서 등 48V 사양에 맞는 다른 부품도 개발 중이다.

195) <현대모비스, 글로벌 친환경차 핵심부품·기술 독자 개발>, 경향비즈(2017.07.27)

48V 마일드 하이브리드는 내연기관과 하이브리드의 중간 단계로 일반 하이브리드처럼 별도 구동모터를 쓰지 않고 배터리와 시동발전기 등의 시스템만 개선해 기존 내연 차량보다 연비를 15% 정도 향상시켰다. 48V 하이브리드 시장은 기존 하이브리드카의 복잡한 시스템보다 기술 접근성이 용이하고 전 세계적으로 적용 초기 단계라 향후 지속적인 시장 확대가 예상되는 분야다. 친환경차량에 적합한 인휠 시스템도 한창 기술 개발이 진행 중이다. 인휠은 차량 네 바퀴 안에 구동모터와 제동장치가 각각 장착돼 독립 제어가 가능한 획기적인 기술이다. 보통 내연기관 차량의 경우 엔진에서 나오는 동력을 앞뒤 바퀴로 전달하기 위해 여러 장치들을 거쳐야 하는데 인휠은 이런 과정을 생략해 동력 손실이 없다는 장점이 있다.

기존 동력전달 장치가 생략되다 보니 부품 수가 줄어 연비가 향상되고 4륜 구동화가 용이해 빗길과 눈길 주행 성능에서도 큰 장점을 발휘할 것으로 예상하고 있다. 현대모비스는 소형 전기차 등에 인휠 시스템을 탑재해 신뢰성 시험을 진행 중에 있으며 빠른 시일 내에 양산할 수 있도록 기술 개발 역량을 집중하고 있다.

현대모비스는 또 전기요금이 싼 심야 시간대 전기차 배터리를 충전하고 전력 수요가 많은 주간에 전기차에 저장된 전력을 전력 회사에 판매할 수 있는 양방향 충전기도 개발 중이다. 이는 V2G(차량과 전력망 연결) 시스템을 구현하기 위한 것으로 현재 기술 개발과 실증 사업이 활발히 진행되고 있다.

현대모비스가 1조3216억 원을 들여 인천과 울산에 수소연료전지 공장을 짓는다. 현대자동차 그룹의 단일 수소투자로는 최대 규모로 글로벌 수소 시장을 선점하기 위한 포석이다. 이들 공장은 2023년 하반기부터 연 10만 기의 수소연료전지시스템 생산을 시작한다.

현대모비스는 인천, 울산공장 기공식은 추후 열릴 예정이며, 2022년 하반기 완공돼 2023년 하반기부터 각각 3세대 수소연료전지스택과 수소연료전지시스템을 양산한다. 먼저 인천공장에서 수소와 공기의 전기 화학반응을 통해 전기 에너지를 만드는 연료전지스택을 제조한다. 이는 수소전기차 원가의 40%를 차지하는 핵심 부품이다.

울산공장은 이를 받아 연료전지시스템으로 최종 제품화해 완성차에 공급한다. 두 공장에서 생산하는 수소연료전지는 연 10만 기에 달한다. 2018년 완공돼 2세대 수소연료전지를 생산하는 충주공장까지 포함하면 연 12만3000기의 수소연료전지를 양산할 수 있다. 회사 관계자는 “인천 청라는 수소클러스터가 있어 관련 기업 간 협업이 쉽고, 울산은 완성차 공장과 인접해 있다는 점을 고려했다”고 말했다.

현대모비스는 연료전지시스템 종류를 다양화할 계획이다. 지금은 수소전기차 넥쏘, 수소전기트럭 엑시언트 등 차량용 위주로 연료전지시스템을 쓰고 있는데 앞으로는 건설기계, 물류 장비, 특장차, 드론 등 비차량 부문으로 쓰임새를 확대한다. 글로벌 컨설팅업체 맥킨지에 따르면 글로벌 수소연료전지는 2030년 550만~650만 기가 필요할 것으로 예상된다.[196]

196) 한경ESG '현대모비스, 1조 3000억 투자 인천 울산에 수소전지 공장'

4) 만도

그림 88 만도 로고

만도는 전장부품 핵심 기술을 보유하고 있는 회사다. 최근 만도는 테슬라에 EPS 공급을 시작했다. 또 Fail Safety라는 기술을 테슬라와 공동개발하고 공급하기로 했다. Fail Safety(이하 페일세이프티)는 오작동 대비 안전기능으로 자율주행의 안전판 역할을 한다.

보쉬와 콘티넨털, TRW 등 세계 유수 차 부품사들이 경쟁에 참여했지만 탄탄한 기술력과 신속하고 유연한 고객 서비스를 강점으로 내세운 만도가 단독 파트너로 선정됐다. 페일 세이프티는 자율주행차가 전기적 오류 등으로 위급 상황에 처해도 보조 시스템(리던던시·redundancy)을 가동해 운전자 개입 없이 안전한 자율주행을 지속할 수 있는 핵심 기술이다.

`페일 세이프티`는 조향장치와 브레이크, 서스펜션, 센서 등 모든 영역에 해당하는 기술로 특히 차 스스로 운전하는 안전주행에선 가장 중요한 기술이다. 페일 세이프티 기술을 공인받아야 자율주행차가 실제로 도로를 운행할 수 있다.

만도는 자율주행차 공동 개발을 위해 최근 자율주행 분야에서 미국과 독일 현지 연구소를 중심으로 90여 명의 고급 기술자들을 영입했다. 또 보쉬나 콘티넨털 등 일류 부품업체에서 미래차 기술 개발에 잔뼈가 굵은 임원급 엔지니어만 8명을 스카우트한 것으로 알려졌다.

만도는 4~5년 이내 테슬라와 협력하여 완벽에 가까운 자율주행 안전시스템을 구축한다는 계획이다. 양사는 3단계 이후 운전자가 타지 않고 스스로 운행하는 4단계 완전 자율주행차 기술까지도 공동개발하기로 했다. 고속도로에서 운전자가 20초 남짓 손과 발을 떼고도 차가 차선을 따라 스스로 주행하는 현재 기술은 자율주행 2단계에 해당한다.

만도가 치열한 경쟁을 뚫고 테슬라의 자율주행 안전 시스템 공동 개발사로 선정된 건 이 분야 세계 최고의 기술력을 가지고 있어서다. 실제로 만도는 최정상급 자율주행 기술이 적용된 현대차 제네시스 EQ900에 자체 개발한 자동 긴급 제동시스템(AEB)과 랙타입 모터 구동형 전자제어 배력 조향장치(R-EPS)를 탑재했다. 만도 기술력이 적용된 EQ900는 미국 고속도로안전보험협회 전방충돌평가에서 세계 최초로 전 항목 만점을 받았다.

만도의 신속한 의사결정과 유연한 고객대응 서비스도 테슬라가 자율주행 공동 개발 파트너로 만도를 택한 이유 중 하나로 분석된다. 만도는 2021년 실적으로 매출 6조 1,474억 원, 영업이익 2,357억 원을 기록했다고 밝혔다. 이는 전년 대비 각각 10.5%, 165.73% 증가한 수치로, 당기순이익은 2016년 이후 최대 규모인 1,960억 원을 기록했지만[197], 보쉬(매출 6,106억 3천만 원) 등 톱티어 업체에 비하면 중견업체에 불과하다. 강력한 오너십과 소규모 조직은 의사결정과 고객대응에 있어 경쟁사가 넘볼 수 없는 스피드를 내고 있다. 자동차 업계에서는 외국 1차 부품업체가 4~5년 걸리는 일을 만도는 2~3년 안에 해결한다는 평가를 받는다. 고객의 다양하고 긴급한 요구를 고객 맞춤형으로 유연하게 제공한다는 점도 강점이다. 최첨단 기술의 주도권을 뺏기지 않으려는 후발주자 테슬라 입장에서 만도와 같은 `스피드한` 한국 부품사를 선호한 것으로 전해졌다.

자동차 부품 기업 만도가 미국 전기차 기업 카누(Canoo)에 '완전 전자제어식 조향 시스템(SBW·Steering by Wire)'을 공급한다는 소식을 전했다.

업계에 따르면 만도는 2020년부터 5~6년간 카누의 전기차·자율주행차 50만대에 전자제어식 조향 시스템을 공급하는 계약을 체결했다. 내연기관차의 조향 시스템은 일부 전자제어 기능을 갖췄지만, 조향축·기어처럼 바퀴와 연결한 기계식 조향장치로 운전 방향을 바꾼다.

반면 완전 전자제어식 조향 시스템은 기계 없이 센서(전기신호)로만 운전대를 제어하는 만큼 기계적 연결이 필요 없어 차량 경량화를 실현할 수 있다. 해당 제품은 카누가 미국과 중국에서 출시하는 7인승 미니 전기버스부터 단계적으로 장착될 예정이다.[198]

197) THEELEC '만도, 올해 연매출 6.9조원 목표...전기차 부품 사업 확대로 실적 견인'
198) 만도, 美전기차 기업에 전자제어식 조향시스템 공급/뉴시스

조성현 만도 사업총괄 사장이 글로벌 전기차 확대에 따른 만도의 전동화부품사업을 키우는 역할을 맡아 어깨가 무거워졌다. 그는 미래차 전환을 위해 전동화부품사업을 빠르게 키워 해외에서 고객사를 늘릴 계획을 세우고 있다.

증권업계 안팎의 말을 종합해보면 만도는 내년에 유럽과 북미, 중국에서 전기차 관련 매출이 늘어날 것으로 예상됐다. 만도는 현재 전기차와 관련해 전자제어식 조향장치(SBW), 통합 전자 제동장치(IDB) 등을 생산해 완성차기업에 공급하고 있는데 내년에 글로벌 완성차들이 전기차를 본격적으로 생산하면서 만도도 수혜를 볼 수 있다는 것이다.

만도는 2021년 1분기 일체형 통합 전자브레이크 사업에서 약 5000억 원(전체 수주액의 17%)을 신규 수주하고, 현대차와 기아 외 GM, 포드, 니오 등으로 고객사를 넓히는 등의 성과를 냈다.[199]

그리고 신사업으로 전기차용 e-드라이브(엔진), 섀시 전동화 통합 모듈 등 차세대 EV(전기차) 제품과 수소차 배터리 충전 컨버터 등 전기차 관련 제품을 개발하고 있다. 2023년 7조원, 2025년 9조6천억 원의 매출 목표를 세웠으며 전장부품 비중은 2023년 66%에서 2025년 69%로, 친환경차 비중은 26%에서 33%로 올릴 계획이다.[200]

만도의 통합 전자제동장치는 기존 브레이크를 구성하는 4개 부품을 통합해 1개의 박스 형태로 만든 것으로 현재 만도를 포함한 4개의 글로벌 자동차 부품사만 생산하고 있다. 특히 만도가 생산하는 통합 전자제동장치는 무게를 낮추면서도 반응속도를 높여 전기차에 최적화시켰다는 장점이 있다. 주행거리도 약 15% 향상시켜 전기차 개발 회사들에게 에너지를 절약할 수 있다는 점이 주목받고 있다.[201]

---

199) THEELEC '만도, 차세대 일체형 통합전자브레이크 양산 시작'
200) 연합인포맥스 'R&D센터 리츠에 팔아 4천억 확보한 만도, 미래사업 투자 가속'
201) 만도 전기차 맞춰 전동화부품 키운다, 해외영업 강한 조성현 진두지휘 / 비즈니스포스트

5) 화신테크

그림 89 화신테크

화신테크는 지난 2006년 국내 자동차금형업계 최초로 코스닥 상장사가 된 회사이다. 자동차용 프레스 금형의 제조, 판매를 주사업 목적으로 하고 있으며, 자동차용 일반 프레스 금형뿐만 아니라 고부가가치 제품인 Hydroforming 및 Hot Press Forming 등 특수금형을 제조·판매하고 있다. 주요 제품은 자동차용 일반금형과 특수금형으로, 특히 특수금형(Hydroforming 및 Hot press forming)은 국내 유일의 기술로 POSCO와 계약을 체결하여 독점으로 공급하고 있다.

금형은 제품생산을 위한 기초적인 단계로 제조업체의 성장에 필수적인 부분이다. 현대, 기아차를 포함한 국내 완성차업체와 포드, 테슬라, 니산, MARUTI-SUZUKI, MAGNA, TATA자동차(인도) 등의 세계적인 자동차 메이커 및 협력업체에 금형을 공급하고 있다. 매출은 일반금형 94.02%, 특수금형 3.17%, 상품 2.46%, 기타 0.34% 등으로 구성되어 있다.

화신테크의 금형 기술력은 국내 강소기업들 가운데서는 독보적이라고 할 수 있다. 우선 자동차 경량화를 위해 사용하는 780메가파스칼(MPa) 초강력 강판 금형성형기술을 국내 자동차에 적용되기도 전인 2003년부터 개발하기 시작했으며, 지금은 국내 최고인 1200MPa 성형기술을 보유하고 있다. 또한 판재를 가열한 후 성형해 급속 냉각하여 초고강도화함으로써 탑승자 안전을 향상시킨 핫포밍 양산금형 역시 국내 최초로 개발해 국내외 자동차 회사에 납품하고 있다.

알루미늄 차체 금형 역시 해외 자동차업체에 수출하고 있다. 미국의 테슬라 자동차가 적용하고 있는 게 바로 이 제품이다. 최근 문제시되고 있는 이산화탄소의 배출량을 줄이기 위해 알루미늄 차체가 쓰이는 곳이 급격하게 늘어나고 있어 화신테크의 제품을 원하는 업체들이 잇달아 사들이고 있는 것이다.

화신테크는 테슬라 자동차뿐만이 아니라 미국의 포드 GM 크라이슬러, 유럽의 벤츠 BMW 폭스바겐, 인도의 타타자동차, 중국의 베이징기차에 금형을 수출하고 있어 회사의 매출도 급격히 늘고 있다. 2021년 기준 매출액은 15억 4,938만원이다.[202)]

---

202) 사람인 '(주)화신테크 2021년 재무정보'

6) 엘앤에프

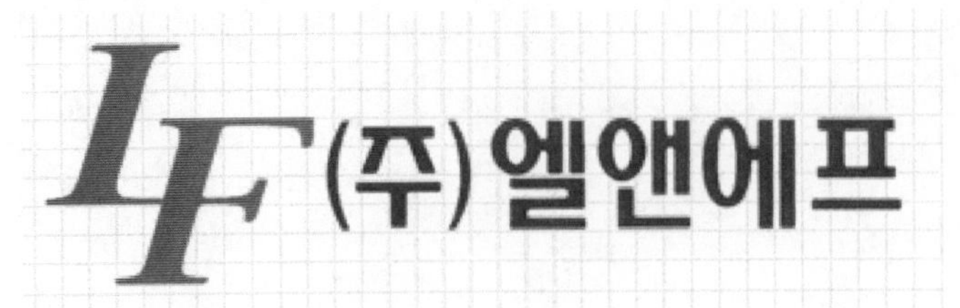

그림 90 엘엔에프 로고

엘앤에프는 NCM, LCO, LOM 등의 양극활 물질을 생산하는 업체다. 주된 제품은 니켈코발트망간계(NCM), 리튬코발트계(LCO), 리튬망간계(LMO) 등이며 2019년 기준 매출액은 약 3,133억 원, 2020년은 약 3,561억 원, 2021년은 약 9,708억 원으로 전기자동차 양극활물질 대형공급계약 체결 등으로 인해 가파르게 증가하고 있다.[203] 주요 자회사로는 2차 전지용 무기화합물을 생산하는 제이에이치화학 공업, 중국 광미래신재료유한공사 등이 있다. 전체 매출 중 NCM비중이 지속적으로 확대될 것으로 판단되며 NCM중에서도 니켈 비중이 높은 제품의 판매 비중이 높아질 것으로 전망된다.

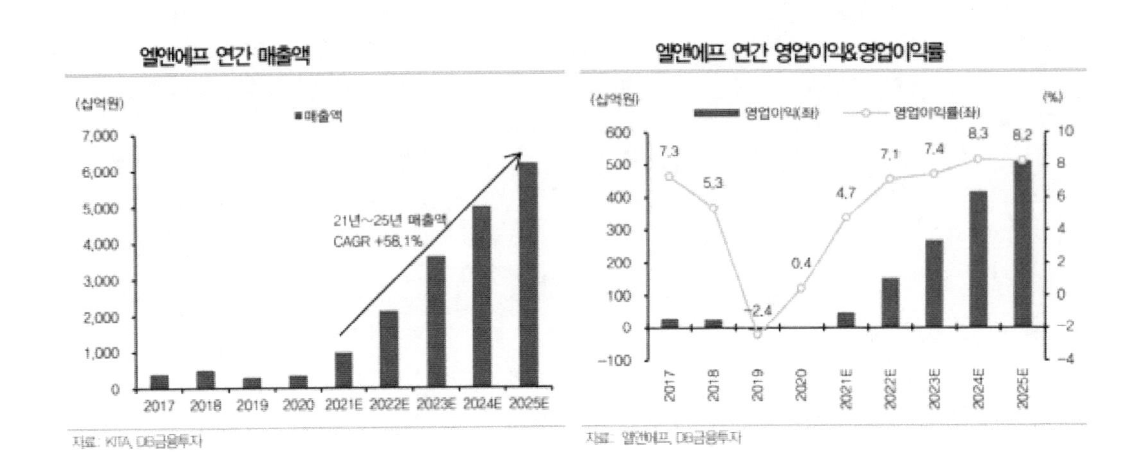

그림 91 엘앤에프 연간 매출액, 영업이익, 영업이익률 추이. 출처=DB금융투자

NCM은 전체 원재료 중 코발트 함류량이 LCO 대비 낮다. 최근 코발트 가격이 큰 폭으로 상승했기 때문에 원가에서 코발트가 차지하는 비중인 낮은 NCM의 매출 비중이 증가할수록 수익성이 개선될 여지가 높다.

중국 정부의 자국 업체 보호 정책으로 국내 배터리 업체들이 중국 사업에 난항을 겪고 있다. 다만 엘앤에프는 중국 배터리 업체로 직납을 하는 소재 업체다. 실제 2017년부터 본격적으로 NCM 관련 중국향 매출이 발생되기 시작했다. 중국 배터리 업체들의 NCM 탑재 비중은 지속적으로 증가할 것으로 예상되며 아직까지 중국 양극재 업

203) 한국IR협의회 기술분석보고서「엘앤에프 IT부품」

체들과 엘앤에프를 포함한 상위 양극재 업체들의 기술 격차는 큰 상황이다.
따라서 중국 전기차 시장 확대에 따른 지속적인 물량 증가가 기대된다. 엘엔에프는 글로벌 양극화물질 생산시장에서 1위 일본 니치아, 2위 유럽 우미코어(Umicore)에 이어 3위를 기록하고 있다. 생산품은 주로 LG화학이나 삼성 SDI에 공급하고 있다.

엘엔에프는 배터리 화두가 고밀도로 가고 있는 만큼 하이니켈과 리튬공기 등 차세대 배터리 기술에 대한 연구개발에 노력하고 있다. 대구지역 중견 에너지기업인 ㈜엘앤에프가 대구국가산업단지에 2500억 원을 투자한다. 대구시에 따르면 권영진 시장과 엘앤에프 최수안 사장은 2차 전지용 양극재 생산 제4공장 건립에 관한 투자협약(MOU)을 체결했다.

엘앤에프는 2023년까지 2단계에 걸쳐 총 2500억 원을 투자해 대구국가산단 내 2만 6372㎡ 부지에 네 번째 양극재 제조공장을 건립한다. 다음 달 착공해 2022년 하반기부터 2차 전지용 양극재 중 하이(Hi)-니켈계 제품 생산에 나선다. 신규인력 500명을 고용할 계획이다. 증설을 마무리하면 1, 2공장(성서·칠곡) 연간 2만t에 3, 4공장 6만t을 합쳐 연간 8만여t 생산체제를 갖추게 된다.[204]

204) 엘앤에프, 대구국가산단에 2500억 투자 / 헤럴드경제

7) 에코프로

그림 92 에코프로

2차 전지용 NCA 양극활 물질과 전구체를 공급하는 기업인 에코프로는 NCA 업체 중에서는 국내서 1위로 손꼽힌다. 일찍이 하이니켈 기술력 확보에 나서 현재 이분야에서 독보적인 위상을 구축했다. 원래 화학 촉매물질 개발 업체였던 에코프로는 배터리산업의 전망을 보고 소재 개발에 뛰어들었다. 그러나 중국업체들의 기술추격이 시작되자 2008년부터 차세대 소재인 하이니켈 개발에 나섰다.

리튬이온배터리에서 니켈의 함유량은 에너지 용량과 비례한다. 하이니켈은 양극물질 구성 중 니켈 비중이 80%이상인 것을 말한다. 니켈함유량은 높아질수록 수명과 안전성이 떨어진다. 이를 유지하기 위해서는 니켈에 알루미늄 코팅을 해야 한다. 이 기술력이 고난도이기 때문에 진입장벽이 높다. (주)에코프로비엠의 주 생산품인 리튬이차전지용 하이니켈 양극재는 고밀도, 고출력의 차별화된 기술력을 바탕으로 세계 1~2위의 경쟁력을 가진 생산품으로 평가받으며, 4차 산업혁명시대의 핵심기술로 주목받고 있다.

에코프로는 2022년 2분기 실적 발표회에서 2026년까지 매출 목표치를 30% 가까이 상향 조정했다. 에코프로는 전 가족사의 2022년~2026년 5년간 누계 매출액 목표치를 59조원으로 제시했으며 2022년 2월 발표치(46조원) 대비 약 28% 상향 조정한 수치다. 같은 기간 누계 에비타(EBITDA, 법인세·이자·감가상각비 차감전 영업이익) 목표치는 5조원에서 7조3000억 원으로 46% 높여 잡았다.

양극재 제품 매출 상당 부분이 수출(약 94%)에서 나오는데 환율이 오르면서 매출 상승 효과가 나타나고 있다는 것이다. 미국을 중심으로 반도체, 배터리 등 공급망이 재편되며 파트너십이 느는 등 에코프로의 사업 확장도 가시화되고 있다. 양극재 사업뿐만 아니라 에코프로의 또 다른 사업축인 대기환경 사업도 궤도에 오르고 있다.[205)]

205) 조선비즈 '양극재 강자 기대감에 에코프로 쓸어담는 외국인... 주가도 반짝'

에코프로는 2차전지 소부장(소재·부품·장비) 특화단지로 지정된 충북 청주 오창과학산업단지에 2차전지 소재 개발을 위한 R&D 캠퍼스를 조성한다고 밝혔다.

에코프로가 조성 중인 R&D 캠퍼스는 약 14만㎡(약 4만5000평)로 지어지며 수천억원을 투자하는 대규모 사업이다. 2023년 착공하고 2024년부터 2025년까지 순차적으로 청주와 포항 등 각 지역에 흩어진 전 계열사의 R&D 인력을 이곳에 집결할 예정이다.

이번 R&D 캠퍼스 조성 사업이 완료되면 에코프로는 2차전지 관련 금속, 전구체, 양극재, 폐배터리 등 소재 연구의 전 분야에 대한 가치사슬을 완성하게 된다. 연구소 집약에 따른 시너지 효과가 기대된다. 또 연구원을 포함해 약 1000명의 직접 고용과 향후 3년간 총 3000명 이상의 고용 창출 효과가 예상된다. 장기적으로는 지역 경제에 파급 효과를 일으켜 지역사회 발전에도 기여할 수 있다는 평가다.

에코프로 R&D 캠퍼스 조성 사업에는 2차전지 소재 분야에서 글로벌 기술 경쟁력 우위를 유지하기 위해 과감한 R&D 투자가 선행돼야 한다는 이동채 회장의 강력한 의지가 반영된 것으로 알려졌다. 회사 관계자는 "사전 준비 기간을 거치며 2차전지 소재에 대한 초격차 기술 경쟁력 우위를 확보하고, 전 세계 경쟁력을 강화하기 위해 R&D 캠퍼스 조성을 계획했다"고 전했다.[206]

206) 매일경제 '에코프로, 청주에 R&D캠퍼스...배터리 초격차 시동'

8) 일진머트리얼즈

그림 93 일진머트리얼즈 로고

일진머트리얼즈는 일진그룹 계열사로 이차전지 및 IT(PCB 및 FPCB)용 소재인 일렉포일(I2B)을 국내에서 유일하게 생산하고 있는 업체이다. 일렉포일은 황산구리용액을 전기 분해해 만드는 두께 10마이크로미터(㎛) 이하의 얇은 구리 박(箔)으로 전기차, ESS(에너지저장장치) 등 대형 2차전지 음극집전체에 쓰이는 필수 핵심소재다.

일렉포일은 그동안 스마트폰 배터리 등 전자기기에 주로 사용됐다. 향후 전기차, 에너ESS(에너지저장장치) 등에 사용되며, 일렉포일은 스마트폰 배터리 1개당 3g정도가 사용되지만 전기차 배터리에는 1대당 15kg가량 필요하다. ESS의 경우 전기차 배터리보다 많은 양이 사용되기 때문에 향후 일렉포일 판매는 급증할 것으로 예상된다. 따라서 I2B의 공급부족 상황으로 공급자 우위의 시장 분위기가 형성되고 있다. '소재업체-2차전지 생산업체'와의 협상과정에서도 소재업체의 지위가 향상되고 있어 일렉포일 가격결정 등에 있어 소재업체에게 긍정적인 방향으로 전개될 것으로 예상된다.

일진머티리얼즈가 삼성SDI와 8조5262억 원 규모의 2차전지용 일렉포일(동박·사진) 공급 계약을 체결했다고 공시했다. 이 회사 2021년 매출의 1237%에 해당하는 대규모 공급 계약이다. 삼성SDI의 국내 및 해외 공장에 2022년부터 2030년까지 일렉포일을 공급한다.

일렉포일은 황산구리 용액을 전기 분해해 만드는 10㎛(마이크로미터·100만분의 1m) 이하 두께의 박막으로 대형 2차전지의 음극 집전체에 들어가는 배터리 필수 소재 중 하나다. 일진머티리얼즈 관계자는 "삼성SDI가 필요로 하는 연간 2차전지용 일렉포일 전체 물량의 60%를 공급하는 계약을 맺었다"며 "이번 물량이 확정된 이후에도 상호 합의를 통해 공급 물량을 5% 범위에서 줄이거나 20% 범위에서 늘릴 수 있다"고 설명했다.

일진머티리얼즈는 대만 창춘에 이은 세계 2위 일렉포일 회사다. 삼성SDI를 비롯해 LG에너지솔루션, 중국 비야디 등을 고객사로 두고 있다. 2021년 연결 기준으로 매출 6888억 원, 영업이익 699억 원을 각각 올렸다.

한편 일진머티리얼즈가 삼성SDI의 연간 물량 중 점유율 60%를 공개했다는 점이 눈길을 끈다. 미래에셋증권에 따르면 동박 1만t당 가격이 2000억원이고, GWh당 동박을 약 600t 사용한다고 가정하면 일진머티리얼즈가 삼성SDI에 공급하는 물량은 8년간 40만~50만t에 이를 것으로 추정된다. 이를 바탕으로 같은 기간 삼성SDI의 동박 사용량이 65만~83만t으로, 8년간 배터리 생산량이 1111~1400GWh로 추산된다는 설명이다. 김철중 미래에셋증권 연구원은 “시장에 공개되지 않았던 삼성SDI의 중장기 생산 능력을 역산해볼 수 있는 공시”라고 설명했다.

이번 계약이 일진머티리얼즈 매각에 어떤 영향을 줄지도 관심이다. 허재명 일진머티리얼즈 대표는 보유 지분 53.3% 매각을 추진 중이다. 허 대표는 일진그룹 창업주 허진규 회장의 차남이다. 최근 씨티글로벌마켓증권을 매각주관사로 선정하고 잠재 인수 후보들에 티저 레터를 배포한 것으로 알려졌다.[207]

207) 한경경제 ‘일진머티리얼즈, 삼성 SDI에...8.5조원 규모 동박 공급 계약’

9) 삼화콘덴서

그림 94 삼화콘덴서 로고

삼화콘덴서는 종합 콘덴서 업체로 전기차 시장 성장으로 인한 전력변환콘덴서(DC-Link Capacitor) 매출 증대가 기대된다. 삼화콘덴스는 삼성전기에 이은 국내 적층세라믹콘덴서 점유율 2위업체로, 계열사인 삼화전기가 생산 중인 전해콘덴서를 제외한 전력용 콘덴서, 세라믹 콘덴서, 칩(CHIP)형 콘덴서 등 거의 모든 콘덴서 제품을 만든다. 콘덴서는 전기를 저장(충전)하고 사용(방전)하는 부품으로 배터리보다 규모가 훨씬 작은 전기 저장장치다. TV, 디지털카메라, 자동차, 퍼스널컴퓨터(PC) 등 대부분의 전기 제품에 사용된다.

현재 글로벌기업들은 최근 저가형 적층세라믹콘덴서의 생산 비중을 줄이고 고가형 제품 비중을 키우고 있다. 자율주행차부품과 5G 통신 등 고부가가치제품이 필요한 기술들이 발전하는 데 맞추는 것이다. 특히 수익성 높은 전장용 적층세라믹콘덴서의 공급 비중을 확대하고 있어 가격 상승에 따른 수혜폭을 더 키울 것으로 전망됐다.

향후 추진하려는 사업은 하이브리드 부품 개발-전기자동차용 세라믹 커패시터모듈, 슈퍼콘덴서 - EDLC부품 개발, 내장형 개패시터용 고신뢰성 복합체 개발 등 총 6가지가 있다. 특히 태양광발전 등에 쓰이는 슈퍼캐퍼시터를 개발하고 고객사를 찾아 본격적으로 양산할 준비를 하고 있다. 슈퍼캐퍼시티는 리튬이온 배터리를 대체할 에너지저장장치로 각광받고 있다. 하이브리드와 전기차 등 전력으로 구동하는 친환경차용 전력변환콘덴서도 2013년부터 현대모비스 등 주요 부품회사에 공급하고 있다. 이와 같이 삼화콘덴서는 신사업으로 친환경에너지 쪽 연구개발 투자를 늘리고 있으며 동시에 주력인 적층세라믹콘덴서 기술 개발에도 투자하며 사업 다각화를 꾀하고 있다.

10) 우리산업

그림 95 우리산업

우리산업은 PTC(Positive Temperature Coefficient)히터를 공급하는 자동차 부품 업체이다. PTC 히터는 공기를 전류로 데워 실내 온도를 조절하는 장치인데 엔진없이도 차량난방을 가능케 해 전기차의 필수 부품 중 하나로 꼽힌다. 내연기관 차량의 경우 히터는 엔진의 열을 바탕으로 작동하는데, 전기차는 내연기관 차량과 다르게 엔진이 없다. PTC히터는 엔진의 존재와 무관하게 독자적으로 기능해 온도를 조절하는 난방장치로, 공기를 직접 가열하는 '에어 히팅'방식으로 별도의 파이프라인 설치가 필요한 보일러 방식보다 무게도 가벼워 연비에 도움이 된다.

PTC히터는 안전성면에서도 좋은 평가를 받고 있다. PTC히터의 차량의 실내 캐빈(송풍기 안쪽)에 설치되어 안전성에 문제가 있으면 운전자는 감전의 위험에 노출되고 차량에 화재가 발생할 수도 있다. 소비자 신뢰를 중요시하는 완성차업체로서는 공급업체 선정에 까다로울 수밖에 없다. 우리산업은 안전성을 인정받아 BMW, 테슬라, 피아트 등 글로벌 완성차 업체에 PTC히터를 공급하고 있다.

우리산업은 또한 전기차뿐만아니라 수소차에도 PCT히터를 공급하고 있으며, 현대자동차와 차세대 수소연료전지전기차(FCEV)에 대한 PTC히터 독점 공급 계약을 맺었다.

자동차부품제조판매업체 우리산업이 테슬라의 실적 호조에 힘입어 상승세를 보였다. 우리산업은 테슬라에 PTC히터를 공급하고 있어 이번 테슬라의 어닝 서프라이즈에 영향을 받았다.[208]

208) 우리산업, 테슬라의 실적 호조에 전기차 관련 수혜 / 서울와이어

11) 상아프론테크

그림 96 상아프론테크 로고

상아프론테크는 전기차 관련해서 배터리 전해액 누수 방지 부품을 공급하는 회사다. 1974년 설립시 수입에 의존해 오던 재봉틀 부품인 노루발을 시작으로 반도체, DISPLAY, 2차전지, 프린터, 자동차, PCB, 의료기기 등의 고기능성 엔지니어링 플라스틱 부품 및 소재 생산을 주요사업으로 영위하고 있다. 특히 슈퍼엔지니어링 플라스틱을 기반으로 핵심 원천기술을 확보하여 다양한 사업분야의 제품을 국산화 개발에 성공하여 고객사에 공급하고 있으며, 수입대체화에 적극 기여하고 있다.

슈퍼엔지니어링 플라스틱은 원재료에 첨가제를 섞어 내열성과 강도를 높인 플라스틱을 말한다. 불소수지(PTFE), 폴리에테르에테르케톤(PEEK), 탄소섬유강화 플라스틱(CFRP), 폴리이미드(PI)등이 여기에 속한다. 이 기술을 바탕으로 상아프론테크는 반도체 웨이퍼캐리어, 액정표시장치(LCD) 이송 및 보관용 카세트, 컬러프린터용 퓨저 벨트, 이차전지용 캡어셈블리 등으로 사업영역을 확장해왔다.

최근 실적 향상은 중대형 이차전지 부품사업이 이끌고 있다. 상아프론테크가 만드는 제품은 전해약 누수를 막는 핵심부품인 캡어셈블리용 가스켓이다. 상아프론테크는 중대형 전지 캡어셈블리용 가스켓을 삼성 SDI에 독점 공급하고 있다. 이 부품은 삼성 SDI 배터리에 탑재돼 BMW, 폭스바겐 등 완성차에 공급된다. 삼성 SDI 배터리를 탑재한 전기차가 늘수록 상아프론테크 매출도 확대되는 구조다.

현재 지속적인 사업분야의 확장과 연구개발 투자로 반도체, DISPLAY, OA, 전기전자, 정보통신, 자동차 사업 등에 진출했으며, 최근 태양광, 중대형 2차 전지와 같은 신재생에너지 사업과 의료기기, 멤브레인 등의 고부가가치 특수소재 사업 개발을 통해 국내 5개(인천 남동공단 본사, 2공장, 3공장, 경남 양산공장, 상아기연)의 공장과 해외 6개(중국 위해, 소주, 서안, 말레이시아 세렘반, 베트남 박닌, 헝가리 스자다)의 공장을 보유, 글로벌 비즈니스 네트워크를 구축했다.

상아프론테크는 불소수지 다공성 지지체의 물성 및 기공제어 기술과 과불소계 술폰화(PFSA) 이오노머 분산 기술을 보유하고 있다. 기계적 강도가 매우 우수하며 낮은 치수변화율과 높은 치수 안정성을 자랑한다. 또한 불소계 이온전도체 사용으로 내화학성이 뛰어나 다양한 용도의 고객 맞춤형 제품 개발이 가능하다.

특히 이번에 선보인 주력 제품'상아프론테크 그린멤 멤브레인'은 PEM(고분자 전해질 멤브레인) 연료전지에 들어가는 '강화전해질막'이다.

PEM연료전지란 수소이온교환 특성을 갖는 고분자막을 전해질로 사용하여 다른 타입의 연료전지에 비해 전류밀도가 크고 섭씨 100도 미만에서 작동되지만 구조가 간단하며 빠른 시동과 응답 특성, 우수한 내구성을 가지고 있다. PEM STACK 속 핵심부품인 '강화전해질막'은 수소연료전지 MEA의 핵심부품으로 연료극의 수소와 공기극의 산소가 직접적으로 결합하는 것을 방지해주며, 연료극에서 생성된 수소이온만을 통과시키는 역할을 한다. MEA를 통해 수소가스가 수소이온으로 전환되며 전기가 생성되는 원리다.

그린멤 멤브레인 강화전해질막은 수소연료전지, 수소 모빌리티, 발전용 연료전지, 레독스흐름전지(RFB), 수전해시스템, 그리고 이온교환공정 등에 활용할 수 있다.[209]

캡어셈블리가 전기차 판매량 증가와 맞물려 고성장하면서 상아프론테크의 중대형 전지 부품 사업 규모도 연평균 30~40%씩 성장하는 추세다. 상아프론테크(31,350원, 650원, -2.03%)는 분기보고서를 통해 '22년 1분기 매출액 411억 원(전년비 +2%), 영업이익 29억 원(+20.8%), 순이익 19억 원(-13.6%)을 각각 기록했다고 공시했다.

가치투자 포털 아이투자는 분기보고서를 바탕으로 2022년 1분기 실적을 전년 동기와 비교했다. 1분기 실적과 전일 종가를 반영한 PER은 59.2배로 나타났다.[210]

슈퍼 엔지니어링 플라스틱 기술을 활용한 신규 사업 발굴에도 적극적이다. 지난 2015년 시작한 반도체 패키징용 ETFE 필름 신규 사업은 성공적으로 진행 중이다. 그동안 일본 업체가 독점 공급하던 제품을 국산화했다.

---

209) nate뉴스 '상아프론테크, H2 MEET 2022에서 수소 연료전지의 핵심부품 강화전해질막 '그린멤 멤브레인' 알렸다!
210) 아이투자 '상아프론테크, 1Q 영업이익 29억 원... 전년비 +20.8%'

멤브레인과 의료기기 신사업도 성과가 가시화될 전망이다. 멤브레인은 내역성과 내화학성, 내마모성이 우수한 PTFE 원재료를 활용해 특정 성분을 선택적으로 통과시키는 소재다. 땀을 방출하고 빗방울을 튕겨내는 아웃도어 의류 소재인 '고어텍스'도 멤브레인의 일종이다. 헤드라이트 습기를 차단하는 벤트필터 등 자동차 부품을 시작으로 수처리, 의료, 이차전지 분리막, 전지전자 소재, 식음료 등 분야에 활용도가 높을 것으로 회사는 기대하고 있다. 의료기기 사업 역시 세계 시장 2위 점유율을 차지하고 있는 안전필터 주사기에 건강보험을 적용하는 급여화가 진행되면 매출이 크게 성장할 것으로 전망된다. 최근 유럽 인증을 통과해 수출 길도 열렸다. [211]

수소차 멤브레인(분리막)의 소재인 ePTFE를 개발한 상아프론테크에 대해 고성장이 가능할 것으로 예상했다.

상아프론테크는 수소차 멤브레인 소재인 ePTFE에 대한 개발과 특허등록을 완료했다. 수소차용 멤브레인은 연료전지 스텍의 핵심소재로 수소차 원가의 약 8~9%를 차지할 정도로 중요도가 높으며, 현재 해외업체가 독점하고 있는 시장이다. 회사는 본격적인 대량생산체제 들어갈 예정으로, 현재 1개의 파일럿 생산라인을 3개로 확장할 계획이다.[212]

211) <상아프론테크, 전기차 훈풍 타고 올해 사상 최대 실적 유력>, 전자신문(2017.08.31)
212) 상아프론테크, 수소차 멤브레인 소재 특허…목표가 159%↑-유진 / 이데일리

12) 한온시스템

그림 97 한온시스템 로고

한온시스템은 국내 최대 자동차 열·에너지 관리 솔루션 업체로, 자동차 공조 시스템[213] 시장에서 일본 덴소(도요타자동차 계열)에 이어 글로벌 2위 업체이다. 2016년에는 포브스 아시아가 발표한 '50개 유명기업'에 이름을 올리며 기술력을 인정받은 바 있다.

현재 40개의 제조공장과 3개의 이노베이션 센터, 1개의 테크니컬 센터, 14개의 엔지니어링 시설을 보유한 한온시스템의 주요 생산 제품은 자동차용 난방·환기·공조장치(HVAC)와 에어컨 컴프레서, 열교환기, 파워트레인 쿨링, 배터리 열관리시스템전기차용 배터리 온도관리시스템, TF냉각수 가열식 히터, Heat 펌프 시스템, 고전압 BLDC 쿨링 팬 모터 등이다. 현재 아시아와 유럽, 북아메리카 등 20여 개국에 진출해있다.

최근 자율주행과 커넥티드카, 친환경 전동화, 차량공유 등 급변하는 미래자동차 4대 기술 흐름에 맞춰 신기술 확보에 박차를 가하고 있다. 특히 전기차에 들어가는 핵심 부품인 전동 컴프레서(압축기)와 주행거리를 늘려주는 기술의 중요성이 덩달아 커지고 있다. 미래차 시대에 접어들수록 공조 시스템 비중은 일반 파워트레인 차량 대비 20~30%가량 증가할 것으로 전망된다. 일반 파워트레인 차량의 경우 엔진열을 이용해 난방이 가능하지만, 전기차나 플러그인하이브리드차(PHEV)등 친환경차에는 모터와 배터리로 구동돼 별도의 열이 필요하다. 하트펌프시스템은 열효율을 개선해 전기차의 주행거리를 늘려주면서 난방 효율을 높여준다.

히트펌프시스템은 인버터, 구동모터 등 전장부품에서 발생하는 폐열을 회수해 에너지 효율을 높임으로써 기존 PTC히터 대비 열효율 30%이상, 주행거리 20%이상 개선시키는 효과가 있다. 차세대 히트펌프 시스템용 HVAC은 오는 2020년부터 상용화를 준비 중이다. 커다란 크기 때문에 기존 조수석 대시보드에 장착되던 HVAC은 단순화 과정을 거쳐 크기를 축소 엔진룸 부착이 가능해졌다. 조수석 공간이 넓어지는 것은 물론, 전비 효율을 높인다는 특징이 있다. 이와 함께 한온시스템은 현재 자율주행차에 탑재되는 컴퓨터나 센서를 냉각할 수 있는 쿨링 시스템을 개발 중이다

213) 공조시스템은 뜨겁거나 차가운 공기를 천장 배관을 통해 작업장 등 실내에 유입시켜 온도를 조절하건나 환기를 통해 먼지를 제거하는 설비로 원전 가동에 필수적인 설비이다.

최근 주가가 급등한 테슬라의 수혜주로 꼽히는 한온시스템 주가도 탄력을 받고 있다. 한온시스템은 자동차 열 관리 시스템 분야 글로벌 점유율 2위 업체다. 배터리 열 관리가 필수적인 전기차 핵심 시스템을 제공하기 때문에 테슬라 등 전기차 업체 관련주로 꼽힌다. 최근 전기차 외에도 친환경차 수주가 빠르게 확대되면서 '그린뉴딜주'로 묶이기도 한다.[214]

한온시스템이 친환경차와 자율주행차 부품 라인업을 강화하고 2025년까지 연 매출 10조원을 달성하겠다는 목표를 밝혔다. 전기차와 수소차, 자율주행차 등 미래차 부품에 과감히 투자하고 연구개발을 강화해 친환경차가 매출에서 차지하는 비중을 2025년까지 40%로 높이겠다고 다짐했다.

한온시스템의 전문 분야인 자동차 열 관리 솔루션은 전기차 등 미래차의 주행거리에 직접적인 영향을 미치는 대표적인 고부가가치 산업이다. 한온시스템은 현대자동차의 'E-GMP'와 폭스바겐의 'MEB' 등 전기차 전용 플랫폼을 수주해 양산을 진행하고 있다. 현대차의 아이오닉 시리즈, 아우디의 Q4 e-트론, 포르쉐의 타이칸, 메르세데스-벤츠의 EQC 등에도 납품하고 있다고 한온시스템은 밝혔다.

한온시스템은 유럽과 중국 등 주요 생산 거점에 공장을 증설해 전기차 수요 증가와 환경 규제에 대응할 계획이다.[215]

214) 투자회수 앞둔 한온시스템, '테슬라 수혜주'로 / 헤럴드경제
215) 한온시스템 "친환경차 부품 투자 확대…2025년까지 매출 10조" / 연합뉴스

7. 참고문헌

7. 참고문헌

1) 수소차 전기차, 그린뉴딜의 중심이 된 친환경 모빌리티 / 문화뉴스
2) 에너지신문 '2030년 세계 자동차시장 전기차 30% 차지할 것'
3) 전기차 인기 폭발…올해 판매 300만대 넘는다 / 중앙일보
4) 文대통령 "2025년까지 전기차·수소차에 20조원 이상 투자" / 파이낸셜뉴스
5) 수소차 전기차, 그린뉴딜의 중심이 된 친환경 모빌리티 / 문화뉴스
6) 출저 : IRS Global, SK증권
7) 출저: www.seriouswheels.com
8) 자료: 한국산업기술평가관리원, 산업기술 R&D전략, 2014
9) 미국 전기차 시장 - (2) 정책 동향 / kotra 해외시장뉴스
10) <국내 전기자동차 기술 경쟁력 분석>, 산업기술이슈
11) 아주경제 '[IAA모빌리티2021] 대세는 전기차 글로벌 기업, 앞다퉈 미래차 공개'
12) 자료: 현대자동차
13) 모터트랜드 '전기차가 그토록 경제적인가요?'
14) 한경산업 '가격 미쳤다 머스크도 비명 이러다 전기차 못 만들판'
15) 수소·연료전지 연구현장을 가다-⑭JNTG 에너지 연구소 / 월간수소경제
16) 아시아경제 '[자금조달]에코플라스틱, 아이오닉6 코나 등 전기 수소차 부품생산'
17) 자료: KDB산업은행 기술평가부 재구성
18) 전기자동차 배터리 종류, 다이나솔루션
19) 자료: 한국자동차 공학회, 「Pouch형 LIB의 현황과 전망」 2014.09.17
20) <전기차 충전시스템 소개와 인프라 구성>
21) 출저: 포드
22) <더 가볍게, 더 강하게… 초경량車 소재개발 '가속'>, 동아사이언스 (2017.09.01)
23) 에너지신문 '2030년 세계 자동차시장 전기차 30%차지할 것'
24) 글로벌 수소차 시장, '2027년 300조' 전망…연평균 56.7% 성장 / THE GURU
25) 美본토서 전기차 大戰 예고…현대차, 100만대 新시장 눈독 / 매일경제
26) 메가경제 '2021년 자동차 등록대수 2491만대 2.07명당 1대 전기차 신규등록 10만대'
27) 매일경제 '전기차도 주행거리 따라 세금내야'
28) 전기차·수소차 확대, 세금 85조원 사라진다!/지앤이타임즈
29) 전기차 많이 보급될수록 세입 감소, 제주도 재정에 '타격'(?) / 미디어제주
30) 전기차 늘수록 세금 수입 감소…제주도 '딜레마'/제주일보
31) 수소차 넥쏘, 美서 '지구-달 17번 왕복 거리' 온실가스 무배출/MN매일뉴스
32) "전기차 · 수소차 시장, 예상보다 더 빨리 커진다"/초이스경제
33) 글로벌비즈 '[초점] 글로벌 전기차시장, 본격 시동 걸렸다'
34) 주간동아 '현대자동차 美전기차 판매량 241% 급증, 일론 머스크 엄지 척'
35) [현장] 벌써 3천대 넘은 수소차, 충전소는 고작 30여 곳…정부지원 시급/아이뉴스24
36) e대한경제 '현대차 수소 인프라에 11조 베팅'
37) 윤석헌 금감원장 " 수소·전기차도 사고 대차 기준 마련하겠다"/데일리한국
38) [단독] 불합리한 전기차 대차(貸車) 기준 바꾼다… 크기 대신 출력 / 조선비즈
39) 서울시 정책뉴스 '반도체 수급난에 출고지연 전기차도 보조금 지원'

40) smart city today ‘서울시, 전기차 충전기 정책 대한민국 환경대상 수상’
41) 경향신문 ‘녹색교통지역 2년 서울 도심의 차량 흐름이 바뀌었다’
42) 더밀크 ‘[인사이트인사이드] 미국 도로에는 왜 수소차가 보이지 않을까?’
43) '수소차 천국' 미국서 1000㎞ 질주…넥쏘는 목말랐다 / 중앙일보
44)수소차 강자는 니콜라인줄 알았는데..알고보니 진짜 강자는? / 데일리카
45) 조선비즈 ‘가격 또 올린 테슬라 美점유율 11%로 급락 전망도’
46) 뉴데일리경제 ‘지난해 전기차 666만대 판매...테슬라 1위, 현대차 기아 5위’
47) 전기신문 ‘테슬라 GM 리비안 다 올랐다... 미국 전기차 가격 상승 가속화’
48) 전기차 입지 먼저 굳혀…수소차는 기반 기술 개발 초점/Economy Chosun
49) 조선경제 ‘美테슬라 가격 또 올렸다... 한국도 시간문제’
50) [미국 대선 '그후'] 뜨는 산업과 지는 산업은 / 서울와이어
51) 경향신문 ‘친환경차 전환 바이든 프럼프가 유예했던 자동차 연비 규제 다시 강화’
52) 글로벌비즈 ‘[여기는워싱턴] 바이든 정부, 전기차 충전소 50만개 건설 프로젝트 박차’
53)EU 배기가스 배출규제 강화 소식에 발등에 불난 유럽 자동차업계...전기차 시대 앞당겨질까/조선일보
54) 스웨덴 자동차 산업/Kotra 해외시장뉴스

55) 스웨덴 자동차시장에 부는 친환경바람/Kotra 해외시장뉴스
56) https://thecce.kr/2796
57) 스웨덴 볼보, 국내 친환경 하이브리드 시장의 ‘다크호스’로 급부상 / M오토데일리

58) 볼보, 中 상하이서 차세대 전기모터 연구소 오픈. ‘e-모터’등 미래차 개발 전념 / M오토데일리
59) Smart City Today ‘런던 전역에 자동차 통행료 징수 방침... 성공할까? 이목집중’
60) 영국 자동차산업/Kotra 해외시장뉴스
61) 에너지데일리 ‘영국,2035년부터 순수 전기 수소차만 판매할 수 있다’
62) 英, 전기차 교체 보조금 900만원 지원 / IT조선
63) 글로벌이코노믹 ‘영국5월 신차 등록대수 지난해보다 20%이상 급감...전기차는 급증’
64) 벤틀리, 영국 자동차 브랜드 중 최초 탄소중립 친환경 공장 실현 / 카가이
65) “벤틀리도 2030년 전기차로 완전 전환” / 교통신문
66) 월간수소경제 ‘中, 탄소중립 위해 수소굴기 강력 드라이브’
67) 신화망 베이징 뉴스 ‘中 수소에너지 산업발전 중장기 계획 내놔... 탄소중립 박차’
68) KiET산업연구원, 중국산업경제브리프(2021), 「탄소중립 시대에 대응하는 중국 수소산업 발전전략」
69) 신화망 뉴스 ‘상하이, 수소 산업 로드맵 발표...2025년까지 산업체인 1천억 위안대’
70) KOTRA해외시장뉴스 ‘중국 충칭시, 수소연료전지 관련 대형 프로젝트 잇달아 착공’
71) CSF중국전문가포럼 ‘[이슈트렌드] 中 2025년까지 NEV로컬브랜드 점유율 80%로 끌어올릴 것’
72) 中 ‘수소차 굴기’ 본격 개막/Kotra 해외시장뉴스
73) 월간수소경제 ‘중국, 수소차 보급 장려책 대폭 강화’
74) 중국, 수소차 보급 장려책 발표 / Kotra 해외시장뉴스

75) 베이징 "2025년까지 수소전기차 1만대 보급" / 한국경제
76) Business Post '중국 올해 전기차 판매량 500만 대 돌파 전망, 정부 정책적 지원효과'
77) 중국 전기차 보조금 연장안 발표, 배터리 스와프 지원 눈길 / 뉴스핌
78) 중국 전기차 성장에 불안한 미국, 무슨 일일까 / 중앙일보
79) '중국판 테슬라' 니오, 고공행진..."스마트EV 주도" vs "지나친 기대" / 뉴스핌
80) 독일, 수소 인프라 확충에 총력/Kotra 해외시장뉴스
81) GT weekly brief 글로벌 산업기술 주간브리프「독일의 수소연료전지자동차 최근동향」
82) 조선일보 '수소 승용차로 돈 벌기 어렵다 벤츠 도요타 잇달아 하차'
83) 미래차 전쟁서 힘받는 수소차… 중국·독일 등 집중 투자 나서 / 국민일보
84) [수소경제] 플라스틱·폐휴지로 친환경 수소 만든다 / 조선비즈
85) 에너지신문 '독일 수소 프로젝트 구체화 속도낸다'
86) Motor Graph '[이완 칼럼] 독일은 내연기관 최후의 보루가 될 것인가?'
87) 독일, 2022년 전기차 100만 대 시대가 온다/Kotra 해외시장뉴스
88) THE GURU '유럽 내 전기차 시장 디젤 추월 초읽기 10대 중 1대 전기차'
89) Kotra해외시장뉴스 '독일 연방정부 전기차 보조금 삭감안 발표, 무엇이 달라지나?'
90) 조선비즈 '폭스바겐, 유럽 배터리공장 5곳에 26조원 투자 대량 생산체제 구축'
91) LS엠트론 '순수 전기차 시대를 준비하는 독일 자동차 산업'
92)E-Mobility로 전환하기 위한 독일 자동차 산업의 방향성 분석 / kotra 해외시장뉴스
93) [이달의 이슈] 일본 수소전기차 현황과 수소에너지제품연구시험센터(HyTReC)/기후변화센터
94) Kotra 해외시장뉴스 '일본의 전기자동차 산업 동향'
95)일본 자동차 산업 / kotra 해외시장뉴스
96) 수소차 연료전지는 美, 경제성 큰 '액화기술'선 日이 우위[성큼 다가온 수소시대] / 서울경제
97) 조선비즈 '토요타 유럽 수소차 시장 선점위해 카에타노-에어리퀴드와 협력'
98) 하이브리드 집중하는 일본, 순수EV 전환 속도/ 팍스넷 뉴스
99) The JoongAng '전 세계가 전기차 올인 외치는데 일본만 잘라파고스 왜'
100) 일본 전기차의 추락…도요타·닛산 올들어 '글로벌 톱10' 밖 밀려 / THE GURU
101) 하이브리드로 다진 기술력, 전기차에서도 빛날까? / 디지털 투데이
102) 국민일보 '전기차 기술력 자만했나 큰 격차에 사기 꺾인 일본'
103) "가장 쓸데 없는 게 '도요타' 걱정…한발 늦은 전기차 지켜봐야" / 이데일리
104) 전기신문 '5월 자동차 생산 수출 두 자릿수 증가 친환경차 판매 첫 4만대 돌파'
105) 전기차 판매량 급증에 이차전지 시장 가파른 성장세 / Hello T
106) KDB미래전략연구소 산업기술리서치센터「전기차용 이차전지의 시장 트렌드 및 기술 개발동향」
107) [바이든 시대] 전기·수소차에 보조금 지급 약속...친환경차 판매 급증할 듯 / 조선비즈
108) 친환경차시대 코앞인데…갈길 먼 한국 / 매일경제
109) 국회예산정책처(2022)「친환경자동차 지원사업 분석」
110) [ET단상] 2050장기저탄소 발전전략과 대응방향
111) 자료: 환경부 "교통의정서 이후 신 기후체제 파리협정 길라잡이", 신영증권 리서치 센터
112) [미국]친환경 메카 캘리포니아주 2050년에는 전체 차량 87%그린카

113) 美본토서 전기차 大戰 예고…현대차, 100만대 新시장 눈독 / 매일경제
114) 전기차 시대 여는 바이든, 美 전역 50만개 충전소 설치한다 / ZD Net Korea
115) '스쿨버스 전기차로'…바이든 시대, 美 전기차 정책 변화? / THE GURU
116) 중국 전기자동차 발전 현황과 시사점
117) KITA.net 무역뉴스 '떠오르는 중국 신 에너지차 시장에 기회 있어'
118) KOTRA 해외시장뉴스 '중국 신에너지 자동차 시장 동향 및 전망'
119) 한겨레 '지난해 전기차 키워드는 테슬라·중국·7.9%'
120) 중국 전기차 보조금 연장안 발표, 배터리 스와프 지원 눈길 / 뉴스핌
121) 바이든 효과?…미국-EU 경제권 '친환경 정책' 잰걸음 / 이로운넷
122) 머니투데이 '독일도 전기차 보조금 삭감 추진 아이오닉5·EV6타격'
123) 원료확보에서 규제정비까지…배터리산업 육성에 적극 나서는 EU / KDI경제정보센터
124) 중국·유럽의 배터리 돌진…근심 깊어지는 'K 배터리' / 서울경제
125) 국토교통부 smart city korea '인도 전기차, 2027년까지 600만 대 판매 예상'
126) KOTRA 해외시장뉴스 '일본의 전기자동차 산업동향'
127) '2050년 탄소중립' 선언한 일본, 재생에너지 및 전기차 도입 확대 / 인더스트리뉴스
128) 일본 전기차 차세대배터리 집중지원...한·중과 경쟁 가속 / 연합뉴스
129) MOTORGRAPH '노르웨이, 전기차 판매 90% 육박...30년이 걸렸다'
130) 출처: 호서대학교, 충남 신재생에너지 산업화 발전계획과 수소경제사회 구현 전략 수립 연구용역 최종보고서, 2016.12발췌
131) 세계에너지시장인사이트(2018) '일본 수소기본전략 추진 배경과 핵심내용 분석(Ⅰ)'
132) 월간수소경제 '프랭크 월락 미국 연료전지 수소에너지협회 회장'
133) KICT「수소산업 육성을 위한 국내외 정책동향」
134) 월간수소경제 '中 탄소중립 위해 수소굴기 강력 드라이브'
135) 대한민국 정책브리핑 '2030년 온실가스 감축목표 26.3%→40% 대폭상향'
136) 에너지플랫폼뉴스 '국가온실가스 감축목표(NDC), 국제사업서 추진력 강화'
137) 외교부 보도자료 '상향된 2030국가 온실가스 감축목표(NDC) 유엔기후변화협약 사무국 제출'
138) ZD Net Korea '산업부, 자동차 부품기업 미래차 전환 지원... 올해 예산 50억 원 확보'
139) 2030년 수소·전기차 비중 33%/신소재경제
140) 조선비즈 '전기차 부진한 르·쌍·쉐 내년부터 수십억 벌금 낼 듯'
141) 투데이에너지 '주요소,2017년 이후 매년 200여개 폐업'
142) 전기차 대중화 시대 활짝 열린다...5년 안에 113만대 보급 / 데일리 이코노미
143) 정부, 전기차·수소차 보급 확대 위해 '미래차 추진단' 출범 / 지피코리아
144) 내손안에 서울뉴스 '전기차 보조금 1만대 추가 지원 승용·화물·이륜차 보급'
145) 인천투데이 '인천시, 올해 수소차 500대 보급...1대당 3250만원 지원'
146) 한경사회 '광명시, 수소전기차 보조금 늘린다'
147) 수원특례시 보도자료 '수원시, 친환경 수소·전기 자동차 구매하는 시민에게 보조금 지원'
148) 세종포스트 '세종시, 올해 전기차 910대 수소차 100대 보급한다'
149) 충북도, 수소사회로 가는 디딤돌 수소차 보급에 박차 / 동양일보
150) 김해시 공공부분 차량 모두 전기·수소차로 구입 / 서울신문
151) 교통뉴스 '경북 영천시, 전기 저상버스 2대 도입'

152) 인더스트리뉴스 ‘전주시, 전기차 충전시설확대... 급속 48기, 완속 117기 55곳에 165기 설치’
153) MiMiNT뉴스 ‘부안군, 전기자동차 충전소 대폭 확대 대기환경 개선 앞장’
154) 대한민국 정책브리핑 ‘전기차 보조금 지원대상 2배 확대...대당 보조금 지급액은 낮춰’
155) KDI 경제정보센터 경제정책자료 ‘친환경차 개발 보급 중장기(21~25)기본계획 발표’
156) 조선비즈 ‘작년 공공 신규차량 10대 중 7대는 전기 수소차’
157)
158) 대한민국정책브리핑 ‘전기차 급속충전소 2025년 주유소만큼 늘린다...1만2000곳 목표’
159) 2025년까지 전기차 충전기 50만기 이상 구축 / 한경경제
160) BUSINESS Watch ‘전기차 충전인프라 늘릴 대안은...’
161) 그린벨트 내 주유소에도 수소충전소 들어선다 / 머니투데이
162) 전국 주유소, 전기·수소차 충전하는 복합충전소로 변신한다 / 뉴스1
163) 카운터포인트 리서치 ‘2022년 1분기 글로벌 전기차 출하량, 전년 동기 대비 79% 증가, 테슬라 선두 유지’
164) 카운터포인트 리서치 ‘2022년 1분기 글로벌 전기차 모델별 출하량 트래커’
165) 나무위키「테슬라 수퍼차저」
166) 테슬라, 전기차 배터리 직접 만든다…국내 장비 조달/The elec
167) 해시넷 ‘비야디 씰’
168) [글로벌-Biz 24]중국 BYD, 순수 전기버스 공급 5만대 넘어...한국,일본, 미국 등/글로벌비즈
169) 중국 BYD와 토요타가 합작 EV 연구 개발 / 일간공업신문
170) '수소차 원조' 토요타, 자존심 꺾다…트위지급 초소형 전기차 공개/MN매일뉴스
171) 도요타와 파나소닉의 합작사, 2022년부터 하이브리드카용 배터리 생산 / 뉴에너지 모빌리티
172) Benz-all ‘벤츠 전기차 종류 한눈에 보기 2022’
173) 머니투데이 ‘격전지 된 일본 전기차 시장... 역전 노릴 호기’
174) 日닛산, 모든 신형차에 간이 자율주행 기능 기본 장착 / 연합뉴스
175) 디젤 자부심으로 똘똘 뭉쳤던 독일의 자동차 명가들은 2016년 일어난 아우디·폭스바겐의 디젤게이트의 영향으로 수소전기차 개발에 적극적으로 나서고 있는 것으로 분석된다. 특히 유럽이 배출가스 규제 등 친환경차 보급에 앞장서고 있는 데다 독일 역시 이런 흐름을 따르고 있다. 독일 자동차공업협회에 따르면 2018년 1분기 독일 자동차 판매량에서 디젤차는 32.3%를 차지하는 데 그쳤다. 2015년까지만 해도 디젤차 판매가 절반에 달했던 것과 비교하면 3년 새 급감한 셈이다.
176) <‘현대차 vs. 도요타·혼다’ 수소차 동맹 양분>, 파이낸셜 뉴스(2018.06.20)
177) 현대차, 수소 대형트럭 'HDC-6 넵튠' 티저이미지 공개/뉴스토마토
178) 현대차 자율주행차 전략은 바로 '수소차'/!T Chosun
179) 시사저널e ‘현대차 넥쏘 판매량 큰 폭 증가... 정부 목표엔 아직 먼’
180) 현대차, 미국 친환경車 라인업 재정비…2022년 10종 완성 / 아시아경제
181) 토요타, 완전히 새로워진 2세대 미라이 컨셉트 공개/Auto Times
182) 조선일보 ‘도요타, 수소승용차 포기하나... 렉서스, 100% 전기차 선언의 의미는?’
183) MOTOYA ‘GM,혼다와 함께 보급형 전기차 공동개발 나선다’

184) 매일경제 ‘독일 폭스바겐, 수소차 안 만든다... 물리학적으로 무리’
185) 글로벌비즈 ‘BMW 아우디, 수소 전기차에 양다리 걸치는 이유는?
186) The JoongAng ‘독일 BMW, 일본의 도요타와 개발한 수소차 SUV 2025년 양산’
187) BMW, 수소차 개발 '성큼'…2022년 양산 / Auto Times
188) 벤츠의 수소차 개발 ‘벌써 25년’ / 서울신문
189) <수소전기차 바람이 분다-수소전기차 부품, 어디에 어떤 제품 사용되나>, 월간수소경제(2017.11.03)
190) <전기차 시대, 주목할 만한 기업은?>, 이코노믹리뷰(2016.11.01)
191) 뉴데일리경제 ‘LG엔솔 중국빼 전기차 배터리 시장 1위... 中맹추격에 위협 여전’
192) LG화학, 中생산-테슬라 모델Y 배터리 전량 수주 / 노컷뉴스
193) “전기차 패권 잡겠다"... 삼성SDI, '전고체 배터리' 상용화 박차 / 시장경제
194) THEELEC ‘中 흔적 지우는 에코프로... 배터리 핵심소재 내재화 추진’
195) <현대모비스, 전기차의 전기 맘대로 뽑아쓰는 양방향 충전기술 확보>, 전자신문(2017.08.16)
196) <현대모비스, 글로벌 친환경차 핵심부품·기술 독자 개발>, 경향비즈(2017.07.27)
197) 한경ESG ‘현대모비스, 1조 3000억 투자 인천 울산에 수소전지 공장’
198) THEELEC ‘만도, 올해 연매출 6.9조원 목표...전기차 부품 사업 확대로 실적 견인’
199) 만도, 美전기차 기업에 전자제어식 조향시스템 공급/뉴시스
200) THEELEC ‘만도, 차세대 일체형 통합전자브레이크 양산 시작’
201) 연합인포맥스 ‘R&D센터 리츠에 팔아 4천억 확보한 만도, 미래사업 투자 가속’
202) 만도 전기차 맞춰 전동화부품 키운다, 해외영업 강한 조성현 진두지휘 / 비즈니스포스트
203) 사람인 ‘(주)화신테크 2021년 재무정보’
204) 한국IR협의회 기술분석보고서「엘앤에프 IT부품」
205) 엘앤에프, 대구국가산단에 2500억 투자 / 헤럴드경제
206) 조선비즈 ‘양극재 강자 기대감에 에코프로 쓸어담는 외국인... 주가도 반짝’
207) 매일경제 ‘에코프로, 청주에 R&D캠퍼스...배터리 초격차 시동’
208) 한경경제 ‘일진머티리얼즈, 삼성 SDI에...8.5조원 규모 동박 공급 계약’
209) 우리산업, 테슬라의 실적 호조에 전기차 관련 수혜 / 서울와이어
210) nate뉴스 ‘상아프론테크, H2 MEET 2022에서 수소 연료전지의 핵심부품 강화전해질막 '그린멤 멤브레인‘ 알렸다!
211) 아이투자 ‘상아프론테크, 1Q 영업이익 29억 원... 전년비 +20.8%’
212) <상아프론테크, 전기차 훈풍 타고 올해 사상 최대 실적 유력>, 전자신문(2017.08.31)
213) 상아프론테크, 수소차 멤브레인 소재 특허…목표가 159%↑-유진 / 이데일리
214) 공조시스템은 뜨겁거나 차가운 공기를 천장 배관을 통해 작업장 등 실내에 유입시켜 온도를 조절하건나 환기를 통해 먼지를 제거하는 설비로 원전 가동에 필수적인 설비이다.
215) 투자회수 앞둔 한온시스템, ‘테슬라 수혜주’로 / 헤럴드경제
216) 한온시스템 "친환경차 부품 투자 확대…2025년까지 매출 10조" / 연합뉴스

초판 1쇄 인쇄 2018년 8월 13일
초판 1쇄 발행 2018년 8월 20일
개정판 1쇄 발행 2019년 11월 14일
개정2판 발행 2021년 1월 04일
개정3판 발행 2022년 9월 26일

편저 ㈜비피기술거래
펴낸곳 비티타임즈
발행자번호 959406
주소 전북 전주시 서신동 780-2 3층
대표전화 063 277 3557
팩스 063 277 3558
이메일 bpj3558@naver.com
ISBN 979-11-6345-382-6(93550)

이 도서의 국립중앙도서관 출판예정도서목록(CIP)은 서지정보유통지원시스템 홈페이지 (http://seoji.nl.go.kr)와 국가자료공동목록시스템 (http://www.nl.go.kr/kolisnet)에서 이용하실 수 있습니다.